ROMAIN SARDOU

Issu d'une longue lignée d'artistes, Romain Sardou, né en 1974, se passionne très jeune pour l'opéra, le théâtre et la littérature. Il abandonne le lycée avec l'intention de devenir auteur dramatique, et suit un cours de théâtre pendant trois ans afin de mieux saisir la mécanique des textes de scène, tout en dévorant classiques et historiens. Il part ensuite deux ans à Los Angeles écrire des scénarios pour enfants. Puis il rentre en France, où il se marie et publie son premier roman, *Pardonnez nos offenses* (XO, 2002), suivi de *L'Éclat de Dieu* (XO, 2004), deux romans d'aventures et de mystère en plein cœur du Moyen Âge. Exploitant d'autres rivages romanesques, Romain Sardou a également publié deux contes d'inspiration dickensienne, *Une seconde avant Noël* (XO, 2005) et *Sauver Noël* (XO, 2006), ainsi qu'un thriller contemporain, *Personne n'y échappera* (XO, 2006). Son nouveau roman, *Délivrez-nous du mal*, paraît en janvier 2008 chez XO.

Retrouvez l'actualité de Romain Sardou sur http://www.romainsardou.com/

PERSONNE N'Y ÉCHAPPERA

Du même auteur
CHEZ POCKET

Pardonnez nos offenses
L'Éclat de Dieu
Une seconde avant Noël

ROMAIN SARDOU

PERSONNE N'Y ÉCHAPPERA

ISBN : 978-2-266-17275-2

À mon père

PREMIÈRE PARTIE

1

3 février 2007

– Le plus dur, je vous le garantis, c'est de sortir de la voiture...

Cette réflexion impérissable venait de Californie, de Hollywood pour être correct. Les réalisateurs de cinéma décrivaient en ces termes l'acte le plus « pénible » de leur profession, à savoir émerger de leur voiture chaque matin dès l'arrivée sur le plateau de tournage. Une flopée d'assistants les y attendait pour les assaillir de questions, de problèmes à régler sur-le-champ, ainsi que de choix à trancher, des choix, encore des choix. Que des complications. Dans ces minutes, selon Kubrick et Spielberg en personne, l'on ne ressentait plus dans les tripes qu'une seule envie têtue : vider les lieux et aller se recoucher.

En cette nuit glacée de l'hiver 2007, blotti dans sa voiture à l'approche d'une sordide scène de crime, le colonel Stu Sheridan, chef de la police d'État du New Hampshire, se dit que l'adage hollywoodien était aussi très adapté à sa profession de flic. Idéalement adapté même.

On l'avait réveillé une demi-heure plus tôt : un

coup de fil de son adjoint principal, le lieutenant Amos Garcia. Ce dernier, sans préambule ni excuse pour le sursaut matinal, l'avertit qu'il lui expédiait un chauffeur. Il y avait – c'étaient ses mots propres – un « gigantesque merdier » sur le chantier de la nouvelle autoroute 393 entre Concord et Rochester, en pleine forêt de Farthview Woods. Sheridan connaissait les lieux : des travaux publics entrepris depuis un an, une extension d'autoroute avec une percée de quinze kilomètres à travers la forêt et de hautes sections sur piliers pour enjamber les plans d'eau encaissés.

Appuyé sur un coude, Sheridan déchiffra quatre heures à son réveille-matin. Le débit haché de la voix de son adjoint laissait entendre le chaos de la situation.

– Quelle est l'idée ? Un crime ?

Garcia hésita.

– Difficile à dire, *chief*. Pour être franc, j'ai pas les yeux assez réveillés pour vous compter combien de cadavres nous avons sur le râble !

– Merde. Entendu. Je me prépare, répondit le colonel.

Le lieutenant coupa net la communication. Sheridan roula au bas de son lit, lentement pour ne pas éveiller sa femme. Il s'avança dans le noir et récupéra sur un fauteuil ses vêtements de la veille.

Le colonel Stuart Sheridan était un géant, avec un cou de bloqueur de football, un buste carré, et pas un pouce de graisse au-dessus de la ceinture. Ce format faisait irrémédiablement baisser d'un ton la voix de tous ceux qui venaient lui parler ; c'était un don pour un homme à insigne, surtout à l'époque des patrouilles de nuit. Toutefois, en dépit de cette verdeur de quinquagénaire, les traits de son visage, eux, avaient franchi le cap du demi-siècle depuis longtemps. Trente ans de services payés en larges pattes d'oie aux tempes, en valises sous les paupières, en longs sillons creusés sur le front. Sa brosse de cheveux était devenue gris fer et clairsemée ; son visage couturé de cicatrices lui rappelait sa jeunesse, période « western », où il faisait le coup de poing sur chaque enquête. Aujourd'hui, rangé des voyous, Stu Sheridan gouvernait la police d'État, un poste prestigieux que personne ne lui contestait.

Il descendit jusqu'au salon pour rendosser son uniforme. En bouclant son ceinturon, il aperçut les deux pinceaux blancs des phares d'une voiture qui s'arrêtait devant son perron. Il vit aussi de gros flocons emportés dans une saute de vent. On était le 3 février ; la neige s'était fait attendre pour la saison mais elle se rattrapait brutalement ce matin.

Le flic d'élite glissa son Glock 45 automatique dans son étui et vissa le Stetson de son corps d'armée sur sa tête. Dès qu'il eut ouvert la porte, le vent s'aplatit contre lui. Une voiture banalisée l'attendait de l'autre côté de la rue, moteur allumé. Son pot d'échappement crachait une ahurissante fumée blanche. Un jeune stagiaire sortit pour le saluer, bafouillant une amabilité convenue ; le chef répondit simplement « Dépêchons ! » avant de claquer sa portière.

La voiture abandonna l'agglomération de Concord, la capitale du New Hampshire, pour rejoindre la forêt de Farthview Woods. Les voies éclairées disparurent, de même que les lampadaires de croisement, puis les habitations isolées. Une nuit noire.

Et partout la neige qui tombait.

« Tout ce qu'il nous faut... » songeait le colonel. Il devinait les semi-remorques renversés, les lignes électriques coupées, les générateurs de ferme en panne avec de vieux paysans en panique. Et les femmes enceintes. Au cours de l'hiver, on finissait sans surprise avec une ou deux femmes coincées dans leur voiture en route pour l'hôpital. C'était toujours un flic qui répondait en premier à l'appel de détresse. Et c'était souvent ce même flic qui, sur la banquette arrière, se devait de mettre l'enfant au monde. Les premières neiges de cette force annonçaient toujours des emmerdes.

Il se dit aussi que cela faisait un bon moment qu'on ne l'avait pas réveillé en pleine nuit. Ce fameux coup de fil qui vous plante devant un macchabée remonté d'un lac ou une jeune rousse saignée par un miché. Désormais, au titre de grand patron, il devait s'appuyer tout le reste : les cambriolages, les voies de fait, la sécurité des manifestations, les rapports aux politiques, les canaux officiels, les conférences de presse, etc. Un nombre incalculable de papiers grattés pour un nombre incalculable de domaines. Aussi, en général, respectait-on son sommeil.

J'ai pas les yeux assez réveillés pour vous compter combien de cadavres nous avons sur le râble !

La police du New Hampshire pouvait se targuer d'avoir un taux de criminalité anormalement bas. Sheridan se dit que, s'il y avait quatre ou même cinq dépouilles avec Garcia, cela suffirait à faire grimper ses chiffres...

C'est en arrivant aux abords du chantier que le colonel songea à la phrase des réalisateurs hollywoodiens. D'abord l'obscurité était parfaite, des murs d'arbres serrés se dressaient de part en part, et puis soudain une débauche de lumière jaillit, un disque éclatant posé au milieu de nulle part ! Il y avait là une bonne douzaine de voitures de la police d'État, des Crown Victoria gyrophares allumés, les projecteurs de la société de travaux publics déversaient un éclairage bleuté, d'énormes générateurs ronflaient et fumaient comme des bouches de métro, des rubans jaunes phosphorescents se balançaient sous le vent, un hélicoptère stationnait à basse altitude, plongeant son phare de poursuite sur les bois, et des flashes photo fusaient. Le chantier était à l'arrêt, aucun ouvrier n'occupait les lieux, pas de spectateur, ni de fourgon audiovisuel : que des flics et des experts scientifiques.

Une scène de crime dans ses premiers instants.

***

– Je n'ai pas pu faire autrement que de vous appeler, chief, dit Amos Garcia.

L'adjoint avait une quarantaine d'années, latino, originaire de Fort Lauderdale, Floride. Il travaillait au plus près de Sheridan depuis sept ans.

– Heureusement que je suis arrivé tôt sur le site. J'ai pu ajuster un périmètre assez large. Sans quoi nos hommes auraient tout salopé avec leurs bottes. Et je ne dis rien de la police locale. Il doit forcément y avoir beaucoup d'indices, là, sous la neige fraîche. *Ça doit.*

Il était tendu. Cela ne lui ressemblait pas. Garcia n'était pas du genre à s'embarrasser de sentiments, sur une scène d'intervention.

– Venez, c'est par là, dit-il.

Tout en marchant, le chief enregistra la présence de quatre ambulances et d'un nombre sérieux de civières et de brancards, comme lors d'un accident de car ou de train. Un vieux Noir était assis sur une chaise en plastique, le visage apeuré, devant deux policiers qui réalisaient un moulage d'empreintes de ses bottes ; un gros chien attendait près de lui. Une flotte de machines de construction était rangée le long des buttes de sable et de remblai. À l'évidence, le chantier était stoppé depuis plusieurs heures.

Les deux hommes glissèrent sous les bandes jaunes qui jalonnaient le site et longèrent un chemin balisé par des plots. Ils atteignirent un trou de huit mètres de large, profond de six pieds et parfaitement plane. Il s'en trouvait plusieurs de ce type sur le chantier, à distance régulière : ils marquaient l'emplacement des futurs piliers de béton qui soutiendraient l'autoroute.

À l'intérieur du trou, Sheridan vit une masse informe et sombre, en partie recouverte par la neige. Ses yeux accrochèrent le visage d'une jeune femme blonde, puis celui d'un vieil homme à ses côtés, puis d'une autre femme brune dans la force de l'âge... et encore des visages et des corps. Des corps partout.

– On en compte plus d'une vingtaine, dit Garcia. Vingt-quatre.

Sheridan n'en croyait pas ses yeux. Il resta immobile et silencieux. Il sentit le froid qui régnait autour de lui le gagner de l'intérieur. Il frissonna.

Vingt-quatre morts.

« Seigneur Dieu... »

Les cadavres étaient amoncelés avec un soin macabre, sur quatre rangs, la tête tournée du même côté, aucune trace apparente de sang. L'un d'eux n'était pas resté sur la pile ; il avait roulé et gisait ventre à terre. Des deux côtés du monticule pendaient des bras inertes. On aurait dit un monstre de l'*Odyssée* ou un dieu hindou renversé sur le dos.

– Je ne suis jamais tombé sur autant de macchabées en une seule prise, murmura Garcia d'une voix blanche. C'est comme un charnier.

Il tira une cigarette d'un paquet d'American Spirit et la planta entre ses lèvres. Si Sheridan avait revêtu son uniforme, lui portait un jean bleu fatigué sur des bottes de trekkeur et un long pardessus fourré. Le colonel le regarda. Ils restèrent un instant les yeux dans les yeux. Les statistiques annuelles de leur État venaient d'en prendre un sacré coup.

Dans le trou, Sheridan reconnut Basile King, le médecin légiste en chef, et son assistant. Le premier époussetait la couche de neige avec un pinceau sec, l'autre prenait des photos.

– Bonjour, chief. Sacré réveil, pas vrai ?

Sheridan hocha la tête. Le légiste, âgé d'une soixantaine d'années, glissait d'un pas léger autour des corps, comme s'ils n'étaient que des pantins ou des gamètes dans des tubes à essai.

– En ce qui me concerne, énonça-t-il, la rigidité cadavérique est encore très faible. La mort ne remonte pas à longtemps. À peine quelques heures. C'est sensible, surtout avec cette qualité de froid.

– Les causes de décès ?

– Pour l'instant, je n'ai pu atteindre que les dépouilles supérieures. Celles-là, c'est certain, ont pris une balle en plein cœur.

Il s'approcha d'une victime et écarta le pan gauche de son anorak ; là se dessinaient un alvéole rouge sang et un contour roussi sur le pull-over.

– Du travail très soigné. Impact similaire pour cinq cas jusque-là. Les examens nous diront s'il existe une cause de mort antérieure.

Sheridan se tourna vers Garcia.

– A-t-on retrouvé des armes ?

– Aucune pour l'instant

Le colonel resta de nouveau silencieux. Partie apitoyé devant un tel massacre, partie inquiet du branle-bas qui allait accompagner cette découverte dans ses services. À un jet de pierre de là, deux hommes et deux femmes avançaient sur l'espace réservé aux enquêteurs, chacun portant une parka avec l'acronyme du Département de médecine légale dans le dos. Ils se déplaçaient à pas comptés, le regard rivé au sol, avec une lampe torche et un appareil photo. L'un d'eux employait un magnétomètre. Ils posaient des jalons numérotés à chaque indice remarqué.

Autour du site, sur des kilomètres, il n'y avait rien que l'épaisse et sombre forêt de Farthview Woods.

L'hélicoptère volait toujours au-dessus de leurs têtes.

Comment en arrive-t-on à buter une vingtaine de personnes ? s'interrogea Sheridan. Comment les transporter jusqu'ici ? Étaient-ils morts avant d'atteindre le trou de chantier ? Pourquoi là ? Pourquoi empiler les dépouilles avec un tel soin ?

– Qui a donné l'alerte ? demanda-t-il à Garcia.

– Un appel téléphonique reçu par le lieutenant de garde à trois heures et douze minutes. Milton Rook. C'est lui qui a appelé.

Il désigna l'Afro-Américain assis devant les deux policiers.

– Que faisait-il dans ce coin à cette heure ?

– Il promenait son chien. Il habite à huit cents mètres, au village SR-12. Selon ses dires, il est sorti vers les deux heures quarante. Mais dès qu'il s'est trouvé libre, le clebs s'est mis à renifler puis est parti dans la nuit en direction du chantier. Le pauvre type lui a couru après avec une lampe électrique et a beuglé pendant un sacré temps avant de le retrouver là, à lécher les doigts des morts. Il est rentré chez lui et nous a téléphoné.

– Il n'a rien rapporté d'autre ? Pas de bruit, ni de mouvement suspect ?

– Rien. Le type est très choqué.

– Les alentours du site disent quelque chose ?

– J'ai envoyé des hommes avec des chiens, plus l'hélico. Jusque-là, rien. On fait des relevés de pneus sur toutes les routes qui convergent jusqu'ici. Mais avec des revêtements humides...

Des brancardiers arrivèrent près du colonel et du lieutenant. Avec un luxe de précautions, King commanda la levée du premier corps : un homme, caucasien, assez âgé. Au moment où on le hissa, une vapeur s'exhala au-dessous de lui. C'était la chaleur conservée par les autres corps. Écœurant.

L'hélicoptère s'éloigna et le bruit des pales s'estompa complètement. Sheridan perçut alors l'incroyable silence qui enveloppait la scène de crime. Ses hommes étaient muets. Ils se tenaient à distance du trou, étrangement proches les uns des autres. D'ordinaire, les divisions de la police s'ignoraient ouvertement, les inspecteurs snobaient les patrouilleurs, eux-mêmes méprisés par les équipes scientifiques, et les agents locaux restaient encore plus à l'écart pour dauber sur tout le monde. Mais là, les groupes étaient nettement mélangés, on se passait des cigarettes, on se renvoyait des coups d'œil taciturnes.

Le colonel se dit qu'il éprouvait le même malaise que ses troupes, secoué comme les jours de découverte d'un crime d'enfant. Les pires pour le moral.

D'autorité, il décida de prendre le dessus :

– Garcia, fais conduire les corps à la morgue de l'hôpital. Il est inutile de les emmener au labo du département de police : nous n'avons pas assez de lits d'autopsie, ni de casiers frigorifiques. Je ne veux pas d'allées et venues superflues. S'il manque du matériel, transfère-le à la morgue.

– Entendu, chief.

– Je vais contacter les D-Mort pour qu'ils nous dépêchent des légistes volontaires. Je refuse que King perde un instant. La priorité, c'est le signalement des corps. J'en avertirai le gouverneur dès mon arrivée au bureau.

Sheridan s'arracha à la vue des macchabées et fit demi-tour pour retourner vers sa voiture.

– Quel type d'enquête ouvrons-nous ? lui demanda Garcia.

Il voulait savoir si la coordination du dossier allait passer aux mains des divisions du crime ou des investigations spéciales.

– On table sur des assassinats ou sur des suicides ?

– Qui peut le dire ? répondit Sheridan.

Il jeta un dernier œil au site.

– Une vingtaine de personnes ne peuvent périr ainsi sans laisser un maximum de traces derrière elles. Qu'elles soient mortes dans ce trou ou qu'on les ait viandées après coup. Nous devrons attendre que les indices matériels se mettent à parler. Organise une réunion avec toutes les sections à 9 heures. On y verra sans doute plus clair.

– Enregistré.

– Et, Garcia, personne n'approche de ce site ! Surtout pas la presse.

– Les dispositions sont déjà prises. À tout à l'heure, patron.

Sheridan cessa aussitôt de réfléchir à la scène. Il n'occupait plus un poste où il devait interroger et enquêter à vif sur une affaire. Le chef de la police d'État endossait un rôle de commandement, de logistique et de suivi de la paperasse. C'était à lui de faire remonter les informations jusqu'aux plus hautes sphères, d'établir les équipes d'intervention et d'assumer la responsabilité de ces équipes. Mais le travail de recoupe des informations, d'estimation, le jugé des faits, les aperçus brillants, tout cela lui échappait désormais. Il ne devait plus s'en soucier s'il voulait mener convenablement le reste de son job. Un gars plus mobile, entêté, résoudrait à sa place le mystère de ces vingt-quatre cadavres.

Lorsqu'il rentra dans la voiture, la neige redoublait.

– Ce n'est pas beau, murmura timidement le stagiaire en quittant le chantier.

– Non. C'est même franchement dégueulasse.

Sheridan tira un paquet de cigarettes de sa parka.

– Pour une seule mort violente, il faut déjà subir pas mal de mauvais plans dans la vie, des rencontres affligeantes, ou alors le manque de bol... mais là, pour une vingtaine !

Il alluma sa clope. La première de la journée. La seule qui lui faisait encore de l'effet.

– Soit tu fonds en larmes, soit tu gerbes...

2

Quatre heures plus tôt

Le mauvais temps avait forci dès la tombée du jour. Le thermomètre s'écroula d'une dizaine de degrés et l'horizon blanchit.

Dans la forêt de Farthview Woods, la nuit ne donnait rien à deviner du décor alentour – *rien*, si près soit-il. Aucun éclat, pas une seule lueur de vie à proximité, jusqu'aux lumières des villes qui se réfléchissent sur les nuages bas mais que l'alignement étroit des sapins rendait ici imperceptible.

Au milieu de ces ténèbres qui ressemblaient fort à celles des contes fantastiques d'autrefois, un Wilhelm Grimm n'aurait pas manqué d'écrire : « *Même l'œil d'un loup ne serait pas parvenu à miroiter, enveloppé qu'il était par tant d'obscurité...* »

Le même Grimm se serait néanmoins renversé sur le cul un instant plus tard : deux minces cônes éblouissants de lumière jaillirent de nulle part.

C'était une voiture.

Elle roulait au pas. Bien qu'au ralenti, son train arrière louvoyait sans cesse, emporté à la moindre variation de régime.

L'auto était on ne peut moins adaptée aux conditions : une Coccinelle Volkswagen 1974, moteur 1300, immatriculée dans l'Illinois, orange uni, et plutôt bien conservée pour ses six lustres de bitume.

À l'intérieur, un homme s'agrippait au volant. Il avait 28 ans, la peau claire, les cheveux blonds et ondulés, des yeux très noirs derrière de petites lunettes. Ses traits étaient régulièrement beaux. Plutôt costaud. Il inclinait le buste, le front contre le pare-brise. Toute la cabine était embuée. La ventilation du tableau de bord poussée à bloc ne produisait qu'un souffle tiède et détourait sur la vitre deux demi-cercles à peine grands comme des mains.

La banquette arrière disparaissait sous des valises et des cartons. Une carte routière du sud du New Hampshire était déployée sur le siège passager, par-dessus un sac à dos et un blouson bombardier. Le compteur journalier (option inédite installée par le proprio 80's de la Coccinelle) affichait 418 miles.

Assommé par les vibrations du bloc-moteur, le jeune homme suivait du regard les flocons accrochés dans ses phares. Par moments, tout lui paraissait blanc. Un mur à peine soutenable. La dernière construction habitée, le dernier lampadaire communal, le dernier véhicule croisé étaient derrière lui depuis quarante-cinq minutes. Il était seul au monde. Et plutôt perdu.

Son nom était Frank Franklin. Jusqu'à peu, il officiait comme professeur suppléant au département d'anglais de l'université de Chicago, poste qu'il assurait sans enthousiasme depuis trois ans. Né le 13 juin 1978 dans le New Jersey, il avait grandi à Wellesley, Massachusetts. Sa mère enseignait l'histoire et la science politique dans l'université de jeunes femmes qui faisait la réputation de ce voisinage de Boston. Eda Franklin était un personnage de roman : féministe et émancipée comme l'on n'imagine plus une mère oser l'être aujourd'hui. Célibataire mordue, sans espoir d'abjuration, elle avait décidé de « s'accorder un enfant » la quarantaine approchant. Elle se choisit un père selon des critères de sélection de son cru ; ce fut le frère cadet d'une ancienne élève qui se trouva être l'élu involontaire. Un type idiot mais très fort, joueur de football, en pleine santé. Elle le séduisit, puis, graine plantée, le négligea. Le pauvre gars ne sut jamais qu'il avait engendré. Si, jusqu'à cet événement, elle avait considéré la « maternité » comme la première aliénation de la femme moderne, l'arrivée du petit Franklin corrigea cette perspective. Ce fut aussi à la naissance de Frank qu'Eda renonça à l'écriture. Il n'était plus question pour elle de faire un livre, mais de faire un homme ; cette orgueilleuse estima la tâche à sa mesure.

Frank grandit dans sa bibliothèque. Il étudia à l'université de Babson, proche de Wellesley, puis à Harvard. À 24 ans, bardé de diplômes, il intégra l'équipe enseignante de Chicago, dans le département littéraire. Moins de trois ans plus tard, il se fit remarquer par une première publication. Non pas un roman, comme l'aurait souhaité sa mère, mais un essai, une étude sur le comportement des grands romanciers, sur leur vie, leur existence quotidienne, avant, pendant et après leurs écrits majeurs. Ce travail de thèse publié grâce à un éditeur new-yorkais fut salué par la critique et précipita sa carrière professorale. À Noël, un poste en seconde année d'écriture créative se libéra dans le

New Hampshire et son dossier fut mis sur le dessus de la pile. Successeur d'un professeur décédé avant l'hiver, en plein semestre, Franklin n'avait eu que trois semaines pour lâcher Chicago. Là encore, sa mère avait été déçue ; elle voulait que son fils cessât toute activité d'enseignement pour se consacrer à son seul travail d'auteur. Aujourd'hui retraitée, elle vivait dans une petite ville d'Arizona, ayant voué ses dernières années à la lecture exclusive de Joseph Conrad et d'Honoré de Balzac. Frank était convaincu qu'elle s'était secrètement remise à noircir du papier.

Parmi les sapins de Farthview Woods, sur l'accotement enneigé, à droite de la Coccinelle, un panonceau triangulaire s'éclaira tout à coup dans les phares. Le signalement avertissait contre les traversées d'animaux sauvages. Depuis de longs kilomètres, Frank ne rencontrait plus que des signaux de danger comme celui-là, ou bien des avertissements de « propriété privée ».

Selon son plan de route, il se traînait quelque part entre les communautés de Northwood, Deerfield et Nottingham, à vingt kilomètres de Concord dans la direction de Rochester. Il reprit d'une main la carte routière ; le chemin qu'il empruntait était désormais le dernier possible. Franklin scruta sa jauge d'essence. Il conservait assez de carburant pour rallier Manchester.

« Encore cinq kilomètres et je jette l'éponge. Basta. Je les toucherai demain au téléphone... »

Mais un rectangle de bois apparut à son tour dans la lumière.

Université de Durrisdeer.

Le panneau n'avait rien d'une signalisation officielle d'État, ce n'était guère qu'une planche de vieux chêne suspendue à un arbre avec des mots gravés en lettres torsadées, gothiques. On aurait dit une enseigne de château hanté comme il s'en trouve dans chaque brochure touristique sur la Nouvelle-Angleterre.

Université de Durrisdeer.

Ce nom suffit à faire desserrer du volant les doigts de Franklin. Il arrivait enfin.

Un demi-mile plus tard, une tache lumineuse orangée se découvrit. Un lampadaire éclairait un portail édifiant en fer forgé. Pas vraiment ce qu'on attendait d'une université en 2007. L'espace s'élargissait en arc de cercle, la grille était encastrée entre deux colonnes de vieilles pierres surmontées de lanternes en étain, sans doute contemporaines de l'éclairage au gaz. Le frontispice annonçait le « château » de Durrisdeer et non l'« université ». Les boucles et les déliés de la ferrure dessinaient des arabesques symétriques. Frank passa au point mort et laissa la voiture s'arrêter toute seule.

Derrière la grille ? La nuit.

Le jeune homme ouvrit sa portière. Il s'avança vers une caisse sur pied posée devant le portail, qui ressemblait à une boîte aux lettres. Il y découvrit ce qu'il espérait : un interphone. Il pressa le bouton. Aussitôt, une voix masculine répondit.

– Oui ?

– Je m'appelle Frank Franklin, dit le garçon. Je viens pour...

– Ah bien ! Je vous attendais, coupa la voix. Ne bougez plus. J'arrive tout de suite. Quelques minutes.

Le grésillement de la communication disparut. Franklin hocha la tête et retourna vers sa voiture.

Le tableau de bord de la Coccinelle était rudimentaire, vertical, plat, résolument allemand du siècle dernier. Un système de navigation y aurait paru aussi baroque que des feux indicateurs sur la jument du Quichotte. L'intensité des lumières du cadran et des manettes oscillait avec la pédale des gaz. Il en allait de même pour les phares; ils variaient presque comme des bougies. La voiture ne tarderait plus à lâcher. Il était temps.

Un gros pick-up surgit de l'autre côté de la clôture. Franklin, d'abord aveuglé par la rangée de phares supplémentaires montée sur le toit, aperçut une main se dresser hors de la fenêtre du conducteur, tendant un boîtier. L'intérieur de l'habitacle était sombre, impossible de distinguer l'occupant. Les lanternes sur les piliers s'illuminèrent et les vantaux de fer s'écartèrent lentement. Le gros Dodge fit des manœuvres de demi-tour. Lorsque le portail fut dégagé, la main ressortit pour faire signe de suivre.

Frank enclencha la seconde et repartit en douceur. La tache orangée du lampadaire s'évanouit dans sa lunette arrière; le chemin repartait en pleine forêt.

Franklin savait peu de chose sur sa nouvelle université. Durrisdeer était réputé pour être un établissement richement doté qui pouvait se permettre de compter un nombre réduit d'étudiants. Pas plus de trois cents. Durrisdeer n'acceptait aucun programme jumelé avec d'autres institutions, proposait peu de congrès d'été et les professeurs invités, les conférenciers, étaient rares. Hormis à rencontrer ceux qui y travaillaient, ou d'anciens élèves, il était improbable de récolter des informations sur le mode de fonctionnement de Durrisdeer. Cela n'avait pas dérangé Franklin qui avait surtout vu dans cette offre un gain de poste universitaire d'au moins cinq ans et un salaire gras en conséquence. Qu'importaient les us de l'endroit. Le haut standing de Durrisdeer le changerait de Chicago où les moyens étaient médiocres (surtout pour un suppléant) et où l'on comptait pas moins de onze mille inscrits. Une ville dans la ville ; rien n'y était plus à échelle humaine. Ici, Franklin dirigerait sa propre classe, un master en arts libéraux, cours d'écriture créative. De futurs romanciers.

Au premier croisement, Franklin lut deux flèches indicatrices : « Campus » sur la gauche et « Village des professeurs » sur la droite. Le Dodge ne ralentit pas et s'engagea vers la seconde.

Et la lumière fut, de nouveau.

La route s'était amincie, les arbres distancés. Des luminaires ponctuaient le chemin à intervalles réguliers comme dans les allées d'un parc anglais. Il se trouvait même de charmantes barrières blanches et des bacs à fleurs en friche. Tout cela semblait subitement doté d'un curieux cachet.

Les premières maisons apparurent. L'appellation de « village » était idéalement choisie : les pavillons suivaient une implantation en arrondi, assez espacée, avec des jardinets d'équerre, des haies taillées, des structures de jeux pour enfants, et toujours beaucoup de décorations de Noël suspendues aux frontons en dépit de l'année avancée. Franklin compta plus d'une vingtaine d'habitations de taille conséquente. Certaines affichaient des briques peintes, les autres de larges lattes de bois clair comme l'on en trouve partout dans les grands espaces du Nord. Les lanternes des perrons laissaient deviner des couleurs vives sur les façades : teintes bleues, rouges ou jaunes. Encore une tradition du coin. Franklin imaginait volontiers des Volvo et des SUV dernier cri derrière les portes électriques des garages.

« Si les professeurs de Durrisdeer vivent tous ici, c'est que j'avais sous-estimé la fortune de l'université... Ou alors l'on ne m'a pas tout dit. »

Vu l'heure, chaque fenêtre formait un rectangle noir. Personne dans les rues. Franklin suivit le pick-up à travers le village pour ressortir quelque peu vers la forêt. Le Dodge se rangea devant une maison décentrée, au bout de son propre cul-de-sac, presque entièrement enveloppée d'arbres. Seule la lampe du perron était allumée. Frank arrêta sa Volkswagen derrière le gros Dodge. Il déchiffra la plaque minéralogique surmontée de la devise du New Hampshire : *Live free or die.* « Vivre libre ou mourir. »

Riche programme.

L'homme qui conduisait s'avança vers lui. À travers la buée, Franklin vit qu'il avait affaire à une boule de muscles, petit, mais aussi large que haut.

– Je m'appelle Norris Higgins, fit celui-ci en tendant la main. Je suis le régisseur technique de l'établissement.

Franklin répondit à sa poignée de main.

– Bonsoir. Je suis soulagé d'être arrivé.

– Je vous crois. Sale temps. Ça peut encore s'aggraver. Et puis faut voir que nous sommes très mal campés sur les cartes ! Les buses de la voirie n'arrêtent pas d'inverser le sens des routes ou de condamner des chemins de forêt sous prétexte d'améliorer les infrastructures d'hiver et de fluidifier le trafic. Tous les ans, c'est le même cirque. Même nous, on s'y perd en début de saison.

– Je vous l'accorde. Rien n'a été facile...

– Et puis vous êtes arrivé par la porte sud du domaine. Elle ne sert presque jamais. Mais cela ne fait rien ! Dépêchons-nous, ce froid est mortel !

L'homme avait parlé sans déloger de sa bouche une pipe calabash. Il promenait une face ronde et plate, une barbe et une moustache jaunies par le tabac. Ses yeux étroits lui donnaient la trogne d'un animal de nuit et une phénoménale tignasse dépassait de sa casquette frappée à la gloire des Patriots. C'était une force de la nature, un peu benêt assurément, mais brave. Norris avança vers le coffre de la Coccinelle.

– Laissez-moi vous aider dit-il.

Franklin donna un rapide coup de mouchoir sur le verre de ses lunettes pour chasser les premiers flocons et mieux apprécier la maison. Il espérait bien que cette résidence soit celle allouée à son intention par l'administration de Durrisdeer. Elle paraissait repeinte à neuf. Deux niveaux, avec une terrasse couverte au rez-de-chaussée. Le toit raide était chapeauté d'un lanterneau, les lattes de bois de la façade étaient blanches ou d'un bleu très clair. C'était une solide maison de famille. Franklin sourit ; il songea au studio-kitchenette qu'il avait abandonné trois jours plus tôt à Chicago. Il sentit un frisson agréable lui parcourir le dos. Sa « carrière » de professeur commençait en fanfare.

Frank se chargea de son sac à dos et suivit Norris Higgins vers la terrasse. Le régisseur fouilla ses poches, pêcha un trousseau de clefs et ouvrit la porte.

– Après vous, professeur.

Le hall sentait la résine et la peinture fraîche. Au centre, un escalier droit montait à l'étage. Sur sa gauche, Franklin vit un vaste salon désert ; sur sa droite, une grande cuisine ouverte. Tout paraissait retapé avec soin. Le seul éclairage provenait d'une ampoule nue pendue au bout d'un fil torsadé.

– J'ai vérifié la pompe à eau et le circuit de chauffage, dit Norris en posant le premier carton au pied de l'escalier. Tout est en ordre.

– Je vois cela. Il fait bon. Merci.

Il posa aussi ses sacs et ils ressortirent vers la voiture.

– À l'étage, vous avez deux chambres, expliqua Norris, deux salles d'eau et un cabinet de travail. Vous savez quand vos meubles doivent arriver ?

– C'est une des raisons de mon retard. Je l'ignore encore. Tout devait être là depuis une semaine !

Norris poussa un grognement en soulevant un carton sur la banquette arrière. Il était bourré de livres.

– Désolé, j'en ai deux ou trois comme celui-là, dit Franklin.

– Des bouquins. Normal pour vous, non ?

Le prof prit le sien.

– Le transporteur de mes meubles est en route, paraît-il. J'ai emporté quelques affaires pour camper en attendant.

– Inutile. M. Emerson a décidé cet après-midi de vous faire porter du mobilier. J'ai monté un lit, une table et deux lampes à l'étage. S'il vous manque quelque chose, pour parer à l'urgence, vous nous le ferez savoir demain.

– Merci. C'est vraiment gentil de sa part.

– Ce n'est pas tous les jours que nous accueillons un nouveau professeur ! Cela ne s'est même pas vu depuis des années à Durrisdeer. Vous verrez, vous êtes de loin le plus jeune de l'équipe.

Norris souffla en déposant le carton.

Lewis Emerson était le doyen de l'université. Franklin l'avait quotidiennement au téléphone depuis plus d'un mois. C'est lui qui avait pesé de tout son poids pour le faire accepter à la place de candidats plus âgés.

La Coccinelle vidée, Norris alluma la lumière de la cuisine.

– Elle est en partie équipée. Je vous ai mis de l'eau et du lait dans le frigo. Avec un peu de dinde et des œufs pour demain matin. Et du café soluble.

– Merci, monsieur Higgins.

L'homme sursauta. Pour la première fois, il extirpa sa pipe d'entre ses dents.

– Non, vraiment, Norris fera l'affaire, vous savez...

Frank sourit.

– D'accord.

Ils visitèrent le salon. Les murs étaient couverts d'étagères vides. Sur chaque versant, des fenêtres ovales ouvraient en pleine forêt. En fait de mobilier, la pièce possédait un seul guéridon avec un vieux téléphone.

– M. Emerson vous attendait ce soir pour le dîner, dit Norris. Il voulait fêter votre arrivée avec quelques professeurs.

– Je suis désolé.

– Faut pas. On a l'habitude des gens qui se perdent par ici, surtout la nuit.

Norris consulta sa montre.

– M. Emerson m'a cependant prescrit, au cas où, de vous inviter en son nom pour le petit déjeuner de demain. Chez lui.

Il tendit à Franklin un bristol sur lequel était tracée la route pour rejoindre la maison du doyen.

– 7 h 30 ?

– Sans problème. J'y serai.

Norris opina de la tête et se dirigea vers la sortie.

– Attendez ! lança Frank. Je voudrais savoir : qui habitait ici auparavant ?

– Qui ? Mais votre prédécesseur, le professeur Mycroft Doyle.

– Ah tiens ?

C'était le mort de l'hiver.

– Pour tout dire, reprit-il, il y a même créché plus de quarante-quatre ans. Le temps de son professorat à Durrisdeer. Une sacrée traite, pas ? On raconte qu'après un décès il faut toujours faire le ménage à fond dans la maison du mort, mais là, c'était au-delà du faisable, vu le fouillis et l'état des lieux. On a préféré tout rafraîchir. Et puis, pour vous, c'était plus correct. Croyez-moi, les murs avaient la lèpre.

– De quoi est-il mort ? Je sais très peu de chose sur Doyle, finalement.

– Anévrisme, y paraît. Un truc au cerveau en tout cas. Banal pour un type comme lui. Je veux dire, un homme qui réfléchissait tout le temps. Enfin, vous savez mieux que moi ce que c'est.

Norris remit sa casquette et fit la moue. À coup sûr, la mort n'était pas son sujet de bavardage favori. Frank songea que non seulement il s'emparait de toute la classe de Doyle, mais qu'il investissait aussi sa maison...

Il accompagna le régisseur jusqu'au perron.

– Tous les professeurs habitent sur le campus ? Dans le « village » ?

– Non. Quelques-uns possèdent des appartements en ville, d'autres vivent dans le grand bâtiment administratif plus au nord.

– Le terrain de Durrisdeer paraît vaste. Cela me change du campus urbain de Chicago.

Norris souleva ses sourcils.

– Vaste ? Je crois que vous mesurez mal la chose, professeur. Les terres ici sont gigantesques. Nous détenons des milliers d'hectares qui se répartissent sur trois comtés dans le New Hampshire et le Maine.

– Impressionnant. Et vous régissez tout ce domaine ?

Le gars opina.

– Régisseur technique. Oui. C'est moi. Et vous, vous allez instruire les écrivains de Durrisdeer ?

– Des écrivains, c'est vite dit. Je vais dispenser des cours d'écriture créative. Un MFA. Utile pour devenir écrivain, mais pas suffisant pour se laisser qualifier de la sorte.

– Ah bon ? En tout cas, cela va leur faire drôle aux gamins de vous voir remplacer le vieux Doyle. Vous avez leur âge !

Norris hocha la tête.

– Je vous laisse vous reposer maintenant, professeur.

– Encore merci pour tout, Norris.

Avant de disparaître avec son pick-up, le régisseur lui conseilla de ranger sa Coccinelle dans le garage. Ce qu'il fit.

À l'étage, Franklin découvrit une chambre avec un lit, une autre plus étroite et un cabinet de travail comme décrits par Norris. Le cabinet comportait une fenêtre en arrondi tournée vers la forêt. Les vitres dessinaient une sorte d'alcôve devant laquelle avait été posée une table sur tréteaux avec un tabouret. Idéal pour travailler. Idéal pour écrire, se dit Franklin.

Il s'approcha de la fenêtre et contempla la nuit. La neige traversait plus difficilement sous le couvert des arbres. Il remarqua que c'était la première fois qu'il allait vivre en pleine nature. Le citadin qu'il était se retrouvait au beau milieu de nulle part. Il se doutait qu'il mettrait un moment à s'habituer à cette atmosphère, aux bruits, aux craquements de bois, au passage énigmatique des animaux. Au silence aussi.

Il ouvrit la fermeture à glissière d'un de ses gros sacs et en sortit une machine à écrire Remington

3B modèle de bureau 1935. Il la posa délicatement sur la table, ôta la housse et rabattit le cylindre à papier en tirant sur la targette. La clochette du butoir tinta et son timbre clair résonna dans la maison vide.

« Doyle a vécu quarante-quatre ans entre ces murs ?... »

Franklin n'était pas certain d'aimer cette idée.

Il grimpa sur le lit, roula sur le dos, convaincu de s'endormir sur-le-champ. Mais, comme prévu, la forêt faisait un chahut pas possible. Frank entendit un oiseau de nuit lancer son cri. Glaçant. Il n'avait aucune idée de la famille à laquelle cet animal pouvait appartenir. Un rapace ? De la nature, Frank ne connaissait que les pages de Buffon ou de Thoreau. Rien de pratique vraiment. Il se dit que ce cri pouvait aussi bien avoir été un lointain hurlement de femme ou d'enfant, il ne l'aurait pas mieux identifié...

Il s'endormit sur cette pensée malheureuse.

3

Le lendemain, 7 h 35

Stu Sheridan était assis à son bureau, le combiné du téléphone plaqué contre l'oreille. Il écoutait une voix grave qui soliloquait ferme depuis de longues minutes.

Le siège de la police d'État du New Hampshire se situait sur Hazen Drive, dans Concord Height, à l'est de Merrimack River. Tous les services du Département de la sécurité avaient été récemment regroupés dans le James H. Hayes Safety Building. L'ensemble se constituait de gros bâtiments carrés, aux façades froides et fonctionnelles, avec des briques rouges et de grandes fenêtres réfléchissantes.

– J'entends, oui.

Sheridan plissa le front. Il repoussa du revers de la main deux chemises de documents pour atteindre un bloc-notes grand format et un crayon. Il nota :

Melanchthon, O'Rourke et Colby.

9 h 55 – Sheffield Military Airport.

Black-out. Embargo général.

– Pour ce dernier point, l'antenne locale m'a averti cette nuit. Oui, la consigne est passée.

Il mit un rien d'exaspération dans sa voix.
– La première réunion des sections se tiendra ce matin pour 9 heures. *(Pause.)* Ça se peut. On patientera. *(Pause.)* Tout juste, vingt-quatre morts, neuf femmes et quinze hommes.
Sheridan subit une dernière tirade de son interlocuteur.
– Si vous le pensez. Je vous contacte dès que nous tenons du nouveau.
Il écrasa du pouce le repose-combiné pour interrompre la communication puis composa un numéro d'extension à trois chiffres.
– Lieutenant Garcia, j'écoute ?
– Je viens de raccrocher avec le cabinet du gouverneur. Il y a trois agents du FBI qui débarquent à l'aérodrome militaire, à dix heures moins cinq. Avec déjà des pouvoirs élargis. L'on est prié d'attendre qu'ils soient dans nos murs avant de conduire le moindre briefing.
Garcia siffla.
– Avec le bien que ça nous fait de les avoir dans les pattes !
– Je sais. Voici les noms : Melanchthon, O'Rourke et Colby. Je n'en connais aucun. Cette fois-ci, ils nous expédient une femme. Agent spécial Patricia Melanchthon. C'est elle qui pilote l'équipe.
– Quand on est dans un jour de veine...
– Le cabinet vient aussi de me réitérer l'avis d'embargo général lancé par le Bureau sur l'affaire.
– Alors la cause est entendue. Ils viennent tout rafler. Fin de partie pour nous. Cela aura été plus rapide que d'habitude !
– J'en ai bien peur.
Ils raccrochèrent.

Le bureau de Sheridan occupait un angle du James Hayes Building face à la forêt. La tourmente de la nuit avait cessé mais un ciel de traîne menaçait toujours. Les arbres croulaient sous la neige. Les mêmes arbres, denses et obscurs, que ceux de Farthview Woods qui entouraient le chantier de la 393. Lorsque la vitre s'ouvrait, on pouvait entendre le roulement sourd du Merrimack qui coulait en contrebas. Le fleuve traversait la ville de Concord. On repêchait la majorité des assassinés de la région sur ses rives. Les corps étaient basculés et retrouvés longtemps après.

« Là, et non sur un chantier d'autoroute accessible à tous et immédiatement repérable ! » se dit Sheridan.

Il se passa la main sur le visage. Il n'avait pas encore trouvé une minute pour se raser ni se débarbouiller. Les dernières heures avaient été consacrées à contacter les services du maire et du gouverneur, à établir un rapport sur les premières constatations et à demander des renforts en légistes. Mais toujours rien de concret en ce début d'enquête.

Sur son bureau, le flic visa les photos de sa femme et de leurs cinq enfants. Les Sheridan œuvraient depuis toujours dans la police. Cinq générations d'affilée. Mais des matins comme celui-ci, enseveli sous les cadavres, il se demandait s'il souhaitait vraiment que l'un de ses fils reprenne le flambeau.

Son interphone crépita.

– Chief, le capitaine Gardner et le professeur Tajar sont arrivés, dit sa secrétaire.

– Bien. Qu'ils entrent.

Très tôt ce matin, Sheridan avait fait établir quelques premières hypothèses par ses équipes d'experts criminels sur le cas des vingt-quatre morts.

Bart Gardner était le superviseur de la cellule d'observation des mouvements sectaires et parareligieux de l'État, en partenariat avec les services de la Nouvelle-Angleterre.

Steven Tajar tenait une chaire en psychologie à l'université de Dartmouth.

Tous deux connaissaient Stuart Sheridan de longue date. Ils s'assirent devant son bureau. La secrétaire intervint rapidement pour servir du café à tout le monde.

– Nous sommes dans une situation critique, leur dit ensuite le colonel. Cette nuit, le FBI a ordonné un embargo sur les vingt-quatre cadavres. Pour nous, cela veut dire : interdiction d'ouvrir le dossier à qui que ce soit, défense d'en parler entre les services, la presse ne doit pas pouvoir communiquer dessus, les personnels non requis ne sont pas informés, aucun mémo ne doit être imprimé. Mais cela dit aussi : pas d'enquête au porte-à-porte, ni d'envoi de questionnaire d'appel à témoin dans la région. Aussi ne sommes-nous pas près de récolter quelque chose de neuf. Nos forces sont neutralisées. Une équipe du Bureau arrive dans deux heures. Ils ne vont pas tarder à réquisitionner l'ensemble de l'affaire. Cette rencontre entre nous trois doit rester confidentielle, vous ne pourrez pas participer à la prochaine réunion, ni être attachés à l'enquête. Mais si je dois passer le relais au FBI, je veux au moins avoir quelques points à leur balancer avant. Histoire de leur prouver que nous ne sommes pas qu'une police de soutien de seconde zone. Je vous ai fait parvenir les éléments de cette nuit. Je vous écoute.

C'est le capitaine Gardner qui débuta :

– Le cas qui nous occupe aujourd'hui rassemble beaucoup de paramètres déjà observés lors de sacrifices de secte. La netteté du coup de feu, l'alignement soigné des corps, le nombre important de victimes, la volonté apparente de ne rien vouloir cacher du résultat de ce sacrifice, tout cela est voisin d'un mode opératoire d'illuminés. Vous avez retrouvé des armes sur les lieux ?

– Non, répondit Sheridan.

– Cela implique la présence d'autres partisans, ou même du gourou ayant agi comme exécuteur. La découverte de signes dans l'habillement des morts, ou d'objets rituels abandonnés sur le lieu du martyre nous aiderait à signer l'identité de la secte.

– De ce que j'ai appris, dit le colonel, les morts de cette nuit ne portaient rien sur eux qui puisse les identifier, pas de pièce d'identité, pas de clef, de pendentif, de montre, de téléphone ni de menue monnaie. Rien. Tout a été vidé. Nous avons vingt-quatre personnes sans nom ; les échantillons ADN, les empreintes digitales et les moulages dentaires n'ont encore rien donné. De surcroît, leurs avant-bras et leurs mains échappent aux résidus de retour de poudre. Ni cordite ni rien. Cela signifie qu'aucun des 24 n'a tenu d'arme à feu. Pourtant, ils finissent tous avec une .45 dans le cœur. Cette nuit, il y avait forcément un ou plusieurs exécuteurs extérieurs au groupe. La balistique doit nous faire connaître combien de flingues ont été utilisés.

Gardner prit des notes et enchaîna :

– Pour les sectes répertoriées, à notre connaissance, la date du 3 février ne semble renfermer aucune signification occulte particulière. Les autres indicateurs sur les groupes surveillés dans notre pays ne font état d'aucune activité anormale ces derniers temps.

– Tâchez de surveiller discrètement les organisations parareligieuses que vous avez dans vos programmes de « veille », lui dit Sheridan. Ce qui s'est passé peut susciter des retombées.

– Entendu.

Cette hypothèse de secte plaisait assez au colonel. Pour autant de victimes, on ne pouvait raisonnablement admettre une vengeance ou des assassinats de circonstance. Pourquoi s'encombrer d'une telle mise en scène ? Et pourquoi transporter tous ces corps ? Il songea qu'il avait fallu de sacrés bras pour constituer le monceau vu dans le trou de pilier. À moins que les victimes consentantes ne se soient elles-mêmes mises dans cette position, les unes après les autres, dans l'attente d'être sacrifiées ? Des disciples ? Il en eut froid dans le dos.

Le professeur Tajar prit la parole.

– L'hypothèse que je souhaite avancer est d'un type neuf. Disons « récent ». Je parle des suicides collectifs dits à « vocation dynamique de groupe ».

– Des *quoi* ?

Sheridan n'avait jamais entendu parler de cela.

– Depuis quelques années, nous observons une modification dans les comportements de certains suicidés. Le suicide « sous assistance ». Des candidats à la mort se retrouvent à travers des associations ou sur des forums Internet et s'organisent pour se livrer à une fin de vie mutuelle. Les personnes ne se connaissent pas, elles n'ont aucun point en commun sinon le désir plus ou moins confus de mettre fin à leurs jours. Ce type de suicide n'exclut cependant pas la présence d'un maître d'œuvre, ou d'un « opérateur » qui aiderait à la réalisation. Cela s'est déjà vu en Angleterre et au Japon. Le drame de la 393 est cependant d'un genre nouveau pour moi. D'abord par le nombre.

Les suicides de groupe n'ont jusqu'à présent concerné que de petits ensembles, trois à six personnes au maximum. Ensuite l'âge. Ces jeux sont le fait de personnalités jeunes et influençables. Tel était le cas pour les suicides de ce type recensés l'an dernier à Tokyo.

Il consulta une feuille posée sur ses genoux.

– Les corps retrouvés cette nuit semblent couvrir un spectre générationnel de vingt à plus de soixante ans. C'est troublant. Nous assistons peut-être à l'apparition d'un stade nouveau dans l'organisation des suicides organisés ou assistés. Le nombre de morts est ici déterminant. Sur tous les forums Internet que nous surveillons, c'est toujours l'objectif des plus bavards.

– Lequel ?

– Être les plus nombreux. Établir des mises en scène spectaculaires. Célébrer sa propre mort. Mais, généralement, ces vœux pieux n'aboutissent jamais. Enfin, pas jusqu'à aujourd'hui...

Une secte ?

Un club du suicide ?

Sheridan ne savait à peu près rien sur ces domaines, mais ça l'intriguait pas mal. Il se redressa dans son fauteuil.

– Faites de votre mieux pour approfondir ces deux pistes, au plus vite. Le FBI nous talonne. À la morgue, les légistes de renfort sont arrivés. Dès que nous aurons du nouveau, je vous le ferai savoir.

Les deux hommes le saluèrent et quittèrent le bureau.

Sheridan resta un moment seul avec ses pensées. Puis il se leva pour se diriger vers l'un des murs de son bureau. Une immense carte du New Hampshire y était suspendue, quadrillée selon les sections de brigades et les juridictions de la police d'État et des différentes polices départementales des villes. Il épingla une pointe rouge à l'endroit exact de la découverte des corps, en pleine forêt, entre un domaine municipal et le début des terres de l'université de Durrisdeer.

« Pourquoi là ? »

Le chantier devait-il servir à faire disparaître les corps sous le sable ou le béton ? L'opération avait-elle été interrompue par l'arrivée du chien de Milton Rook ? Ou par la neige ?

Ce coin de l'État était parfaitement isolé mais, à seulement quelques kilomètres près, le massacre serait tombé sous la juridiction de la police départementale de Concord ou bien de celle de Deerfield. À cet endroit, c'était une certitude, de par la loi, Sheridan et ses hommes étaient les seuls à pouvoir intervenir et se saisir du dossier.

« Cela a-t-il un sens ? Et alors pourquoi nous ? »

Sheridan consulta sa montre. Il rejoignit sa secrétaire, Betty, une grosse aux cheveux rouges montés en chignon avec des lunettes jaunes démesurées. Elle tapait sans cesse sur le clavier de son ordinateur, même lorsqu'elle parlait ou téléphonait.

– Avez-vous reçu les rapports du centre d'appel que je vous ai demandés ? lui dit-il.

– Oui, chief. Ceux des dernières vingt-quatre heures.

Elle lui désigna deux feuilles de fax sur un parapheur, sans cesser de rédiger.

Pour Sheridan, vu l'heure, les parents, l'entourage des victimes devaient commencer à s'inquiéter. Et peut-être même à se manifester auprès des autorités. Il avait fait contacter les centres d'appel de détresse de la police de Concord et des environs, et la Section des personnes disparues. Mais aucun appel n'avait été effectué en ce sens depuis cette nuit. Sinon de fausses alertes aussitôt résolues.

« C'est sans doute encore un peu tôt », se dit-il, surpris tout de même.

***

L'hôpital général de Concord s'élevait sur une colline à l'est de la ville, au 250, Pleasant Street, la façade haute et très structurée, en brique ocre comme partout en Nouvelle-Angleterre. Flambant neuf, il comptait une trentaine de services actifs parfaitement équipés.

L'arrivée des vingt-quatre corps du chantier avait bousculé l'organisation du laboratoire médico-légal ; les précédents « sujets » en attente avaient été remballés vers leurs casiers frigorifiques, ou tout bonnement disposés le long du couloir principal, faute de place. Dans les cinq salles d'autopsie, une horde d'experts se penchait sur les corps des victimes. Ce n'étaient ni les étudiants de médecine ni les auxiliaires habituels du service ; la plupart d'entre eux endossaient une blouse avec le sigle de D-Mort inscrit sur le dos et sur la poche extérieure. D-Mort : équipe de réaction opérationnelle aux désastres mortuaires. Cet organisme comportait des bénévoles légistes, des anthropologues, des experts et des cliniciens en tout genre, disponibles immédiatement en cas de drame de masse comme un crash d'avion, un incendie d'immeuble ou un attentat terroriste. Dotés d'un matériel mobile considérable, ils pouvaient accomplir en six à dix heures de travail ce qui réclamait plusieurs jours aux équipes de l'hôpital et de la police scientifique de Concord.

Le docteur Basile King sortit d'une autopsie et rentra dans son bureau annexe jouxtant les laboratoires, une pièce exiguë encombrée de rapports cliniques, de fiches analytiques et de certificats de décès. Il portait un bonnet et une blouse de fin papier bleu. Son visage était celui d'un homme de soixante ans qui n'avait pas fini sa nuit.

Il s'assit à sa table de travail, se passa lentement une main sur les yeux puis décrocha son téléphone.

– Passez-moi le colonel Sheridan, voulez-vous ? *(Longue pause.)* Chief ? Basile à l'appareil. Nous commençons à obtenir du nouveau. Vous devriez venir voir. Il y a des cas vraiment déconcertants. Pour ne pas dire flippants, comme s'expriment les jeunes d'aujourd'hui...

Vingt minutes plus tard, Sheridan était sur place. Il trouva passablement odieux de circuler dans les couloirs près des chariots de cadavres occupés ; même recouverts d'un drap blanc, on finissait toujours par apercevoir des chevilles ou une main lavasse qui dépassaient.

Aussitôt après son arrivée, King le précéda dans la première grande salle d'analyse ; ils se glissèrent entre les lits baignés par la lumière des tubes fluorescents suspendus au plafond et des halogènes à loupe grossissante ; certains praticiens portaient un magnétophone à leurs lèvres pour commenter les incisions mento-pubiennes de leurs partenaires. Les chariots d'instruments chirurgicaux faisaient un tintamarre de cuisine chaque fois qu'ils étaient déplacés. Les éviers étaient brunis de sang, les alambics, les vases à filtration, les broyeurs électriques, les plaques lumineuses, les chromatographes fonctionnaient à plein. Sans parler des fameuses scies Negli qui s'emballaient de temps en temps. Sinistre.

– Vingt-quatre corps, dit Basile. Toutes les races représentées. Tous les âges aussi. Ils ont péri d'un impact de .45 dans le ventricule gauche. Un vrai tir chirurgical. Le ou les tueurs avaient la main sûre. L'étude des trajectoires établira la position des victimes au moment du coup de feu.

– Des identités déjà ?

– Non. Cela dépend exclusivement des bases de données du Département de justice. Il faut attendre. Mais les échantillons sont partis. J'ai tout soigné pour décrocher des réponses au plus vite.

Les praticiens levaient à peine la tête au passage du policier. Sheridan observa les corps nus. Certaines découpes de sternum ou de pelvis lui répugnèrent.

Il observa une poitrine marquée de l'impact noir et profond. Autour, la peau était marbrée, les veines violettes.

– Des marques de résistance ? Des indices de lutte ?

King fit un signe négatif de la tête.

– Aucun pour l'heure. Ces personnes semblent avoir été très paisibles lors de l'exécution.

– Sévices sexuels ?

Basile hocha la tête et dit :

– Pas à proprement parler.

Il entraîna le colonel devant une femme d'une quarantaine d'années. Blanche. Caucasienne. Fausse blonde. Elle avait le ventre grand ouvert.

– Nous n'avons relevé aucune empreinte de viol sur les vingt-quatre corps. Mais cette femme, la seule sur les neuf, présente de mystérieuses cicatrices au bas-ventre. Peut-être une opération ou un accident, aucun des légistes de mon équipe n'est arrivé à un avis définitif.

Il mit sur une plaque lumineuse le large cliché de radioscopie du corps. Sheridan alla examiner l'entrejambe de la morte. Il recula d'un air dégoûté : des plis et des boursouflures dévoraient le vagin et ses entours.

– Je vous ai prévenu, lui dit Basile. Son cas m'a tracassé, aussi ai-je fait venir cette nuit une ancienne sage-femme qui a mis au monde une bonne partie de ma famille et des natifs de la région de Londonderry. Je la connais depuis toujours. Elle ne travaille plus mais elle reste la plus calée sur le sujet. Eh bien, en examinant cette malheureuse, elle m'a dit ne pas avoir observé de telles pratiques, à quelques exceptions près, depuis la fin des années 1950.

Il secoua la tête comme lorsqu'on refuse ce que l'on vient de dire ou d'entendre.

– Quelles pratiques, docteur ?

– Les accouchements sauvages. Sans assistance. La femme que vous voyez là a mis au monde un enfant toute seule. Une naissance difficile, multiples complications, déchirures internes inimaginables, infections non soignées.

Sheridan plissa le front.

– Aucun obstétricien, aucun médecin ne l'a jamais traitée. Les cicatrices sont brutes. Son bassin est dévasté. Un vrai chantier. La sage-femme rencontrait cela du temps des mariages vierges obligatoires et des avortements de fortune. Une époque où certaines femmes cachaient leur grossesse jusqu'à terme puis faisaient disparaître l'enfant. Celle-là n'en est pas morte, mais c'était moins une. L'accouchement peut avoir trois ans selon elle.

Sheridan examina encore le corps, sans rien dire.

– Pourtant, ses dents sont impeccables, renchérit Basile, elle avait de quoi se payer des soins. Un accouchement sauvage, à notre époque ! Allez comprendre...

– Comment une femme seule, accouchant probablement dans l'urgence, fait-elle pour couper le cordon ombilical ?

Basile secoua la tête.

– Vu les ravages internes, elle manquait d'instrument tranchant. Si vous ajoutez à cela l'état de souffrance dans lequel elle devait se trouver... Croyez-moi, colonel, vous n'avez pas envie de savoir comment elle s'y est prise.

Sheridan fut un instant parcouru de visions horribles et détourna la tête.

Basile King l'entraîna dans une autre salle, bondée elle aussi de cadavres et de légistes. Là, il lui soumit deux autres cas particuliers.

– Ce jeune homme présente des brûlures. Anciennes mais spectaculaires.

Il désigna ses poignets et le haut de son front. À ce dernier endroit, une bande très nettement dessinée parcourait toute la circonférence de son crâne. La peau était tendue et craquelée. Une longue cicatrice.

– De quoi s'agit-il ? demanda Sheridan.

– Eh bien, il ne m'a jamais été donné de pratiquer une autopsie sur un condamné à la peine capitale, mais je pense que si je devais ausculter une personne passée à la chaise électrique, elle ressemblerait assez à cela.

Sheridan sursauta presque. Il imagina le cercle de fer et les anneaux aux poignets qui servent à véhiculer le courant.

– Une chaise électrique ?

– Les brûlures sont caractéristiques, mais le garçon n'en est pas mort. Le jus était modéré. Non, il a été torturé, à tout le moins.

Sheridan blêmit.

– Mais qu'est-ce que c'est que ces histoires ? maugréa-t-il. Tous les corps présentent des particularités de ce genre ?

– Non, heureusement.

– De notre côté, l'on parle d'un suicide de secte ou d'un groupe assisté.

– Vraiment ? Les analyses toxicologiques disent toutes l'absence de drogues, d'alcool ou d'autres substances qui auraient pu faciliter l'affaire. Jusqu'à preuve du contraire, ces hommes et ces femmes étaient lucides au moment de leur mort. C'est bien ce qui est effroyable ! Nous avons certainement affaire à un massacre organisé, propre, planifié, peut-être sans faux pas. Cela peut en effet ressembler à quelque chose de volontaire de la part des victimes. Difficile d'imaginer le contraire. On ne se laisse pas poser un calibre si précisément sans une certaine... conviction, non ?

Mais Basile King dressa un doigt.

– Enfin, tous n'étaient peut-être pas si *déterminés* que ça...

Là, il mena Sheridan dans une troisième salle. Sheridan y observa le cadavre d'une fille blonde, encore très belle. À peine vingt ans. Peut-être la plus jeune du groupe. Au moment où le colonel arrivait, deux légistes étaient en train d'achever leur autopsie. Les organes de la fille avaient été remballés dans de petits sacs plastique, et ces derniers, bourrés sans ménagement à l'intérieur de l'abdomen béant. Ils s'apprêtaient à le recoudre.

– Cette fille présente une anomalie avec la balle, dit King.

– Pas de .45 pour elle ?

– Si. Enfin maintenant, c'est difficile à voir.

Il pointa le même emplacement du torse que pour les autres cadavres.

– Mais regardez plutôt, reprit-il.

Avec l'aide d'un de ses assistants, il saisit le corps et le retourna sur le flanc gauche.

Stu aperçut la signature d'une seconde balle, en plein dos.

– Elle a reçu celle-là en premier, expliqua King. Balle logée dans les poumons. Mortelle. L'autre n'a été tirée que pour la forme.

– Dans le dos ?

Basile acquiesça. Il remit le corps en place.

– Alors, dit Sheridan, celle-ci aurait essayé de fuir ?

– C'est une hypothèse. Mais intéressante. Elle me tranquillise un peu ; toutes ces exécutions parfaites et similaires commencent à m'angoisser vraiment. Comment peut-on se laisser faire de la sorte, sans un instinct de survie ? Il semble qu'au moins une jeune fille ait résisté au carnage.

C'était un point crucial. Ces données devaient être transmises à Gardner et à Tajar.

Un accouchement sauvage, une balle dans le dos, une chaise électrique...

Le médecin reconduisit Sheridan dans son bureau.

– Maintenant, conclut-il, il va nous falloir attendre les signalements du Département de justice issus des échantillons. Quelques identités nous suffiront, vous verrez. Le nombre de victimes joue plutôt en notre faveur. Il vaut toujours mieux dégoter deux ou trois morts plutôt qu'un seul. Le faisceau des présomptions s'accroît plus facilement. Les liens entre les morts se tissent et la vérité surgit. Alors, avec plus d'une vingtaine ! Il est juste besoin de découvrir qui ils sont les uns pour les autres. C'est assez simple. Tout va finir par s'éclaircir.

– Oui ? J'attends de voir...

4

À Durrisdeer, au réveil, Frank Franklin ne reconnut rien. Pas de bruit familier de circulation ni de klaxon intempestif, évanoui le cri poussif des compresseurs de freins des bus, rien du vrombissement du métro aérien qui passait à un bloc de son studio de Chicago et des travaux des conduites de gaz sur Edison Street. Juste un vent doux qui sifflait entre les bardeaux de la maison de feu Mycroft Doyle.

Frank se dressa sur le lit en pitchpin. Les lattes usées émirent un craquement rustique. Plutôt agréable. Il était 7 heures au cadran du réveille-matin. La chambre mansardée n'avait pas de rideaux, la lumière d'hiver pointait faiblement et bleuissait les murs.

Franklin gagna la salle de bains. L'eau chaude mit un temps monstre à atteindre la pomme de douche. Ses vêtements étaient répartis entre les sacs et les cartons. Moins de vingt minutes plus tard, il était paré pour rejoindre le doyen Emerson chez lui.

L'orage de neige avait fui, mais le froid était plus mordant. Avec le papier laissé par Norris, Franklin retrouva sans peine le « village des professeurs ».

Le sentiment de décor de théâtre qui l'avait gagné la veille était encore plus flagrant ce matin. Les façades, les jardins, les couleurs paraissaient hors d'âge, aussi lisses qu'une vignette anglaise. Ici, les femmes pourraient arborer des chignons blond platine et des robes en vichy en écoutant du Vaughn Monroe que cela ne l'étonnerait pas outre mesure.

Il aperçut la maison d'Emerson. Gigantesque. De style palladien, avec ses longues colonnes doriques blanches, son chapiteau orné et son dôme central, la façade ressemblait à celle de Monticello, le musée de Jefferson.

Lorsqu'il sonna à la porte, trois notes de musique retentirent, comme sorties d'une boîte à musique ou d'une ancienne horloge.

Le doyen ouvrit en personne.

– Franklin ! Je craignais de ne pas vous voir, même aujourd'hui !

Lewis Emerson, la soixantaine épanouie, assez grand, les cheveux et la barbe blancs coupés ras. Il avait des yeux clairs et des lunettes épaisses posées à mi-nez, une cigarette coincée à la commissure des lèvres en dépit de l'heure matinale.

– J'ai fait de mon mieux sous la tempête, lui dit Franklin, et sans téléphone portable. Mon abonnement s'est interrompu passé la frontière de l'Illinois. Je suis arrivé un peu après minuit.

– Vous êtes là, en un seul morceau, c'est tout ce qui compte. Vous auriez pu rester piégé quelque part dans nos forêts. Ça s'est déjà vu. C'eût été un piètre début pour votre première nuit chez nous. Entrez donc.

Les volumes du hall d'entrée répondaient à la façade de la maison : immenses. Lustre, console, grand escalier, des tons sable et dorés. Franklin aperçut un salon d'imitation Grand Siècle et un bar avec deux tables de jeux de cartes et une étagère où trônaient des trophées de golf.

– Ma femme Agatha nous attend pour le petit déjeuner.

Agatha Emerson était une brunette aux yeux très élargis, l'air un peu éberluée. Dès qu'elle vit Franklin, elle se précipita pour l'accueillir, avec l'enthousiasme d'une femme habituée à recevoir.

Le petit déjeuner des Emerson était dressé dans leur salle à manger : une véritable pièce de style, rien à voir avec le coin de cuisine où l'on ingère un café et un muffin sur le pouce. Le couvert était mis comme pour un grand dîner. Franklin sentit l'embarras le gagner ; il se retrouvait là, assis, seul avec le couple Emerson.

– Vous avez passé une bonne nuit ? demanda Agatha en apportant le café de la cuisine.

– Excellente, merci. L'air et le silence y sont pour beaucoup. Et la fatigue du voyage...

– Mais cette maison vide ! coupa la femme. J'en ai eu des frissons pour vous. Une maison sans mobilier, je trouve cela effrayant. Je n'aurais pas fermé l'œil de la nuit. Vous auriez dû vous installer chez nous. Nous avons des chambres d'amis. N'est-ce pas vrai, Lewis ?

Le mari fit signe que oui.

– Je n'ai pas eu l'occasion de vous le proposer, lui dit-il, mais cela tient toujours si vous le désirez. En attendant que vos affaires...

– Non, vraiment, c'est gentil, fit Frank. Je dois déjà vous remercier pour le lit. Norris m'a raconté.

Emerson fit un geste de la main.

– C'est la moindre des choses.

Il tendit le bras vers une chaise proche de lui et se saisit d'un exemplaire du *Concord Globe*, le quotidien régional.

– Regardez. Vous êtes déjà une vedette dans la région !

Un article de ce matin annonçait la venue de Franklin à Durrisdeer, en remplacement du regretté Mycroft Doyle. Le journaliste traitait Frank comme une petite célébrité, un auteur à succès. Il lui attribuait trois cent mille exemplaires vendus de son essai au lieu des trente mille véritables, mais ce n'était que pour mieux s'enorgueillir de son arrivée dans le comté. Une photo du jeune homme agrémentait l'encart.

– L'auteur de cet article m'a demandé s'il pouvait vous interviewer, dit Emerson, j'ai pris la liberté de refuser à votre place. Durrisdeer n'a pas besoin de ce genre de publicité. Vous ne m'en voulez pas ?

– Pas du tout, cela m'arrange, même.

Fin prête, Agatha s'assit à la table. Tout de suite, elle adressa un œil irrité à son mari. Celui-ci, sans protester, écrasa sa cigarette.

Sans prévenir, les deux entonnèrent un bénédicité. Le jeune homme, fils d'une mécréante, ne savait plus comment se tenir. La femme y mettait tout son cœur, Lewis, lui, fermait les yeux, peut-être en songeant à autre chose.

La prière achevée, Agatha releva le front, un sourire automatique lui barrant le visage.

– Vous avez trouvé Durrisdeer facilement ?

– Oui. Si l'on veut...

– J'imagine que vous avez dû être intrigué de rencontrer si peu de panneaux d'indication concernant l'université dans le comté, pas vrai ?

– Effectivement, dit Franklin. J'étais pourtant attentif.

Emerson partit d'un grand rire.

– Le maire du coin s'arrache les cheveux à cause

de nous ! Enfin, il se les arrachait. Il a renoncé depuis.

Il tendit à Frank le plateau d'œufs brouillés. Le jeune homme n'avait rien demandé, mais se servit quand même. Il voyait, avec appréhension, les saucisses fumées et la dinde froide qu'il allait sans doute devoir ingurgiter. Il détestait le salé au réveil.

Le doyen reprit :

– Il faut savoir qu'il existe une tradition parmi nos élèves : ils s'amusent à sortir la nuit pour arracher les indications concernant l'emplacement de l'université. Ne laissant au mieux que des panneaux de leur fabrication, gothiques, volontairement inquiétants.

Franklin se rappela le rectangle de vieux bois surgi dans la nuit.

– Parce que ?

– Parce que d'abord, ils réitèrent ce que faisaient leurs aînés avant eux, ensuite, pour cultiver cette vanité qu'ils ont de se savoir dans un endroit privilégié, isolé dans les forêts et qu'ils veulent conserver plus « secret » encore. Un truc de gamins gâtés par trop d'imagination. La communauté de pensée de certains jeunes qui se font passer pour des esprits « forts » ressemble à de petites sectes. Brouiller les pistes est un jeu, un rite qui les amuse beaucoup. Depuis le temps, même nous, nous avons cessé de lutter contre. Mais ce n'est pas pour arranger nos visiteurs.

Lewis et Agatha rirent en même temps.

– Je vous dis cela pour votre déménagement, reprit le doyen redevenu sérieux. Vos transporteurs vont rencontrer les mêmes inconvénients. Je vous conseille de les prévenir et de leur faire un plan.

– Je n'y manquerai pas.

Frank se servit du jus de fruits, avec mille précautions tant le cristal de son verre semblait fragile. Agatha fit glisser les amabilités d'usage sur la mère de Frank.

– Lewis m'a dit qu'elle était aussi un grand professeur ? Elle doit être fière de vous. Vous obtenez un poste merveilleux pour votre âge !

– Elle vit en Arizona depuis deux ans.

– J'espère qu'elle viendra nous rendre visite.

– Je l'espère aussi.

– Quels étaient les ateliers d'écriture que vous dirigiez à votre poste précédent ?

– J'étais adjoint au cours du professeur Gramme, qui chapeautait les diplômes artistiques de l'université. Il me faisait animer des stages d'écriture ; j'ai aussi mené des sessions de versification, d'analyse d'anglais classique et même de littérature saxonne.

– Frank a assuré pendant un semestre un cours intitulé « Syntaxe et imagination » ! dit le doyen. Un pareil sujet aurait séduit notre bon vieux Mycroft Doyle, votre prédécesseur. Vous avez obenu un prix pour cette session, je crois ?

– En effet. Mais le professeur Gramme était très bienveillant pour moi.

– Bah ! Ne faites pas le modeste. Cela ne sied qu'aux imbéciles.

– En tout cas, vous avez écrit un livre magnifique, dit Agatha. *La Tentation d'écrire*. J'en suis au dernier chapitre. Vos élèves l'ont lu aussi. Ils sont impatients de faire votre connaissance. Vous allez beaucoup leur plaire.

– Merci, madame.

Et là, sans qu'il ait le temps de s'en défendre, le doyen lui glissa une saucisse fumée. Franklin, vaincu, se mit à la mastiquer lentement, comme un enfant qui ne veut pas finir son plat. Il se demanda si ses hôtes cherchaient seulement, ce matin, à lui en mettre plein la vue avec leurs manières ou s'ils étaient aussi snobs et coincés que ça. Autour de lui, il n'appréciait ni la déco, ni la bouffe, ni les sourires artificiels d'Agatha, encore moins les périodes de silence du doyen qui faisait parfois comme s'il n'existait plus.

Il examina un imposant tableau sur un des murs : le portrait d'un homme ventru dans une pose de conquérant du monde, mais avec des cheveux en bataille et des favoris dignes d'un caricaturiste anglais.

– C'est Ian E. Iacobs, le maître du domaine de Durrisdeer, dit le doyen en suivant le regard de Franklin. Un industriel installé à Concord qui s'est outrageusement enrichi dans le traitement des cuirs.

– C'est lui qui a fondé l'université ?

– Tout juste. C'était un capitaliste de son temps, c'est-à-dire infréquentable aujourd'hui, mais il était d'un tempérament loufoque. Iacobs a choisi de fonder cette école de son vivant, cédant une partie de ses immenses terrains et supervisant lui-même la conception des bâtiments. Les premières classes furent installées dans son château. Il avait une idée très arrêtée sur ce qu'il souhaitait accomplir. Il a d'ailleurs laissé ses préceptes par écrit, et nous nous y plions aujourd'hui encore.

– Vraiment ? dit Franklin surpris. Une sorte de règle ?

Le doyen sourit.

– Pas comme celle d'un monastère ! C'est une charte de principes, rien de plus. Iacobs, en 1885, voulait créer un havre pour la jeunesse. Il pressentait que l'éducation des jeunes adultes allait bientôt perdre de sa portée humaniste pour tomber sous le joug des capitaines d'industrie. Il voyait venir le jour où telle compagnie ferroviaire ayant besoin de tel ingénieur pour telle production sud-américaine irait subventionner telle école et telle classe pour répondre à son besoin. Partant de là, on ne formerait plus des élites mais des cadres d'entreprise. C'est ce que Iacobs redoutait. Le paradoxe, c'est que cette charte de 1885, qui refoule le monde marchand à la porte de son école, est plus actuelle aujourd'hui qu'hier. Durrisdeer est une université à contre-courant de ce qui se pratique. Nous ne sommes sous la coupe d'aucun sponsor, nos actionnaires sont nos anciens élèves ou leurs descendants. Nous refusons de former qui que ce soit pour tel ou tel marché du travail. Nous délivrons une éducation libre et désintéressée.

– Alors, nous nous trouvons sur les terres d'un excentrique du XIXe siècle ?

– Iacobs est mort en 1905. Depuis ce jour, le collège a pris possession de toutes les dépendances. Comme vous avez déjà dû vous en rendre compte, Durrisdeer mène grand train. Vous ne verrez nulle part une qualité de vie comparable à celle de notre village des professeurs et ce, dans toutes les universités du pays. C'est un grand privilège.

– Je veux bien vous croire, dit Frank. La maison de Mycroft Doyle est épatante.

Emerson haussa les sourcils.

– Ne commencez pas à appeler cette maison celle de Mycroft Doyle ! Elle est la vôtre désormais, Franklin. C'est la maison de Frank Franklin.

– Heu, oui... bien sûr.

Le calvaire de la saucisse tiède s'achevait.

Emerson, considérant qu'il pouvait reprendre ses droits, ralluma une cigarette, en dépit de sa femme.

– Ma fille Mary vous fera visiter le domaine dès que vous le désirerez, dit-il. Nous allons vous laisser souffler pour aujourd'hui. Occupez-vous de vos affaires, allez en ville remplir votre frigo, reposez-vous du voyage. Mais demain, nous attaquons ! Nous signerons les derniers papiers et je vous présenterai aux autres professeurs. Cela vous convient-il ?

– Bien entendu.

Là-dessus, le doyen se leva de table et abandonna Franklin à Agatha. Celle-ci, même silencieuse, affichait toujours son sourire hospitalier et son œil éberlué. Frank n'avait pas le début d'une idée sur quoi l'entretenir.

Il la complimenta sur sa charcuterie...

5

À 9 h 30, en quittant l'hôpital, Sheridan retourna seul sur le chantier de la 393 pour voir le lieu des crimes à la lumière du jour. En arrivant, il put juger de l'efficacité des barrages policiers qu'il avait fait installer. Le matin s'était levé. Sur le site, il mesura le gigantisme des travaux engagés pour l'extension d'autoroute. Un incroyable ruban de terre et de sable traversait net la forêt. Des milliers d'arbres avaient été abattus. L'aire déblayée, droite comme un coup de crayon, disparaissait à l'horizon.

Une bâche bleue avait été tendue au-dessus du trou de pilier pour barrer la vue aux éventuels hélicoptères des médias. La neige avait en partie disparu, sous l'action des réactifs chimiques des experts. Des plots numérotés jalonnaient l'endroit, ils identifiaient les empreintes de pas et les indices. Les machines de travaux publics avaient été refoulées trois cents mètres plus loin. Là-bas, Sheridan aperçut des grappes d'ouvriers désœuvrés qui devaient se demander ce qui se passait.

Le colonel arrêta sa voiture au bout de la seule route goudronnée du chantier, une bande de bitume provisoire qui servait aux architectes et aux ingénieurs pour approcher des travaux.

Le capitaine Orgones, chargé de l'analyse des lieux, vint à sa rencontre.

– Bonjour, chief. Les choses vont plus ou moins bien ici. Nous manquons de personnel et de moyens !

– Je sais. Mais je suis pieds et poings liés. Embargo des fédéraux. Ils m'interdisent de constituer de nouvelles équipes.

– Ils se sont étendus là-dessus ?

– Pas encore. On les attend dans moins d'une demi-heure. Mais d'après moi, le Bureau est en panique. Même dans leurs rangs, ce n'est pas tous les jours qu'on tombe sur vingt-quatre macchabs rangés comme dans une boîte de crayons.

Le capitaine approuva.

Sheridan désigna les ouvriers au loin.

– Que leur avez-vous baratiné ?

– Rien. Procédé de l'autruche. Ils seront tenus au courant en temps voulu. La suspension du chantier tient jusqu'à nouvel ordre.

– Et la presse ?

– Les barrages fonctionnent. Pas une seule intrusion à déplorer.

Sheridan se dit que pour tenir un tel black-out médiatique plus d'un jour ou deux, le FBI allait devoir en faire des tonnes.

Le capitaine débuta son rapport :

– Nous sommes là sur la seule route qui mène de la 393 à ici.

Il pointa vers le sol une partie en bord de goudron, au point où la terre se retrouvait mélangée à du sable.

– C'est *ici* que commencent les traces de pas, dit-il.

– Celles des 24 ?

– Oui. Toutes dirigées vers le trou. Les marques sont profondes ; il ne fait aucun doute qu'il n'avait pas encore neigé lorsque les victimes sont arrivées. Selon les relevés météo, cela s'est donc nécessairement produit avant 23 h 12.

– À quelle heure le chantier s'est-il interrompu ?

– Il n'y a jamais d'équipe de nuit en hiver. Ce soir-là, les ouvriers ont vidé le chantier à 21 heures.

– Cela ne nous donne que deux petites heures. C'est rien.

– Vu l'ampleur des dégâts, c'est même impensable. Mais nous devrions pouvoir opérer une recherche d'après les caméras de surveillance des grands axes pour isoler à cette heure un car, un bus, n'importe quoi qui puisse être assez important pour transporter tout ce monde jusqu'ici.

Sheridan acquiesça. Il se pencha vers le sol mais ne vit aucune empreinte de semelles, plutôt une longue bande profondément imprégnée dans la terre.

– En réalité, expliqua le capitaine, les personnes ont marché en file indienne, depuis ce point jusqu'au trou, à soixante-dix mètres là-bas. Ce qui implique que nous n'avons aucune idée du nombre exact de personnes qui accompagnaient les 24 ! Elles pourraient être deux, quinze ou trente, cela ne changerait rien. Les empreintes se recouvrant les unes les autres, il devient impossible d'identifier des chaussures qui n'appartiendraient pas à nos vingt-quatre dépouilles. C'est un luxe de prudence rare.

Sheridan fit la moue. Ce n'était pas bon signe. Les deux hommes longèrent le tracé.

– Au labo de Basile King, dit le capitaine, ils ont pratiqué des moulages des chaussures des 24. Nous les avons comparés ce matin avec les empreintes de celles des ouvriers du chantier présents hier. Après vérification, nous sommes certains que pas une seule victime n'a marché autour du site. Ces marques-là...

Il désigna les plots jaunes déjà aperçus par Sheridan.

– ... sont sans surprise. On leur a toutes attribué une identité. Les 24 sont venus droit au trou, depuis la route, en ordre, sans hésitation. Pour y mourir.

Ils arrivèrent en surplomb du trou et se glissèrent sous la bâche bleue. L'emplacement du tas des vingt-quatre cadavres était fortement marqué au centre de la partie déneigée. Tout autour se lisaient distinctement les marques de pas de Basile King et de son assistant et de tous ceux qui s'étaient approchés des morts pour les extraire du trou.

– Là non plus, pas d'autres empreintes ?

– Non. Seulement les 24. Comme tout autour du trou.

Sheridan remarqua que la bande de pas longeait le cercle.

– Il semble qu'ils se soient tenus sur la hauteur, puis que chacun soit descendu à son tour pour se faire tuer. Sous le regard des autres. Quant au tireur, la balistique le confirmera, mais l'on peut avancer qu'il se tenait à peu près comme nous en ce moment.

Sheridan imagina la scène. Un spectacle ritualisé et sanglant. Froidement perpétré.

– Une sacrée organisation a présidé au drame de cette nuit, dit le capitaine. Un tel résultat ne s'improvise pas. Il fallait connaître l'endroit, les horaires du chantier, maîtriser les données empiriques qui risqueraient de tomber dans l'escarcelle de la police. Se rendre invisible, quoi. À cette échelle, ce n'est pas à la portée de tout le monde.

Sheridan approuva. Pour un enquêteur, il n'y avait rien de plus terrible qu'une scène de crime aussi vaste... et qui restait muette ! Ou bien qui ne disait que ce que les assassins avaient choisi de laisser filtrer.

À sa ceinture, son téléphone portable sonna ; un message texte de sa secrétaire. Les agents Melanchthon, O'Rourke et Colby du FBI venaient d'arriver au Hayes Building.

– Je vous laisse, dit-il au capitaine.

Il se précipita vers sa voiture. Avec la venue des fédéraux, il allait enfin comprendre ce qui se passait !

***

Au siège de la police, il tomba sur une grande bringue en tailleur moulant et deux types plutôt renfrognés. Patricia Melanchthon insista tout de suite pour que la réunion de sections se limite au minimum de participants possible. Cette femme lui parut antipathique, mais il ne protesta pas, impatient de l'entendre sur l'affaire.

La rencontre se déroula mal. Une heure durant, malgré l'insistance de Sheridan, Patricia Melanchthon refusa d'expliquer clairement leur présence. Elle annonçait seulement l'arrivée d'une trentaine d'agents pour inspecter la forêt de Farthview Woods de fond en comble et insistait sur l'importance de maintenir l'embargo le plus longtemps possible. Celui-ci incluait jusqu'aux familles des victimes qui ne sauraient rien des découvertes pour l'instant !

Sheridan pestait, menaçait. Le comble fut atteint lorsque Melanchthon lui réclama la faveur de récupérer immédiatement toutes les données de son enquête, en dépit de la procédure habituelle.

La règle avec le FBI était simple : à partir du moment où les éléments d'un crime relevaient d'un unique État, l'affaire était circonscrite aux mains de la police locale, le FBI ne servant que d'équipe de soutien à l'enquête. Mais si l'assassin présumé ou l'une des victimes venait à inclure le territoire d'un État supplémentaire, le crime devenait fédéral et le FBI s'en saisissait intégralement ; les rôles clés s'intervertissaient, les flics locaux devenaient les hommes de soutien. C'est-à-dire plus personne.

Melanchthon voulait passer outre et se saisir tout de suite du dossier. Elle aggrava son cas en critiquant Sheridan et le fait qu'il n'avait pas annulé sa demande auprès des D-Mort dès lors qu'il avait été mis au courant de l'embargo exigé par le FBI.

Sheridan vociféra de toutes ses forces et refusa de coopérer dans ces conditions.

À la fin de la réunion, il resta seul dans la salle avec Amos Garcia.

– À n'en pas douter, dans quelques heures, les identités des 24 vont tomber et elle nous brandira les autorisations nécessaires pour réquisitionner l'ensemble de l'enquête. Nous sommes en sursis, Garcia.

Il tapotait nerveusement sur la table.

– Pourtant, je suis convaincu que ces sauteurs du FBI sont exactement comme nous ! Ils ne savent *rien* sur ce qui s'est passé cette nuit, ni qui peuvent être ces dépouilles ! Seulement, comme à leur habitude, ils n'avouent pas, ils rappliquent en nombre, tous signaux dehors, avec leurs costumes bien coupés, tout cela parce que en haut lieu, on s'inquiète ferme.

– Ils ont peut-être une enquête en cours qui rejoint ce qui s'est passé cette nuit ?

Garcia dit cela calmement. Il redoutait les colères de son patron.

– C'est un peu éculé comme prétexte, non ? s'exclama ce dernier. Pourquoi ne nous le diraient-ils pas ? L'embargo n'est pas destiné à la presse, il est pour nous ! Crois-moi, Amos, ils n'ont pas la plus petite idée de ce qui se cache derrière. Et ça, ça les fait flipper, les fédéraux. Ils n'aiment pas être surpris. Surtout lorsque cela prend de telles proportions. Alors, ils nous dressent des rideaux de fumée et ils ne disent rien.

– Que fait-on ?

Sheridan haussa les épaules.

– Ils vont bientôt tout nous rafler, les corps, les rapports, les bacs d'échantillons ! En attendant que les paperasses officielles soient tamponnées, Patricia Melanchthon va nous balader : faire le relevé des caméras de surveillance des routes, garder les environs du site, lancer des démentis pour la presse, rassurer la population... Le néant habituel.

Garcia hocha la tête.

– Il y a l'embargo contresigné par le gouverneur. Si l'on passe outre, cela risque de passer pour une infraction d'une enquête fédérale, et, pour des flics comme nous, c'est un délit.

Sheridan y avait songé.

– C'est pour cette raison que, tant que nous détenons les éléments de la scène sous notre coude, même pour encore quelques petites heures, on continue d'avancer discrètement !

***

L'après-midi, tous les acteurs de cette affaire restèrent suspendus au fax du docteur Basile King à la morgue. Mais pas une identité ne fut envoyée de la part du Département de justice d'après les échantillons ADN.

Le soir, vers 20 heures, Stu Sheridan put enfin rentrer chez lui. Il habitait une maison cossue sur Auburn Street, un quartier sélect à l'est de Concord, à flanc d'une colline qui dominait la ville et la rivière Merrimack. Une bonne couche de neige s'était accumulée sur son parterre de gazon en bord de chaussée. Dans la rue, pas une poubelle, pas une branche ne dépassait.

Les chutes de neige avaient repris, le flic rentra frigorifié. Il prit une longue douche chaude, soulagé d'être de retour auprès des siens. Dans son vaste salon, il rejoignit sa femme et leurs cinq enfants.

Il était entendu que Sheridan ne parlait jamais de ses affaires de police en famille. Sa femme même était mise à l'écart.

Sans faire mention de son enquête, Sheridan mit la télévision du salon sur la chaîne d'information locale. Il savait que les médias avaient tout pouvoir dans l'esprit des gens; si quelque chose d'anormal survenait dans leur vie, dans leur voisinage ou par la rumeur, le premier coup de fil serait sans doute pour la police, le second sûrement et instantanément pour la télévision ou la radio, surtout s'il s'agissait d'une disparition de personne. Une mamie qui ne rentrait pas chez elle était certaine de retrouver le lendemain son portrait dans le poste, avec un message d'avis de recherche récurrent et un appel à témoins. Sheridan espérait du neuf sur ses 24.

Toute la journée, il avait fait contacter les centres d'appel de la police dans tout l'État. Mais pas une personne ne s'était manifestée. Pas un parent, pas un ami, pas un collègue, pas un voisin. Personne.

« Mais qui sont-ils, ces types ! »

À la télévision, l'embargo tenait bon. Rien sur la scène macabre de la nuit dernière.

Sheridan s'assit avec ses enfants et sa femme dans la salle à manger pour le dîner. Les conversations tournèrent autour des exploits sportifs de l'aîné, d'une rumeur du quartier sur de nouveaux voisins, et des déboires du plus jeune garçon qui, à tout juste cinq ans, vivait son premier drame de cœur.

Sheridan répondait nonchalamment, l'esprit ailleurs.

Après le repas, il s'enferma dans son bureau à l'étage et appela Gardner et Tajar. Les sectes et les clubs de suicide.

Gardner avait étudié dans la journée toutes les veilles sur les groupements occultes du pays. Pas de commentaires sur les événements de la nuit dernière. Quant à l'accouchement sauvage de la femme ou les marques de brûlures du garçon, il rappela que les mutilations étaient habituelles parmi les sectes dites millénaristes. L'accouchement pouvait être le fait d'une loi imposant aux disciples un retour complet à la nature et aux temps premiers.

Pour Tajar, il expliqua qu'à la suite d'un suicide assisté réussi, il était fréquent que l'on trouve sur les forums Internet de ce type des messages de félicitations et d'encouragements pour les autres. Cela n'avait pas encore été le cas.

Sheridan se coucha vers minuit, se disant qu'il lui restait encore une ou deux journées pour avancer.

Mais, à une heure du matin, son téléphone sonna.

C'était de nouveau le lieutenant Garcia.

– Trois identités viennent de tomber à la morgue.

– Excellent !

Sheridan se redressa. Parfaitement réveillé.

– C'est à voir, lui répondit le lieutenant. Sur les trois, un seul cadavre est de chez nous. Les deux autres sont issus de l'Idaho et du Vermont. À l'heure même où je vous parle, le FBI est en train de tout embarquer. Les labos de King sont mis sous scellés, les premiers camions à frigo débarquent sur place et des agents ratissent nos bureaux pour éplucher les fichiers. Dans moins d'une heure, tout aura disparu, chief.

6

Le lendemain de sa première journée passée à Durrisdeer, vers huit heures du matin, un coupé BMW noir se gara devant la maison de Frank Franklin. La fille des Emerson venait pour lui faire visiter le domaine de l'université. La veille, Frank avait employé son temps à régler le problème de son déménagement, à se rendre à Concord se munir de l'essentiel et constituer ses réserves de nourriture. Quelques professeurs étaient passés le voir pour se présenter. Franklin souffrit des heures de conversation insignifiante et des litanies de conseils d'aînés dont il se serait bien passé. Avec cela, il ne savait toujours rien des lieux où il allait enseigner. En voyant paraître la fille du doyen, Franklin ne s'attendait pas à une telle rencontre. Il la trouva magnifique. Grande, la vingtaine radieuse, elle était intégralement vêtue de blanc : manteau trois-quarts, bonnet, écharpe, gants et bottines fourrées, maquillage modéré, ses boucles de cheveux blonds posées sur un col en fausse zibeline. Ses yeux bleus étaient la seule touche de couleur du personnage.

Ils se saluèrent, un peu intimidés l'un l'autre, puis Frank monta à bord de la BMW.

Après avoir quitté le village des professeurs, Franklin fut surpris de se retrouver une nouvelle fois au pied d'un grand portail électrique. Celui-ci était plus moderne que les panneaux ouvragés de l'entrée sud. Au lieu d'utiliser un boîtier de télécommande comme Higgins, Mary pressa un bouton au-dessus de son rétroviseur. La porte s'ouvrit.

Franklin observait la forêt qui était moins dense à cet endroit. Le parc offrait de vastes étendues de gazon bordées par des rivières ou des plans d'eau dissimulés sous des brumes immobiles. Des barques en bois étaient abandonnées sur les rives. La neige recouvrait tout. Une biche et son faon s'enfuirent à l'approche de la BMW, en même temps qu'une formation de corneilles au ras des sapins blancs et des bouleaux.

C'est au cœur de ce décor qu'apparut le château, au bout d'une allée princière. Il était monumental, sur cinq niveaux, avec de hautes tours d'angle et une façade de pierre travaillée de sculptures néo-gothiques, très dans l'humeur de ces furieux du XIXe siècle qui contrefaisaient les styles pour faire mine d'en posséder un. Franklin regardait la bâtisse grandir devant lui, médusé.

– C'est la maison de Ian E. Iacobs, dit Mary. Il y a vécu une grande partie de sa vie. Elle accueille aujourd'hui le corps administratif de l'université. Je vous l'accorde, cela fait plutôt musée hanté. C'est grandiloquent au possible et inchauffable. Mais bon, Durrisdeer !...

Elle ne se gara pas sur la grande esplanade ovale ornée d'une fontaine à sec, mais passa sur la droite et pressa un second bouton au-dessus de son tableau de bord. Une porte électrique s'enroula en bas d'une rampe ; elle ouvrait sur un parking souterrain.

– L'administrateur de 1970 à 1978 était révulsé par la vue des voitures parquées devant le manoir ; il trouvait qu'elle ruinait l'allure du site. Il a fait construire ce parking. Plus question de laisser sa voiture dehors. Cela dit, en hiver, c'est bien pratique.

– Il y a beaucoup d'argent ici...

– Oui. Des dons. Mais surtout les terres. Il suffit d'en céder quelques parcelles aux promoteurs pour renflouer les caisses. On vend l'espace d'un golf et l'université est en paix pour dix ans.

Du parking, ils gravirent un escalier en fer et se retrouvèrent dehors, près du bâtiment.

Il faisait un froid terrible. Frank observait Mary et ses bottines qui s'enfonçaient dans la neige, elle marchait le buste légèrement porté en avant. Ils avaient tous les deux les cheveux du même blond et ondulés. Il songea qu'ils avaient aussi d'autres points en commun : ils étaient tous deux enfants d'enseignants et avaient grandi dans ou près d'une université. Mêmes références, même type d'amis, même rythme annuel scandé par les semestres des élèves, et cetera.

– Nous allons faire le tour des installations, lui dit-elle. Nous reviendrons ici ensuite ; votre rendez-vous avec mon père aura lieu dans son bureau, au troisième étage. Cela ne vous gêne pas de marcher un peu par ce froid ?

– Je vous suis.

La façade opposée du château dominait une longue prairie rectangulaire, légèrement descendante, très dessinée. Sur les côtés, en bord de forêt, Franklin aperçut plusieurs maisons, de diverses tailles et de diverses influences architecturales.

– Tout est là, dit Mary. Chaque département est dans son coin, mais tous se font face.

Elle emprunta un chemin sur la droite qui rentrait entre les arbres.

– Par ici, nous arriverons plus vite à votre classe. Désolée, mais je ne suis pas responsable de l'ordre de la visite.

– Pourquoi dites-vous cela ?

Elle fit un signe de la tête en souriant. Un peu plus tard, ils arrivaient sur un vieux cimetière.

« En effet... »

Le cimetière occupait une partie dégagée en arc de cercle, il était fermé par une grille noire. Franklin compta une douzaine de pierres tombales, anciennes, cariées, quelques-unes inclinées, les bases mangées par des herbes.

– C'est le cimetière des Iacobs, dit la fille d'Emerson.

Il s'approcha de la clôture pour lire les inscriptions funéraires et vit presque partout des Ian Iacobs. Celle qui portait la date d'inhumation la plus ancienne appartenait à Ian A. Iacobs. Venaient ensuite Ian B., Ian C., jusqu'au Ian E., le fondateur de l'université. D'autres tombes servaient aux épouses et à des personnages inconnus.

– Cette maison était la résidence familiale des Iacobs depuis longtemps ?

– Non, en fait, c'est Ian E. qui l'a achetée en 1874. Il a ensuite fait ensevelir toute sa famille dans ce cimetière, à sa convenance, choisissant bien qui et où. On dit qu'il a expurgé quelques moutons noirs parmi ses parents. Il a été le dernier de la lignée à se faire enterrer ici, en 1905.

Mais, au beau milieu de ces tombes, Franklin voyait se dresser une dalle toute neuve, blanche et gravée de frais. La plaque de Mycroft Doyle, 1929-2006 !

– Oui, fit Mary en souriant. Le vieux Mycroft a eu droit à un traitement de faveur. Il a vécu plus de quarante ans ici. Sa volonté était d'y reposer en paix. L'enterrement a été très émouvant.

Franklin déchiffra l'épitaphe du professeur : *Maudit soit celui qui viendra remuer mes os*. Fameux. C'était celle de Shakespeare.

« Modeste, le maître... »

Un peu plus loin, toujours dans la forêt, Franklin découvrit une maisonnette bordée par un petit jardin.

– Voilà le pavillon de Doyle, dit Mary. La classe des élèves d'écriture créative et de littérature anglaise. Votre classe.

– Vous plaisantez ?

Le toit incliné atteignait le sol, les murs étaient en vieilles pierres, en partie recouverts par du lierre qui ne montrait aujourd'hui que des sarments secs. Sinistre. Les fenêtres étaient petites, la porte en vieux bois. Mary sortit un trousseau de clefs.

Elle pressa un interrupteur pendu à un fil électrique et cinq lampes s'éclairèrent ensemble. La lumière était douce, tamisée par des abat-jour épais. Contre l'impression donnée par l'aspect extérieur, Franklin ne sentit aucune odeur de moisissure, ni ne vit ses cheveux pris dans des toiles d'araignées. La salle faisait une honorable classe de cours ; il s'y trouvait une dizaine de tables entourant un bureau central, la place du professeur. Des étagères d'encyclopédies, de dictionnaires et de manuels en tout genre garnissaient les murs. À droite de la porte, des meubles en osier étaient empilés en vrac ; Franklin se dit qu'aux beaux jours les cours devaient avoir lieu dans le jardin du pavillon.

– Ce n'est pas vraiment ici que travaillait Doyle, dit Mary, mais plutôt à l'étage.

Là-haut, c'était encore différent. Rien à voir avec une classe, mais plutôt un club de lecture anglais, ou une niche d'étudiants littéraires. La pièce mansardée était accessible par un escalier particulièrement casse-pattes. Des canapés et des divans aux dossiers et aux accoudoirs défoncés formaient un demi-cercle devant un foyer bourré de cendres. Des poufs aux teintes douteuses servaient de tables basses et d'appuie-pieds. Les murs montraient un papier peint piqué d'humidité ou croulaient eux aussi sous les livres. Un bureau au fond devait appartenir à Mycroft. Franklin vit encore une commode avec une cafetière, des sachets de thé et d'herbes à infuser, un samovar, des verres et même une bouteille de bourbon entamée. Derrière le bureau trônaient le squelette d'un chat à l'affût et un cerveau humain chloroformé baignant dans un bocal maculé de traces de doigts.

– C'est ici qu'il travaillait avec ses élèves. Jamais plus d'une dizaine par cours.

Frank avait à peine posé le pied dans ce foutoir qu'il était déjà fermement résolu à ne *jamais* donner de cours dans ce baraquement prétentieux. Il observa les rayonnages : des classiques arabes des XIe et XIIe siècles, beaucoup de grecs en texte original, des auteurs français et allemands traduits.

– Vous avez étudié ici ? demanda-t-il à Mary.

– Non. J'ai suivi les cours du département d'histoire et de dessin. Je n'aimais pas du tout Doyle. Il me faisait peur, ce type.

– Cette pièce ressemble plus à la cache d'un groupe d'activistes qu'à une salle de classe d'anglais...

Mary sourit.

– Il y a un peu de ça. De toute façon, vous en ferez ce qu'il vous plaira. C'est vous le prof, maintenant.

Plus loin, après le pavillon, Franklin lut trois panonceaux fléchés qui indiquaient des chemins dans la forêt : l'Échiquier, le jardin des Roses et le labyrinthe de Thésée.

– Ce sont des jardins allégoriques qui ont été installés il y a une vingtaine d'années, dit Mary. Un labyrinthe de haies de buis rappelle la légende du Minotaure, un mur de roses s'inspire de la frontière florale du *Roman de la Rose* et un plateau d'échecs avec des pièces de taille humaine évoque le monde de la littérature, chaque personnage représentant un auteur célèbre. Eschyle, Cervantès, Shakespeare, Byron, ils sont tous là. C'est Doyle qui est à l'origine de ces projets, bien entendu. Mais pour l'instant il n'y a rien à voir. Tout est remisé jusqu'au printemps.

Franklin sourit. À Chicago, la visite de l'établissement se limitait aux terrains de basket-ball, de tennis et à la patinoire. La fierté du doyen allait en premier à sa piscine olympique !

Le bâtiment suivant était plus imposant que le pavillon de littérature. Il s'agissait des anciennes écuries de Iacobs. Ces constructions de bois avaient été refaites pour servir de dortoirs aux élèves. Et des petites maisons de style victorien les entouraient maintenant et complétaient les logis des élèves de dernière année. Franklin en visita une. Il nota une propreté et une richesse d'aménagement étonnantes. L'ensemble relevait davantage du Bed & Breakfast anglais que d'une piaule d'étudiants délurés. Les salles d'eau étaient vastes et lumineuses.

– Les élèves autogèrent leurs quartiers, expliqua Mary. Il n'y a qu'une seule gouvernante générale pour tous les bâtiments des pensionnaires.

Franklin savait par ses nombreuses conversations téléphoniques avec Lewis Emerson que Durrisdeer ne comptait que des internes. Aucun étudiant n'était autorisé à vivre en dehors du campus.

– Au fait, demanda Frank après être ressorti, je n'ai pas encore vu le moindre élève ce matin. Pourtant, il n'est plus si tôt ?

– Ils courent.

– Tous ?

– L'école n'est pas très versée dans le sport. Il n'y a aucune équipe sportive représentant Durrisdeer ! Pas de gymnase, sinon une vieille salle avec des agrès du début du siècle. Aucun terrain de football, base-ball ou autre. En revanche, la course de fond est imposée à tous, le matin avant les cours. Depuis la fondation de l'université, les élèves s'époumonent dans la forêt une heure, de 7 h 45 à 8 h 45. On n'y échappe pas.

Franklin hocha la tête.

– Sans sport d'équipe, dit-il, vous créez moins d'esprit d'équipe.

– Ça, je ne sais pas. Mais nous avons quand même une équipe sur le circuit universitaire, protesta Mary. Elle excelle dans la section : jeu de go.

Ils en rirent tous les deux.

Au fond de la prairie, face au château, se dressaient trois édifices particuliers : la bibliothèque, un observatoire astronomique et un théâtre à l'italienne.

– Le théâtre date du temps de Iacobs. Il contient trois cents fauteuils. C'est sur sa contenance que le fondateur a statué le nombre d'étudiants qu'il acceptait de recevoir dans son université. Il requérait de pouvoir les faire tous asseoir dans son théâtre pour les réunions, les discours. En plus d'un siècle, ce chiffre n'a jamais varié.

L'observatoire était magnifique.

– Cadeau d'un ancien élève qui a fait fortune dans les verres astronomiques, dit Mary.

La bibliothèque se faisait moins réjouissante à l'œil. Un gros bloc moderne. En revanche, l'intérieur passait toutes les louanges : des dizaines d'ordinateurs, des rayonnages éclairés et espacés.

En remontant vers le château, Franklin visita enfin le bâtiment des classes. Une vingtaine de salles de quinze tables, ainsi que deux amphithéâtres et des espaces de lecture.

Revenu sur l'esplanade du château, Frank croisa ses trois premiers élèves de Durrisdeer.

– Vous avez de la chance, lui dit Mary, voilà trois spécimens que vous retrouverez dans vos sessions d'écriture.

Franklin n'avait pas eu besoin de son explication pour se douter que ce trio de garçons se composait de littéraires endurcis. Longue écharpe, béret, pantalon de velours, des mélanges de couleurs hasardeux, mal rasés, un petit air suffisant et des fins de phrases à l'accent anglais ou new-yorkais trop appuyé. L'un d'eux tenait une pipe froide dans la main.

Ils se saluèrent.

– Vous ne courez pas ? leur demanda-t-il.

– Nous courons plus tôt. Avant que le soleil ne se lève. Ce matin, nous avons un travail urgent pour le *Durrisdeer Journal*.

« Ah ! se dit intérieurement Franklin, narquois. De mal en pis. »

Les élèves d'écriture et de littérature formaient toujours un clan à part dans la plupart des universités, mais ceux qui avaient la charge de la rédaction du journal de l'école devenaient à leur tour un clan dans le clan. Une faction presque.

Le garçon montra deux voitures garées sur le parvis du château.

Des voitures de la police de Concord.

– Intéressant, non ? reprit l'étudiant. De surcroît, cette nuit, nous avons vu et entendu un hélicoptère de poursuite survoler la forêt. Nous ignorons ce qui se passe, mais cela peut nous faire un bon papier.

– Quand débuteront vos cours ? demanda un autre garçon.

– Demain, je pense. Le temps de régler quelques détails et de me familiariser avec vos dossiers.

Après quelques échanges supplémentaires sur les qualités de son livre, Frank suivit Mary dans le château. Le hall d'entrée était pavé de marbre, coiffé d'une sorte de nef ; un double escalier en fer à cheval s'élevait face à la porte d'entrée et montait vers un étage qui semblait ouvert, soutenu par des pilastres sculptés. Une salle de bal sans doute. Des portraits d'anciens dignitaires de l'université habillaient de leurs cadres massifs chaque parcelle de mur disponible. Que des poses sérieuses. Sauf celle de Ian E. Iacobs ; Frank le reconnut d'après le tableau observé chez les Emerson. Celui-ci, suspendu au milieu de l'arrondi de l'escalier, était plus grand, Iacobs y arborait une tenue de chasse mais il maintenait son petit air espiègle, son œil lumineux qui faisait défaut à ses voisins d'encadrement.

Devant le tableau, une imitation de grimoire reposait sur un lutrin.

– La charte de Durrisdeer, dit Mary. Mon père a dû vous en parler. Il vous en donnera sûrement un exemplaire. Elle est lue chaque année au commencement de la session universitaire. Dans le théâtre du fondateur, avec les trois cents étudiants. C'est très solennel.

Le haut des marches donnait bien dans une salle de réception. Le parquet en bois précieux était rutilant. Mary lui montra l'étage des bureaux administratifs avec la grande porte au fond du couloir qui était celle de son père. Ils descendirent ensuite aux sous-sols où une immense salle en vieille pierre de cave servait de réfectoire pour toute l'université.

Dans l'aile droite du château, Franklin visita les bureaux particuliers des professeurs. Chacun possédait une pièce pour ses travaux.

Une nouvelle fois, Frank se retrouva dans les pas du vieux Mycroft Doyle. La salle qu'on lui avait octroyée offrait une fenêtre sur la cour ovale. En arrivant, il jeta un coup d'œil : une troisième voiture de police était garée.

– Il y a d'autres endroits à visiter, dit Mary, mais le temps nous manque. Et puis il faut se garder un peu de surprise pour la suite.

– Je vous remercie. C'est déjà pas mal en termes de surprises...

Mary avait ouvert son manteau et s'appuyait contre un mur. Ils s'étaient fait des cafés dans la salle des professeurs.

– Pourquoi avoir choisi Durrisdeer ?

Frank haussa les épaules.

– La chaire était inespérée à mon âge et la paye nettement supérieure à toutes les autres offres.

– C'est honnête.

Leur vouvoiement le dérangeait. Elle avait l'âge de ses étudiants, à peine six ou sept ans de moins que lui.

– Et vous ? lui dit-il. Vous étudiez encore ici ?

– Pas du tout. J'ai interrompu mes études supérieures.

– Oh !... crime de lèse-majesté ! fit Franklin en songeant à la tête de sa mère s'il lui avait annoncé une pareille décision. Que préparez-vous ?

– Je constitue mon dossier pour intégrer une école de mode à New York.

– Bien. Vous voulez être mannequin ?

Elle se figea.

– Non. Je veux être styliste.

– Oh ! pardon. Bien sûr... Je n'y pensais pas...

Elle lui fit un sourire bienveillant.

– Mes parents non plus. Pour des chrétiens, enseignants et puritains comme eux, imaginez... le monde de la mode. Des drogués, des pédés et des idiotes. Pas que je puisse tellement leur donner tort, mais ce n'est pas que ça.

– Je n'en doute pas.

Elle regarda sa montre.

– Presque dix heures. Je vais vous amener au bureau de mon père. Au fait, je n'ai pas encore lu votre livre mais on m'en a dit beaucoup de bien. C'est sur les romanciers, c'est ça ?

– Oui. De drôles d'oiseaux.

– Eh bien, à Durrisdeer, vous allez être servi. Avec les élèves de Mycroft Doyle. Vous verrez... De drôles d'oiseaux, exactement...

***

À dix heures, Franklin se présenta au rendez-vous dans le bureau de Lewis Emerson. Il patienta une vingtaine de minutes près de la porte. Il vit sortir deux officiers de police et un lieutenant.

– Désolé pour le retard, lui dit le doyen en le faisant entrer.

– Rien de grave avec les policiers ? demanda Frank.

– Non. Je ne le pense pas. Le lieutenant Amos Garcia de la police d'État me demande de laisser inspecter une partie de nos forêts. Ses hommes vont tout quadriller, semble-t-il.

– Il cherche quelqu'un ?

– Pas exactement. Je n'ai pas tout saisi dans leurs explications. Ils veulent établir un périmètre de sécurité. Enfin, dans ce coin d'arbres, à part rencontrer des animaux sauvages, personne ne risque rien, c'est complètement désert. Impraticable même. Nous verrons. La visite a été bonne ?

– Fraîche. Mais instructive. C'est impressionnant.

– N'est-ce pas ? Il y a ici un cadre de travail formidable.

Emerson ouvrit un tiroir et sortit un sachet en plastique dont il tira un trousseau de clefs et un boîtier de télécommande.

– Voilà pour vous. Les passes pour tous les bâtiments et la télécommande pour les portails. Avec cela, vous êtes désormais chez vous.

Il lui tendit plusieurs feuilles de papier.

– Là, vous trouverez votre titre de location de la maison, avec l'adresse exacte pour votre courrier ; ainsi que les papiers relatifs à votre contrat de téléphone.

Suivirent les fiches sur chaque élève depuis leur candidature, les notes de cours de Doyle, les écrits corrigés de chacun d'eux. Toute l'année depuis octobre était détaillée dans un épais dossier.

– Je sais que dans votre type de classe, dit le doyen, tout est très subjectif. Surtout le recrutement. On ne choisit pas des élèves d'écriture comme on choisit des scientifiques. Aussi, jusqu'à l'année prochaine, vous allez être contraint aux choix de Mycroft Doyle. Par exemple, le second semestre était consacré à la nouvelle, il avait établi une liste de lectures et d'études très pointue soumise en début d'année. Il a sélectionné un type particulier d'élèves... Vous devrez attendre les futures candidatures pour élaborer votre propre classe. Mon conseil est de ne pas trop vous éloigner de Doyle pour l'instant. Essayez de penser comme il le faisait, de comprendre ce qu'il voulait enseigner à chacun de ses élèves selon leur tempérament. L'erreur de tous les professeurs débutants, c'est de vouloir imprimer trop tôt leur marque, souvent de manière brutale. Prenez votre temps.

– Mais je ne sais rien de ce Doyle. À part sa tombe et son pavillon de classe !...

Emerson sourit. Il tira d'une étagère un livre d'école de l'année passée. Il y avait une photo de Doyle dans les pages consacrées aux professeurs de Durrisdeer.

– Voilà à quoi il ressemblait.

Le visage était ovale, assez gras, des cheveux en pagaille qui se perdaient dans une barbe du même gris. Il était ridé, les yeux mangés par les plis de la peau et les sourcils. En résumé, cet homme avait l'air le moins aimable du monde.

– Et encore, dit Emerson, la photo ne lui rend pas justice, elle est en noir et blanc. Le diable avait aussi un œil vairon. Lorsqu'il réfléchissait, il fermait immanquablement son œil sombre et continuait de vous fixer avec l'autre. C'était un cabot mais, lorsqu'on n'avait pas l'habitude, c'en devenait déstabilisant. Il en jouait ; ce qui a contribué à sa légende et à la vénération de ses élèves.

Franklin sourit en dedans ; il n'avait pas fini d'en découvrir sur ce Mycroft Doyle...

7

Stu Sheridan, Amos Garcia et le légiste Basile King se réunissaient pour le petit déjeuner au *Old Man of the Mountain*, un snack de Concord. Hormis le nom, un lieu dénué de tout pittoresque et écarté où ils ne risquaient pas de rencontrer d'autres flics.

Les trois hommes affichaient une mine fermée. Pendant la nuit, le FBI avait achevé de nettoyer le terrain.

Sheridan parla le premier :

– J'ai reçu un coup de fil d'Ike Granwood, à 5 heures ce matin !

Granwood était le responsable de la section Grand Nord du Bureau. Un ponte du FBI inamovible et puissant. On l'avait rarement au téléphone.

– Il m'a assorti son bonjour d'un prêche sur l'obligation qui nous était faite de la boucler sur cette affaire jusqu'à nouvel ordre ! Il n'a pas pris de détour : nous ne sommes pas remisés sur le banc de touche, mes amis, Granwood nous a tout simplement expédiés hors du stade !

Le lieutenant et le médecin ne levèrent même pas les yeux de leurs tasses de café.

– Alors, on arrête tout ? demanda Garcia.

Sheridan lui répondit d'une voix sourde :

– Avant de venir, j'ai composé quelques numéros et réveillé deux ou trois contacts fiables pour savoir si les cadavres emportés par le FBI allaient bien au labo du centre de Quantico, en Virginie, l'endroit habituel pour les fédéraux.

– Alors ? fit le médecin légiste

– Les corps n'y sont pas arrivés. Mais, surtout, ils y sont encore moins attendus. Voilà où nous en sommes : non seulement on ignore l'identité de ces corps, mais maintenant, l'on ne sait même plus où ils se trouvent ! Garcia, difficile de poursuivre dans ces conditions.

Une serveuse leur apporta leurs plats respectifs. Il y eut un long moment de silence.

Puis Basile King ouvrit un dossier qu'il tenait sur ses genoux.

– Ce n'est pas très réglo, dit-il, mais avant qu'ils ne scellent tout à la morgue, j'ai réussi à dupliquer au vol les fiches des trois identités qui nous sont parvenues pendant la nuit. Les hommes de Patricia Melanchthon ne se doutent pas que nous possédons ces doubles.

Il posa les fiches sur la table.

– La première : Amy Austen, 29 ans, née dans le New Hampshire. Reconnue prostituée dans le Nevada, Carson City.

– Nevada ? s'exclama Garcia. Elle en a fait du chemin pour venir se viander jusque chez nous !

– Cette information de la police sur un bordel de Carson date seulement de 1999. Depuis, rien.

– Rien ? fit Sheridan.

– Amy Austen est déclarée au fichier des personnes disparues depuis sept ans.

Sheridan et Garcia se figèrent.

– Sept ans !

– Oui.

Le légiste poursuivit :

– Nous avons ensuite un certain Doug Wilmer, 40 ans, originaire de l'Idaho, vendeur de voitures d'occasion, il venait d'avoir une petite fille. Lui aussi s'est évanoui mystérieusement de la circulation. Déclaré manquant par sa famille depuis vingt-deux mois. Enfin, Lily Bonham, Vermont, 39 ans.

Basile regarda Sheridan.

– C'est la femme que vous avez vue hier, chief ; celle qui a accouché à la sauvage. Mariée à un médecin réputé. Évaporée depuis quatre ans. Pas d'enfant à l'époque.

Il referma son dossier.

– Voilà pour les identités. Seulement trois sur vingt-quatre. Faxés du Département de justice. Le FBI, bien entendu, a fait couper notre ligne sitôt son arrivée pour être certain qu'il ne nous arrive plus d'autres communications, à présent que nous sommes légalement dessaisis.

Sheridan resta silencieux. Il ne toucha plus une miette de son petit déjeuner.

Basile fit un signe du regard à Garcia pour savoir s'il devait continuer. Le lieutenant l'encouragea d'un mouvement de tête.

– Un autre point important, remonté depuis la balistique, hier soir. C'est maintenant établi : il n'y a eu qu'une arme. Une seule arme. Pour tuer les 24. Un S&W chambré à 45. Nous savons sans erreur qu'aucune des victimes n'a tenu ce pistolet.

Il y eut encore un silence pesant.

– Quoi d'autre ? lança Sheridan.

Le légiste répondit :

– D'abord, l'analyse des vêtements des dépouilles. Dès hier soir, nous avions déjà récolté une moisson d'indices sans précédent. Des fibres, des cheveux, des acides gras, demandez, il y avait tout ce dont on peut rêver dans notre foutu métier...

– C'est plutôt encourageant, dit Sheridan.

– C'est vous qui le dites. Si le FBI compte là-dessous, ils vont droit dans le mur, faites-moi confiance.

Le légiste présenta deux photographies de manteaux. Les clichés montraient les étiquettes de leur marque.

– Tous les vêtements des 24 sont neufs et proviennent de ce magasin.

Basile King lut la marque. Elle appartenait à une chaîne importante de vêtements à prix sacrifiés. Des vastes Toupourien qui existaient à travers le pays.

– Manteaux, pulls, pantalons, chaussettes, gants, tout a été acheté récemment. Peut-être même le jour du drame. Seulement, dans ces grands magasins, il y a un nombre sans nom de clients qui vont, qui viennent, qui prennent les affaires et les rejettent, qui les essayent rapidement, qui se les passent de main en main. Les habits se mêlent dans les bacs de promotion de la semaine, dans les chariots, certains traînent par terre, etc. On a récolté des dizaines et des dizaines d'échantillons sur chacun d'eux... mais certainement pour rien. Cela va être un enfer à étudier. Le bas des manteaux est encore empreint d'ammoniaque !

– Ammoniaque ?

– Les vapeurs du détergent utilisé pour nettoyer les sols du magasin. C'est un signe qui ne trompe pas. Les habits sont neufs. Même à trouver où ils ont été achetés, cela ne donnera presque rien.

Il hocha la tête.

– Les 24 n'ont pas tenu d'arme à feu, le lieu du crime n'a pas donné une seule empreinte suspecte, et maintenant les fibres des vêtements ne diront rien sur les lieux qu'ils ont pu traverser ou le véhicule qu'ils ont pu utiliser pour venir sur le chantier. Avec ça, si l'on doute encore de la parfaite organisation des auteurs de ce massacre, il faut changer de profession.

Garcia sourit. Mais pas Sheridan.

– Vous êtes en train de nous dire que ces pistes ne mèneront nulle part !

– Pas exactement, chief, répondit Basile. En fait, les travaux sur les vêtements m'ont conduit hier vers un autre champ d'étude : mesurer le niveau de « proximité » des 24, identifier qui se connaissait, peut-être même établir des groupes précis entre ces personnes. S'habillaient-ils au même endroit, mangeaient-ils les mêmes choses ? J'ai réclamé l'analyse ce que les dépouilles conservaient dans leurs estomacs et leurs intestins. La présence des D-Mort à la morgue a été déterminante pour tomber sur un résultat en quelques heures ; il est formel : régime alimentaire identique. Les 24 mangeaient la même chose. Et cela ne date pas d'hier ! Régime assez pauvre et monotone. Du riz, du lait, du chou. Jamais d'alcool. Ils présentent les mêmes carences alimentaires. Et pour leur dernier repas ? Pas même un petit festin. Du comme tous les jours. Plus des bananes. Amy Austen, Doug Wilmer et Lily Bonham peuvent bien avoir disparu à des années d'intervalle, à présent ils *vivaient* ensemble, avec les vingt et un autres.

Il y eut un troisième long silence, finalement rompu par Amos Garcia :

– Je réitère ma question, patron : on laisse tomber ?

Sheridan inspira profondément. Il observa la rue depuis la fenêtre du snack. Basile King rangeait ses fiches et attendait la réponse du chef.

Celui-ci dit :

– Nous n'avons pas le choix.

Les deux hommes furent déconcertés.

– Pour poursuivre l'enquête, renchérit Sheridan, il faudrait une ordonnance particulière du gouverneur, et il ne nous la lâchera jamais, j'en suis convaincu. Si le FBI se remue de la sorte, cela suggère deux options : soit leurs services, ou une autre agence gouvernementale du même rang, ont commis une énorme bévue et ils cherchent à la couvrir ; soit il s'agit bien d'une obscure affaire de secte, mais qui impliquerait des personnalités, et les caciques de Washington s'agitent de peur que des noms sortent. Cela s'est déjà vu. Dans les deux cas, le terrain est miné pour nous. Ike Granwood ne décroche pas son combiné pour des gens qui ont disparu depuis quelques années et qui mangeraient du riz en chœur en buvant peut-être les propos débiles d'un gourou ! Mettre les pieds sur son terrain défendu, c'est la gangrène assurée. Et puis qu'avons-nous à notre disposition ? Trois malheureux noms ? Sur vingt-quatre ? Cela ne va pas aller loin. Docteur, vous reste-t-il des échantillons ADN, des empreintes digitales des dépouilles ? Quelque chose qui puisse nous aider à continuer ?

King fit non de la tête et dit :

– Ils ont tout embarqué, chief. Ils ont même passé la serpillière dans les labos avant de vider les lieux.

Sheridan hocha la tête et répéta :

– Alors voilà. On stoppe, Garcia, non pas faute de combattants mais faute de munitions. Tant pis.

8

– Entendez-moi bien, je suis votre professeur d'anglais, votre maître de classe d'écriture créative. Je ne suis pas votre *maître de vie* !...

Frank Franklin était debout, les mains dans les poches, face à sa quinzaine d'élèves. C'était leur première heure de cours ensemble.

– Je suis à Durrisdeer afin que vous remportiez en fin d'année votre diplôme MFA et que vous puissiez proposer vos talents de plume à un agent littéraire, à une rédaction de journal, ou même vous lancer sans attendre dans une carrière de romancier ou de nouvelliste. Point barre. Ne comptez pas sur moi pour parfaire votre éducation générale, votre vision du monde ou vos appréhensions sur l'existence en soi. Je ne suis pas psychiatre, encore moins thérapeute. Je n'ignore pas que dans la catégorie des professeurs littéraires à laquelle j'appartiens, il est fréquent de trouver des personnages qui se prennent insensiblement pour des guides, des modèles, des autorités spirituelles. Je ne connaissais pas mon prédécesseur, mais, en ce qui me regarde, le côté professeur John Keating du *Cercle des poètes disparus*, ce n'est pas du tout, mais alors pas du tout ma tasse de thé...

La leçon ne se déroulait pas dans le pavillon champêtre de Mycroft Doyle. En arrivant ce matin, les élèves avaient lu une note de Franklin épinglée à la porte en bois leur donnant rendez-vous dans une des salles du bâtiment de classe. Cela n'avait pas été bien reçu et beaucoup avaient traîné la patte jusqu'ici.

En les voyant entrer, Frank nota l'air renfrogné des garçons et les sourires plutôt encourageants des filles. Comme à son arrivée à Chicago, il plaisait d'abord aux demoiselles.

Son introduction en début de cours ne souleva aucune espèce de réaction.

– Bien.

Il leur exposa ensuite dans le détail son cursus universitaire et les différents travaux qu'il avait conduits pendant ses trois ans passés à Chicago.

Après lui, les élèves se présentèrent chacun à leur tour. Frank reconnut les trois garçons rencontrés hier matin devant le château. Oscar Stapleton, Jonathan Marlowe et Daniel Liebermann. Les gars du journal de Durrisdeer.

À la fin de cette séance libre, il leur dit :

– Écrivez-moi un texte pour demain. Un texte original. Comme preuve, je désire qu'il traite d'un événement *très récent*. Lorsque j'étais étudiant, je fourguais toujours mon meilleur texte, le même, chaque année à mes nouveaux profs. Je ne veux pas de cela avec moi. Deux mille mots minimum, s'il vous plaît.

Il y eut un mouvement de surprise et d'inquiétude dans la salle.

– Le cours s'interrompt là pour aujourd'hui. Vous avez la journée pour écrire et me remettre votre copie demain matin. S'il vous plaît, surprenez-moi !

***

Frank rentra chez lui.

Hier, après son pot de bienvenue organisé par le doyen et tous les professeurs, il avait eu la surprise de voir son camion de déménagement se pointer sans s'annoncer. Le restant de l'après-midi s'était passé à emménager dans l'ancien logis de Mycroft Doyle ; quelques collègues, Norris, et même la femme du doyen avaient proposé de l'aider. Frank se retrouva à la tête d'une nombreuse équipe, désignant aux uns et aux autres la destination de telle collection de vinyles ou de telle table basse dont on ne retrouvait pas le verre.

C'était curieux pour lui. Embarrassant même. Frank observait ces étrangers éventrer ses paquets, se passer ses affaires personnelles, faire des commentaires, essayer de déchiffrer sa personnalité à travers son mobilier, ses livres ou ses cassettes vidéo. Sûr, c'était par solidarité, mais il n'était pas certain d'apprécier.

Le seul bon point avait été la présence de Mary Emerson. Elle resta avec lui jusqu'au soir.

Aujourd'hui, il lui restait des piles de linge à ranger et quelques derniers cartons à vider. Il en avait gardé un pour la toute fin de l'emménagement. Il avait défendu aux professeurs d'y toucher.

C'était son carton de manuscrits.

Il sortit ses paquets de feuilles couvertes de notes pour un futur roman et les déposa sur sa table de travail, près de la machine à écrire, dans le bureau du premier étage.

Symboliquement, il glissa une feuille vierge dans le rouleau de la machine.

« Peut-être pourrai-je enfin bien écrire ici... »

Il sourit. Il savait dire les mots qu'il fallait à quiconque voulait se lancer dans le métier d'écrire, mais lui bloquait dès qu'il cherchait à appliquer ses propres conseils. Il était incapable de construire quelque chose qui lui plaise.

Assis devant sa machine, Franklin connaissait son problème : il avait beau se creuser la tête, il ne trouvait pas de *sujet*. Des idées, oui, à la pelle. Mais un sujet ! Quelque chose qui vous plaque contre la feuille à noircir et qui ne vous lâche plus...

Pour aujourd'hui, il remit encore une fois son œuvre à plus tard et employa le reste de son temps à préparer sa semaine de cours.

Le lendemain matin, buvant son café à la fenêtre de sa cuisine, il vit le facteur s'arrêter devant sa boîte et glisser une enveloppe.

« Si tôt ? »

Il se couvrit et sortit voir.

C'était une lettre de sa mère.

« Trois jours sans me joindre, elle envoie déjà des signaux de fumée d'alerte. »

Mais ce n'était pas tout. Au fond de la boîte, il aperçut une large enveloppe bleue. Pas de timbre. Juste : Pour Frank Franklin.

Il retourna dans la maison.

À l'intérieur de l'enveloppe se trouvait un manuscrit d'une dizaine de pages. D'un certain Ross Kellermann, un de ses élèves.

Voici copie du travail que vous nous avez demandé hier. Je préfère vous le transmettre ainsi et non devant tout le monde. Soyez discret, s'il vous plaît.

Frank ouvrit la première page du manuscrit et lut le titre :

L'ASSASSINAT DE MYCROFT DOYLE.

Frank sourit. Il avait demandé à être surpris... C'était réussi ! Il parcourut les premières lignes. Son sourire s'évanouit et ne revint plus de toute la lecture.

***

– Qu'est-ce que c'est que cette histoire ?!

Frank Franklin posa le manuscrit sur le bureau du doyen Emerson. Celui-ci lut :

L'ASSASSINAT DE MYCROFT DOYLE.

Il soupira en secouant la tête.

– J'ai d'abord cru à une fiction amusante, dit Franklin, un truc d'élève. Je leur avais demandé un travail original pour notre premier cours. Et Ross Kellermann me pond ça !

– Eh bien ?

– Eh bien, il y dit explicitement que le vieux Doyle ne s'est pas éteint d'un anévrisme, mais d'un authentique empoisonnement perpétré par une poignée de ses élèves ! Très romanesque, je vous l'accorde, sauf que l'auteur de ces pages me laisse entendre où trouver les *preuves* de ce qu'il avance !

– Des preuves ?

Emerson croisa les bras. Franklin restait debout à tournoyer devant son bureau.

– Doyle aurait été empoisonné avec de la nicotine mélangée à du Dypax. Un mélange quasi imperceptible chez les vieux fumeurs comme Doyle. Je vais à l'infirmerie et voilà que miss Dairy s'aperçoit, à ma demande, que le seul flacon qu'elle possède de Dypax a bel et bien disparu, comme indiqué dans le texte. À la page quatre, Doyle aurait été torturé à tel endroit de la forêt : je m'y rends, et je trouve tout comme indiqué, jusqu'aux marques de son sang le long du tronc où il a été ligoté !

Frank sortit de sa poche un sachet plastique qui contenait un morceau d'écorce, et le jeta devant Emerson.

– Le bâillon qui a servi à le faire taire ? Ses vêtements ensanglantés ? J'ai aussi retrouvé le fût en tôle où ils ont été brûlés ! Il y a encore des morceaux identifiables !

– Kellermann écrit tout cela ?

– Oui. Tous les indices dont il parle avaient été scrupuleusement planqués par les meurtriers. Sans son texte, il aurait été tout bonnement impossible de mettre la main dessus ! Mais le garçon reste prudent, il ne veut pas subir le même sort que le vieux, il m'a clairement avoué avoir participé à l'affaire ! C'est une école de détraqués que vous avez là, Emerson. Soyez aimable de décrocher votre téléphone et d'avertir la police sur-le-champ !

Le doyen ne bougea pas. Son visage n'avait pris aucune expression particulière au cours de la tirade de Franklin.

– Vous entendez ce que je dis ? renchérit le professeur. Lisez ! Doyle était un irresponsable qui se droguait avec ses élèves, qui organisait des séances de magie noire aberrantes... Il se comportait comme un gourou ! Dieu sait ce que Kellermann passe sous silence dans son texte ! Le garçon est le plus jeune de la classe, il est terrifié par ce qu'il a commis.

– Je l'imagine aisément...

– Quoi ? Vous imaginez quoi ? C'est tout ce que cela vous fait ?

– Oui.

Emerson regarda son plafond, de l'air le plus détaché qui soit.

– Je leur avais pourtant demandé de vous laisser en paix. Au moins cette fois.

– Moi ? De qui parlez-vous ?

Emerson sourit.

– Un petit groupe d'élèves, des irréductibles que nous appelons le Scribe Club.

– Le quoi ?

Emerson insista pour que Frank se calme et s'asseye.

– C'est une lointaine tradition à Durrisdeer, un cercle de littéraires, très fermé. Ne me demandez pas qui en fait partie, les autorités de l'université ne le savent jamais. C'est un cénacle qui subsiste depuis la fondation de l'université par Iacobs.

– Quel rapport avec moi ? Quel rapport avec ça ?

Frank pointait le manuscrit.

– Considérez que vous êtes en train de vous faire bizuter, dit le doyen.

– Bizuter ?

– À l'origine, le Scribe Club avait pour raison d'être la « validation » de certains grands chapitres de la littérature.

Franklin secoua la tête.

– Je ne comprends pas.

– Attendez, fit Emerson. Les membres du Scribe Club rejouent entre eux certaines scènes de romans célèbres pour savoir si elles sont crédibles. C'est comme un jeu. Grandeur nature. Ils emploient du temps et beaucoup de soin à tout recréer à l'identique : la fausse mort du *Maître de Ballantrae* de Stevenson, la scène des outres remplies de sang des *Métamorphoses* d'Apulée... Un élève aurait même réussi, dit-on, à empoisonner la vie d'un notaire de Concord en interprétant à la perfection le *Bartleby* de Melville.

– Et personne ne sait qui ils sont ?

– Les professeurs ? La direction ? Non, jamais. Les membres se cooptent entre eux d'une année sur l'autre. Je vous jure qu'aujourd'hui je serais incapable de nommer un seul élève avec certitude. Quoi qu'il en soit, vous n'êtes pas le premier à subir une de leurs farces de bienvenue. Le pauvre Joseph Atchue, précepteur de grec, a eu le droit à une effroyable simulation de maison hantée. Il était convaincu que l'âme du grand William Blake, un ami de la famille Iacobs, errait sous son toit ! À vous, ils font le coup du prédécesseur assassiné par ses élèves. C'est original. Mais tout cela n'est qu'une affaire de traditions. J'ai entendu dire qu'à l'Académie de Westpoint, les militaires font la même chose avec leurs nouveaux sous-lieutenants : fausses alertes, ordres de mission farfelus, bulletins du Pentagone factices, etc. Je ne vais tout de même pas remonter jusqu'aux saturnales pour que vous compreniez !

Mais Frank Franklin n'avait pas l'air convaincu. L'écorce ensanglantée gisait sur la table, la détresse de Kellermann était si évidente.

– Vous ne me croyez pas ? dit le doyen. Eh bien, courez à la police, je ne vous retiens pas. Vous verrez alors que ce sang est certainement celui d'un animal du coin, que les vêtements n'ont rien de ceux de Doyle, et que sais-je encore ! Bref, faites donc exactement ce que le Club attend de vous et vous ferez leur triomphe !...

Emerson éclata de rire. Il ajouta :

– Pourtant, avant votre arrivée, j'avais fait passer le mot à tous les élèves comme quoi je ne souhaitais pas d'histoires de ce type avec vous. Nous sommes déjà en retard dans le semestre, il n'y avait pas de temps à perdre avec ces sottises. À voir votre tête aujourd'hui, ils ne m'ont guère écouté !...

Franklin n'était pas certain de trouver cela aussi hilarant que le doyen. Il percevait surtout l'horrible mauvais goût de l'affaire.

– Ce sont des cons ! dit-il.

– Si vous voulez...

– Je trouverai qui ils sont.

– Allons, ne perdez pas votre temps. Personne n'y est jamais parvenu. Ne vous bilez pas. Dites à Kellermann que je vous ai tout avoué et l'affaire s'arrêtera là. Vous en rirez de bon cœur.

Le Scribe Club ?

Franklin était vexé. Vexé d'avoir si bien marché dans la combine. Vexé même d'avoir imaginé à un moment que cette histoire de meurtre de professeur pourrait lui offrir un excellent sujet de premier roman !

– Oubliez ça, insista Emerson. Je vous promets, le reste de l'année va se dérouler dans la tranquillité. Vous n'aurez plus de surprise.

Une année calme. Une première année calme, c'est en définitive tout ce qu'il fallait au jeune Frank Franklin pour trouver ses marques à Durrisdeer.

Il quitta le bureau en y abandonnant ses « preuves » du meurtre de Mycroft Doyle.

Peu après, Kellermann lui confirma les propos du doyen, regrettant ouvertement que la farce n'aille pas plus loin.

– Alors toi, tu fais partie du Club ? lui demanda Franklin.

– Moi, non. Je fais partie de ceux qui exécutent. Je reçois les indications au compte-gouttes. Mais je ne suis pas des « cerveaux ». D'ailleurs, j'ignore même qui ils sont...

Emerson disait donc vrai.

Le lendemain, au premier cours, sur le tableau noir, une main, qui s'y connaissait, avait écrit à la craie : « Littérature : réalité ou fiction ? Que faut-il *croire*, monsieur le professeur ? »

Frank rigola avec ses élèves et effaça la phrase à l'éponge, sans répondre.

– Mettons-nous au travail...

Seulement, au fond de lui-même, il se promettait qu'un jour, il chercherait à les coincer, les petits futés du Club.

« Vous savez, ils sont parfaitement inoffensifs ! » lui avait seriné Lewis Emerson.

***

Trois des trente agents du FBI rappliqués dans le New Hampshire après la découverte des vingt-quatre corps ratissaient la forêt sur le domaine de l'université de Durrisdeer. Ils étaient rincés de fatigue. Depuis quatre jours, pas un seul indice lié aux 24 n'avait été trouvé entre les arbres.

– Si Melanchthon le pouvait, elle nous ferait draguer le fond des mers ! dit Agent n° 1.

– Moi, en rentrant au QG, je réclame mes heures sup', dit Agent n° 2, et je prends le premier vol pour me réchauffer le dos en Floride.

– Il va neiger. Vous allez voir qu'il va encore neiger !... maugréa n° 3 en visant le ciel.

La forêt de Durrisdeer comptait un puissant réseau de petits sentiers, de voies de bûcheron ou de chasseurs. Quelques-unes seulement autorisaient le passage d'un véhicule.

– Vous voyez ça ? Là, les branches ?

C'était l'ouverture d'un nouveau layon. Les brindilles de bois sec étaient pliées ou cassées. Un peu plus loin, un fourré était nettement aplati.

– Cela peut être un animal.

N° 1 ressortit son plan cadastral : ils étaient à neuf kilomètres à l'est du chantier où avait été retrouvé le monticule des vingt-quatre morts. Et à mi-chemin exactement des premiers bâtiments de l'université.

N° 3 prit des photos.

– Allons-y.

Ils s'engagèrent dans le sentier. Au bout du quart d'heure qui suivit, ils débusquèrent ce qui ressemblait fort à une *vingt-cinquième* victime.

Figée, gelée, statufiée presque. Un coup d'œil disait toute son histoire : un jeune type qui avait couru, longtemps, son pantalon déchiré jusqu'aux genoux, ses lacets de chaussures dénoués. Il avait été frappé, son visage était noir de coups et un lacet pendait autour de sa gorge. On avait aussi amassé des feuilles et des aiguilles de pin pour le dissimuler un peu.

– Dix bornes. S'il vient du chantier, il a couru dix bornes.

– Est-ce qu'il a écrit quelque chose ? Les types qui agonisent inscrivent toujours un tas de trucs pour les flics. Ils laissent des indices !

Mais il n'y avait rien près de lui. Rien de visible, en tout cas. Il fallait se débarrasser de la neige et de tout ce qui le recouvrait.

Le signalement fut expédié par radio au centre local du FBI. Une demi-heure après, les experts du Bureau étaient sur le site.

9

Trois semaines plus tard, le colonel Stu Sheridan regroupait ses hommes du Hayes Building dans la cour d'honneur.

C'était jour de citations et de décorations. Sheridan officialisait les promotions, les départs en retraite et accueillait les nouvelles recrues.

Aujourd'hui, un froid mortel s'abattait sur les agents et tous espéraient que le chef serait bref.

En premier lieu, il décora le capitaine Yoyo Ming pour le sauvetage d'un enfant dans le Merrimack glacé, le lieutenant Sarah Mornay pour avoir délivré des flammes une conductrice dans un accident de la route. Il félicita aussi le sergent William Davenant qui quittait la police du New Hampshire pour celle de New York.

Mais un sergent surgit du building principal pour se pencher à l'oreille du colonel.

– Vous avez un appel du lieutenant Garcia, lui dit-il. Il prévient qu'il s'agit d'un « gigantesque merdier ». Ce sont ses mots propres.

– Oui. Je les connais...

Sheridan lui passa ses fiches.

– Terminez à ma place.

Et il planta le pauvre homme et toutes ses unités.

Ce matin, Amos Garcia avait quitté Concord à l'aube. La veille, un incendie dans une centrale électrique désaffectée avait été maîtrisé à Tuftonboro, quatre-vingt-quinze kilomètres au nord-est de la capitale. Peu après, le shérif du coin avait mystérieusement réclamé le soutien de l'unité scientifique de la police d'État. Amos Garcia était parti avec Basile King et ses experts.

– Je vous écoute, Garcia, dit Sheridan en prenant le combiné. Que se passe-t-il ?

Cinq minutes plus tard, un chauffeur le conduisait à l'aéroport militaire de la base de Sheffield. De là, il monta dans un hélicoptère qui l'emporta à Tuftonboro, dans le comté de Carroll. Il pleuvait à verse. Des paquets de neige fondue. L'atterrissage fut épique.

Garcia vint le récupérer avec la voiture du shérif.

La centrale d'électricité de Tuftonboro n'était plus en exercice depuis la mise en service du réacteur nucléaire de Seabrook en 1990 près de Portsmouth, mais le réseau de câbles suspendus était encore impressionnant, et les installations en dur pourraient tenir vingt ans de plus sans une fissure.

– C'est l'unité centrale qui a cramé ? demanda Sheridan.

– Oui. Mais l'incendie a été repéré assez vite. Grâce à un aérodrome de vol à voile plus au nord. Des pilotes ont aperçu la fumée. Et puis quelqu'un a averti par téléphone. L'incendie a été maîtrisé à temps. Il y a assez peu de dégâts matériels.

En arrivant, Sheridan s'aperçut que la porte d'entrée était blindée. Partout se lisaient des DANGER DE MORT, et des panneaux exhibant des silhouettes électrocutées. Plutôt persuasifs.

La grande pièce ne possédait plus aucune machinerie ni appareillages. En lieu et place des générateurs, Sheridan distingua une succession de blocs hermétiques construits avec des parpaings et pourvus de portes en fer sans jour. Comme des geôles.

– Il y en a vingt-huit, dit Garcia.

Sheridan s'approcha. Des cellules.

Ces cachots avaient bel et bien servi à enfermer des hommes. Il aperçut des taches d'urine et de déjections, des gamelles, du sang aussi sur les sols en ciment.

Un peu plus loin, Basile King, muni d'une pince à épiler et d'une loupe, relevait des échantillons qu'il glissait dans un sachet plastique.

Le lieutenant Garcia entraîna Sheridan jusqu'à un poste de contrôle. Autrefois, il servait de tableau de bord pour les activités de la centrale. Les machines d'origine avaient été remplacées par un mur d'écrans en circuit fermé et une batterie de magnétoscopes.

– De quoi s'agit-il ? demanda le colonel.

Garcia pointa un tripatouillage de câbles vidéo qui descendaient vers les cachots.

– Les cellules sont toutes reliées ici grâce à des petites caméras. Les images arrivaient sur ces moniteurs et étaient enregistrées.

– Quoi ? On *filmait* les détenus ?...

Sheridan aperçut des étagères vides. Au mur, une bande épargnée par la crasse indiquait qu'on avait retiré récemment des bandes vidéo ou des boîtes de documents.

– Nous sommes en présence d'une prison secrète, patron. Tout cela relève du bidouillage, mais c'est fonctionnel. Même le courant électrique. Pour s'alimenter, ils ont tiré un câble sauvage sur une ligne un peu plus loin, dans la forêt.

– Où a pris le feu ?

– Au fond du bâtiment, mais des charges explosives n'ont pas marché. C'était mal fait, selon moi.

Du poste de contrôle, Sheridan voyait l'ensemble des geôles sous ses pieds.

Il redescendit et arpenta les installations. Il visita chaque cellule ; elles étaient toutes isolées et capitonnées contre le bruit. À chaque fois, il visait la petite caméra de surveillance, protégée en hauteur par une grille ou un Plexi.

Dans un angle du bâtiment, il tomba sur ce qui semblait être un espace de garde-manger. Des piles de féculents amoncelées contre le mur. Basile King était là, couvrant de notes un petit carnet. Il se tourna vers le colonel, les yeux brillants.

– Bonjour, chief, dit-il. Nous pêchons pas mal de spécimens : poils, cheveux, résidus de sueur, excrétions, empreintes digitales. L'occupation des cellules ne remonte pas à très longtemps.

Il montra le garde-manger.

– Cette nourriture correspond exactement à ce que l'on a retrouvé dans les estomacs des vingt-quatre cadavres du 3 février ! Pas d'erreur possible.

Sheridan hocha la tête.

– Ne vous emballez pas, docteur.

– M'emballer ? Venez plutôt avec moi.

Il le conduisit avec Garcia vers une autre partie de la centrale. Une pièce plus grande avait été construite près d'un ancien transformateur.

Au centre, Sheridan découvrit, boulonnée à même le sol, une chaise électrique. King se pencha et renifla le bois sombre du dossier.

– Sentez vous-même, elle a marché. Cela empeste la chair brûlée ! Vous vous souvenez du garçon avec les cicatrices de brûlures sur le front et les poignets à la morgue ? On y est, chief. On est de retour sur la même affaire. Si les échantillons s'avèrent être les mêmes que les victimes du chantier de la 393, nous récupérons là tous les éléments ADN escamotés par le FBI. Si je retrouve ici un élément compatible avec une des trois seules identités que nous détenons, et si vous m'en donnez l'ordre, je peux remonter les autres identités. Tout revérifier depuis le début !

Le légiste frétillait. Garcia aussi, à ses côtés. Sheridan leur fit signe de parler bas, un doigt en travers de la bouche.

– Dans un crime, le lieu choisi par l'assassin compte souvent davantage pour l'enquêteur que la victime elle-même. Au chantier d'autoroute, dans le trou de pilier, le lieu ne disait absolument rien...

Il se retourna vers les cellules.

– ... et celui-ci en dit trop. Il faut rester prudent.

Il alla droit au shérif du comté de Carroll, lui ordonna de briefer ses hommes présents et de ne rien communiquer à la presse sinon une note sans intérêt sur une tentative d'incendie avortée, sans doute due à des adolescents.

– Jusqu'à nouvel ordre, pas un mot sur les cellules, le sang, les caméras, la bouffe ou la chaise électrique... Vu ?

Le shérif du comté de Carroll lui rendit un « Vu ! » pénétré du sens de son devoir.

C'était reparti.

***

Le soir, Garcia était chez le colonel, dans son bureau.

– Les cartes sont opportunément redistribuées, lui dit Sheridan. Nous tenons un moyen de rempiler sur l'affaire des 24 sans avoir l'air de trop enfreindre l'embargo. On ouvre simplement une enquête sur ces cellules, indépendante des faits du 3 février... C'est un peu captieux, mais cela tiendra ce que cela tiendra.

Garcia était ravi.

– Seulement attention, avertit Sheridan, on va approcher cette histoire en douceur. Juste vous et moi, Basile King plus un ou deux experts. Personne d'autre. Je veux un luxe de précautions sans précédent. Le chantier, la centrale, tout se passe sur nos terres. Ce n'est pas innocent. Je veux découvrir pourquoi.

Le lieutenant approuva.

– J'ai déjà commencé tôt ce matin, dit-il. Jusqu'à ce que Basile King trouve de nouveaux noms, j'ai repris l'étude des trois qui nous sont tombés dessus avant que le FBI ne remballe tout. J'ai choisi en premier la seule personne issue du New Hampshire. Cette fille est une certaine Amy Austen. Vingt-neuf ans. Elle est déclarée au fichier national des personnes disparues depuis sept ans. Le Département de justice n'a pas grand-chose sur elle. Le fax envoyé à la morgue fait seulement mention d'une affaire criminelle sans suite en 1999.

– Où ça, l'affaire criminelle, déjà ?

– Dans le Nevada.

– Le Nevada ? C'est la prostituée ?

– Oui. D'après les papiers qu'elle possédait le jour de son interpellation en 1999, elle serait née à Portsmouth, New Hampshire, en 1978. Une prostituée. Lorsque j'en ai parlé à King ce matin, il m'a paru très surpris.

– Pourquoi ?

– Selon lui, et il a examiné les neuf femmes des 24 à la recherche d'abus sexuels, Amy ne semble pas avoir entretenu de rapports sexuels depuis longtemps. Voire depuis très longtemps.

– Elle aurait décroché ?...

– La putain était même en parfaite abstinence. Une vraie carmélite.

– Si Amy Austen est fichée aux personnes disparues, a-t-on le nom de celui ou de celle qui a déposé la déclaration ?

– Pas sur la fiche du Département de justice. Elle est incomplète... Aussi ai-je fait mon enquête ce matin. Techniquement, Amy Austen, née à Portsmouth en 1978, n'existe pas. Seulement, comme avec la plupart des prostituées, il faut se méfier des informations glanées dans les services : ces filles changent fréquemment d'adresse et de nom, migrant d'État en État, à la poursuite de ce petit moment où elles redeviennent les « nouvelles » du quartier. Au cours des dix ou douze années d'or d'une putain, il n'est pas rare de la voir traverser plusieurs fois le pays, modifier son look et ses surnoms selon la concurrence ou pour répondre aux caprices d'un souteneur. Certaines ont un parcours si chaotique qu'elles finissent par se faire établir de faux papiers pour échapper à l'accumulation des délits et des interpellations. Ç'a dû être le cas d'Austen. Toutefois, j'ai vérifié, on a bien une déclaration de disparition émise à ce nom il y a sept ans. Une certaine Sonia Barisonek.

Garcia tendit le document à son chef.

– Résidente du 9408, Broadpeack Drive, à Stewartstown, une ville au nord, collée à la frontière canadienne, ajouta-t-il.

Garcia avait déjà contrôlé que la personne habitait toujours à cette adresse. Il avait aussi appris par le commissariat de la ville qu'elle avait 69 ans, divorcée, un fils unique, ses parents et une sœur morts depuis longtemps. Barisonek était aujourd'hui à la retraite après avoir travaillé trente ans dans une pharmacie du centre.

– Qui est cette femme ?

– Aucune idée, dit Garcia.

– Stewartstown... C'est à moins d'une heure et demie d'ici. Nous allons nous y rendre.

Garcia se leva.

– Mais pas aujourd'hui, insista le colonel. Je ne veux pas que nos manœuvres apparaissent dans nos agendas respectifs. On ira ce week-end, hors du service.

10

Le dimanche suivant, Sheridan et Garcia roulaient dans la voiture privée du lieutenant sur la 195, plein nord. L'autoroute n'avait qu'une voie ouverte à la circulation, le reste attendait d'être déneigé.

Au cours du trajet pour Stewartstown, Basile King contacta Sheridan sur son portable :

– J'ai la confirmation de deux nouvelles identités. Asia Mooney, 24 ans, Arizona. Déclarée manquante il y a six ans. Et Jessica March, 19 ans. Chief, c'est la jeune fille qui avait reçu une balle dans le dos.

– Je m'en souviens.

– On a son adresse, tout. Fille d'un amiral de la Navy à la retraite dans le Maryland. Non seulement le cas de cette Jessica est curieux du fait des deux balles, mais aussi de son parcours. Comme toutes les autres victimes, elle aussi a disparu et a été déclarée comme telle. Seulement, elle s'est évanouie dans la nature il y a seulement six mois !

– Cela se rapproche.

– De sept ans à quelques semaines ! Ils n'ont pas disparu ensemble, ni au même endroit, mais ils réapparaissent tous la même nuit. Compliqué...

– Combien de temps pensez-vous prendre pour tirer au clair toutes les autres identités ?

– Je table sur trois ou quatre semaines. Au minimum. C'est délicat de travailler dans la clandestinité !

***

À leur arrivée à Stewartstown, Sheridan demanda à son adjoint de l'attendre dans la voiture. Il ne voulait pas effrayer la vieille dame en débarquant comme deux masses.

Malgré ses 70 ans moins deux mois, Sonia Barisonek était grande et encore très droite, les cheveux d'un blanc parfait, les yeux bleus, elle portait un épais chandail rouge et un cache-col blanc. Elle sourit machinalement en découvrant le colonel derrière sa porte. Sheridan présenta son badge.

– Bonjour, madame, je viens au sujet d'une déclaration que vous avez émise il y a sept ans. La disparition d'Amy Austen.

Sonia Barisonek conserva son sourire mais une lueur inquiète passa dans son œil.

– En effet, vous avez du nouveau, monsieur ?

Sheridan comprit alors que l'embargo du FBI tenait toujours. Trois semaines après les faits, les familles n'étaient toujours pas au courant ! Pendant une fraction de seconde, il faillit lui livrer la vérité : la fille était morte depuis trois semaines, retrouvée dans un trou de terre et de sable perdu dans une forêt, et elle avait sans doute passé avant un mauvais quart d'heure dans une centrale désaffectée du New Hampshire ! Où était-elle aujourd'hui ? Pas la moindre idée ! Mais sûrement en excellente compagnie.

Au lieu de cela, Sheridan produisit l'argument le plus éculé, le plus malhonnête, mille fois utilisé par les policiers qui voulaient fouiller une affaire qui ne les concernait pas.

– Nous effectuons des « référencements ». En gros, des officiers repassent sur des affaires non résolues, et essayent de les croiser avec ce qui a été découvert dans les mois précédents. Ce sont souvent des policiers qui ne suivaient pas le dossier à l'origine. Comme moi. Si vous le voulez bien ?

Sonia Barisonek frissonna.

– C'est avec des rapports comme ça qu'on finit par classer les affaires, pas vrai ?

– Non, madame. On ne classe jamais les cas de disparition.

Cela sembla la rassurer. Elle fit un pas, dégagea sa porte et le laissa entrer.

Le salon était parfaitement tenu, très clair, avec une profusion de dentelles aux fenêtres et aux napperons. Des tableaux bon marché et des bibelots de hiboux de toutes les tailles.

La dame passa à la cuisine et revint avec un café pour Sheridan et une boîte de biscuits.

Le flic l'interrogea :

– Quel était votre lien avec la disparue ?

Sonia fronça les sourcils.

– Comment ? Même cela, vous le ne savez pas ?

Sheridan sourit.

– Je vous l'ai dit, je reprends tout depuis le début.

Sonia Barisonek secoua la tête.

– Est-ce bien nécessaire ? Après tout ce temps ! J'ai tant de fois raconté son histoire...

– C'est nécessaire, madame. Vous pouvez me croire.

La femme inspira profondément et s'assit dans un fauteuil à côté de Sheridan. Elle regardait droit devant elle, aussi le flic voyait-il mal son visage et ses expressions.

– Amy. C'est ma nièce. La fille de ma sœur. Jackée est morte alors qu'elle avait 11 ans. Peu après, je l'ai recueillie ici. Mon mari m'avait déjà quittée et mon fils entrait à l'université dans l'Oregon. Amélie était une enfant délicieuse mais très renfermée. Elle lisait beaucoup. C'est au moment de son installation ici qu'elle a voulu se faire appeler Amy Austen, du nom de sa romancière favorite.

– Austen. Les fichiers centraux de la police indiquent pourtant qu'Amy a possédé une pièce d'identité avec ce nom. C'était un faux. Avait-elle fait auparavant une demande officielle pour changer de nom ?

Sonia Barisonek hocha la tête.

– Non, la dernière fois que je l'ai vue, en 1994, elle s'appelait toujours Amélie Roast, comme ma sœur et moi. Austen était son nom de choix, c'est tout. Mais j'ai cru devoir l'utiliser pour la retrouver lorsque j'ai fait ma déclaration à son sujet au commissariat.

Sheridan nota sur un calepin : Amélie Roast. 1994.

– 1994, vous êtes certaine ? Mais Amy avait alors seulement 16 ans.

– Elle était aussi déjà majeure. Elle m'a poussée à agréer une procédure d'émancipation. À 16 ans, elle était libre de ses mouvements.

– Ces mesures sont plutôt rares, dit Sheridan. Que s'est-il passé ?

– Toute jeune, cette lubie de vouloir changer de nom annonçait une quête d'identité qui allait... comment dire ? éclater à l'adolescence... Amy n'avait jamais connu son père ; elle était obnubilée par l'idée de retrouver cet homme. Surtout depuis le suicide de sa mère. Cette partie de sa famille lui était complètement étrangère...

Elle regarda Sheridan.

– Vous ne buvez pas votre café ? Il va refroidir.

– Si, bien sûr.

Il s'exécuta. Sonia Barisonek en profita pour se lever et aller allumer une bougie sur sa cheminée. Ensuite, elle saisit un cendrier qu'elle posa sur le bras de son fauteuil. Elle s'assit et alluma une cigarette.

– Ma sœur Jackée était un peu légère, dit-elle. Très, pour ne rien vous cacher. Les hommes, ça lui prenait comme la soif. Amy espérait que son père, quel qu'il soit, puisse être encore en vie. Mais je n'avais aucun moyen de l'aider. Jackée ne m'en avait jamais rien dit. Au reste, la fille en voulait beaucoup à la mère de s'être donné la mort sans avoir laissé un mot, un indice à son intention.

– Cela a dû être difficile pour elle.

– Pour tout le monde, monsieur. Amy n'était pas quelqu'un de facile. Ces interrogations sur ses origines sont devenues obsessionnelles et elles ont fini par la pousser hors du... du raisonnable.

Là, elle écrasa sa cigarette. Comme souvent les personnes âgées, elle l'avait à peine entamée.

– Je vous ai dit qu'Amy lisait beaucoup. Cela lui a conféré, disons, une imagination débordante. Et, chez certaines personnes, ça peut être dangereux de trop pouvoir s'imaginer des choses... Venez, voyez vous-même.

La vieille dame se leva péniblement et conduisit Sheridan vers l'étage. Le flic, quittant le parfum de la bougie, reconnut en montant une odeur diffuse d'encens. De l'encens pur, celui des églises, pas celui des bâtonnets d'ambiance. Plus il approchait de la porte d'Amy, et plus l'odeur était prégnante. Avec ce signe avant-coureur, il s'attendait à trouver une débauche de reliques, de crucifix et de cierges autour du lit ; la gamine qui allait bientôt disparaître pour finir par tapiner dans le Nevada avait sans doute été atteinte d'une crise mystique typique des adolescentes en mal de tout. En mal de père, en mal d'homme. Pour ces périodes, Jésus-Christ jouait parfaitement les doublures.

Mais là, ce n'était pas le cas.

– Je n'ai rien touché à sa chambre, avertit Sonia. Après tout ce temps, ce sera comme si elle l'avait quittée la veille.

Sheridan aperçut des coussins roses, des poupées, des photos d'acteurs. Rien que de très normal pour une adolescente. Puis des photos, des figurines, des fragments de parures en plumes, des cartes anciennes, des courtepointes aux couleurs vives... Tout, absolument, s'inspirait du passé des Amérindiens. Au temps de leur splendeur. C'était kitch au possible. Mais Sheridan avait visité des piaules à tendance reggae, hippie, punk ou gothique. Alors pourquoi pas les Indiens d'Amérique ?

Le reste des murs était dévolu à de très nombreux livres.

– Vers 13 ans, reprit la tante, Amy a essayé de départager dans les traits de son visage ceux qui appartenaient à sa mère, et ceux qui devaient forcément être issus de son père. Elle voulait réaliser une sorte de « portrait-robot » de ce dernier, d'après elle-même.

Sheridan aperçut une photo dans un cadre.

– C'est elle ?

– Oui. Elle est magnifique, vous ne trouvez pas ?

C'était vrai. Lui n'avait jamais vu que des clichés de son cadavre. Cette peau brune et satinée, ces longs cils noirs, cette bouche généreuse avaient disparu derrière les marbrures verdâtres, les orbites d'yeux déjà opalines, la peau qui commençait à se rétrécir sur les os du crâne... Une tête de cire, voilà ce que Sheridan voyait lorsqu'il songeait à Amy Austen.

– Comme vous l'apercevez sur cette photo, dit la tante, elle possède un teint sombre, le nez et le front droits, et des cheveux très noirs. Je ne sais pas qui lui a mis cette toquade en tête, mais elle s'est convaincue qu'elle avait des origines indiennes. Au début, c'était divertissant, puis c'est devenu ingérable. Elle voulait retrouver sa tribu, rejoindre « les siens ». Son humeur changeait de mois en mois. Je ne la reconnaissais plus.

« Elle se droguait », se dit Sheridan.

La femme était au bord des larmes. Stuart lui tendit un mouchoir.

Puis il inspecta silencieusement les objets de la chambre. Il n'était pas fâché de passer beaucoup de bouquins en revue. C'était de plus en plus rare dans son boulot. Les enquêtes dans les chambres d'adolescents consistaient avant tout à répertorier des jaquettes de CD, de DVD ou de jeux vidéo. C'était toujours les mêmes. Ils ne disaient rien de la personnalité de leurs propriétaires, ou si peu. Mais une bibliothèque ! Cela devenait un vrai miroir. Et qui mentait rarement.

Il notait des titres ou des noms d'auteurs qui revenaient souvent. Les livres favoris, les plus lus, les plus annotés par la fille.

– Y avait-il seulement une chance ? demanda-t-il. Je veux dire... le père pouvait-il avoir du sang indien ?

Sonia Barisonek haussa les épaules.

– Je vous l'ai dit, avec Jackée, tout était possible. Amy a conduit des recherches insensées sur les Indiens. Voyez, les livres de ce mur, ils ne traitent que de ce sujet ! À chaque vacances scolaires, je devais l'emmener visiter les réserves de la région, les Abenakis, les Micmacs, les Penobscots, puis bientôt le Dakota, la Floride, le Nouveau-Mexique. C'était sans fin. Jusqu'au jour où j'ai consenti à cette idée d'émancipation. Au vrai, je n'étais pas fâchée de la voir partir. Mais elle n'est jamais revenue. Maintenant, tant qu'elle ne me fera pas de signe, je ne saurai pas si c'était une bonne idée. J'espère qu'elle est heureuse, au moins.

Sheridan ne se sentait pas le cran de lui expliquer que sa petite nièce était partie faire des pipes dans le Nevada.

– Après six ans sans nouvelles, reprit la femme, j'ai tout de même déposé une déclaration de recherche. Il y a eu une enquête, pas très longue, mais on a pu tracer ses premiers mouvements : les détectives ont visité des réserves d'Indiens avec la photo d'Amy. Certains l'ont reconnue : il semblerait qu'elle était assez peu appréciée par les tribus, elle voulait trop « faire corps » avec eux, elle posait des tas de questions, elle crispait. Je reconnais bien mon Amy de cette époque. Partout, ils l'ont renvoyée. On perd sa trace ensuite, au bout de deux ans. Depuis, rien.

Sheridan nota cela, mais sans un commentaire. Ils redescendirent au salon. Le colonel se sentait gêné ; cette pauvre femme allait un jour le détester, le maudire, dès qu'elle apprendrait que sa nièce était morte, et que l'aimable colonel était au courant alors qu'il lui posait des questions sibyllines et l'écoutait dévider son malheur.

– Alors ? lui fit Garcia lorsqu'il rentra dans la voiture.

– Cette Austen était une sorte d'illuminée... Quelqu'un de paumé au dernier degré. Il va falloir en apprendre davantage sur son existence dans le Nevada.

– Je m'en occupe. De mon côté, je suis allé rapidement au commissariat du coin pour savoir s'ils avaient reçu beaucoup d'appels de témoins au sujet de la disparition d'Austen.

– Alors ?

– Presque rien. En sept ans, que des canulars.

Il démarra la voiture. Sheridan rangea son appareil photo et son carnet de notes dans un dossier au nom d'Austen destiné aux experts.

– Une timbrée, vous dites ? interrogea Garcia. Ça colle assez avec l'idée d'une secte, non ?

– Elle, oui. Elle cadre bien. Mais attendons la suite.

11

La première décision prise par Sheridan dès son arrivée au poste de chef de la police d'État, cinq ans plus tôt, fut de réclamer des crédits afin de numériser l'ensemble des archives papier de la police. Des pyramides de feuillets et de cartons pourrissaient dans des armoires métalliques depuis des décennies. Une dizaine d'informaticiens furent engagés pour repasser toute la mémoire de la police et rentrer les données dans un ordinateur. Une par une.

Sheridan, en plus de Basile King et d'Amos Garcia, avait enrégimenté deux de ces experts pour sa traque secrète des 24. À mesure que le légiste retrouvait les identités des cadavres emportés par le FBI, à mesure que Garcia enquêtait dans tout le pays sur leur passé, établissant des biographies, cherchant des parentés, accumulant des détails de toute nature, Sheridan les transmettait à ces deux informaticiens pour qu'ils les entrent dans leur ordinateur et les comparent. Abigaïl Burroughs, l'une des experts, lui avait expliqué :

– Lorsque les éléments sont informatisés, notre logiciel peut se saisir de n'importe quel détail d'une enquête comme point de départ et chercher à établir des recoupements. Le nom de la victime, la rue où son drame s'est produit, le contenu de son frigidaire, la marque de sa voiture, le nombre de lettres de son nom, et cetera. Tout peut être passé au crible parmi des milliers d'informations. Quarante cerveaux humains n'y parviendraient pas en quinze ans de travail continu.

Sheridan avait donné son feu vert pour qu'on utilise secrètement le logiciel. Mais au bout de trois semaines de traitement, et avec désormais treize identités découvertes sur vingt-quatre, l'ordinateur n'avait craché qu'une seule et unique information. La programmeuse fut très surprise de cette absence de résultats.

– Notre seul point d'emmêlement, lui dit-elle, pour l'instant, c'est un roman.

– Un roman ?

– Oui. Aussi étonnant que cela paraisse. Il a été noté par vous dans votre rapport après que vous vous êtes rendu à Stewartstown pour interroger la tante d'Amy Austen. En fait, c'est un des livres dans la chambre de la fille.

Sheridan n'y avait prêté aucune attention particulière.

– Son livre favori, semble-t-il. Le plus corné, le plus annoté. *Cendres sacrées*, de Ben O. Boz.

– Je ne m'en souviens pas.

– Mais l'ordinateur, si. Précisément. Vous l'aviez photographié dans sa chambre.

– Et le rapport avec les vingt-trois autres ?

– Eh bien, le logiciel met en lumière que cette dame-là...

Elle sortit une photo et désigna Lily Bonham, la femme qui avait accouché toute seule.

– ... cette dame présidait dans sa ville de Preston une association de lecture, un cercle très couru par les bourgeois de ce coin du Vermont. Ben O. Boz, l'auteur, cinq mois avant sa disparition, avait été invité pour converser avec les membres de l'association.

Elle poursuivit avec un certain Tom Woodward, homme d'une cinquantaine d'années, une des dernières identités retrouvées par King.

– Ce monsieur possédait deux exemplaires signés de la main de Boz. Cela, grâce à des séances de dédicace à la librairie de son quartier, à Sacramento.

Abigaïl Burroughs pointa une autre jeune femme. Maud Putch.

– L'abonnement à la bibliothèque municipale de cette grosse lectrice nous enseigne qu'elle suivait l'œuvre de Boz, une fan peut-être. Ce jeune homme, lui, Steve Bean, avait dans ses tiroirs une lettre qu'il comptait envoyer à des romanciers pour solliciter des conseils en écriture. Dont Boz. Enfin, les Kenhead, le couple de vieux, passaient leur retraite à écrire des manuscrits très proches de ce que fait Boz... L'un de leurs titres lui est même dédié.

Sheridan se passa la main dans les cheveux.

– Bon, fit-il. Pourquoi pas. Mais c'est assez maigre, somme toute. Ce ne sont que des livres. À force de toucher à autant de détails, votre ordinateur s'emballe peut-être un peu ? De surcroît, cela ne fait pas beaucoup de liens sur vingt-quatre...

– Sept.

– Et avec ce Boz ? Vous trouvez quelque chose dans nos fichiers ?

– Rien. Mais ce doit être un pseudonyme. Il faudrait trouver son vrai nom. Et avoir quelques données supplémentaires pour travailler.

Sheridan approuva.

– Je vais mettre Garcia sur le coup, dit-il. Puis nous verrons.

Il lui sourit.

– Miss Burroughs, même s'il n'est pas très bavard, vous pouvez remercier votre machine pour moi !

Abigaïl secoua la tête.

– Pas bavard ? Craignez qu'il ne le devienne, vous ne sauriez plus où donner de la tête ! Lui ne s'arrête jamais de cogiter !

Ce jour-là, insensiblement, tout venait de basculer dans l'enquête sur les 24. Elle ne ressemblerait jamais plus à ce que Sheridan s'était imaginé jusque-là.

Jamais.

DEUXIÈME PARTIE

1

Deux mois plus tard

Stu Sheridan roulait paisiblement au nord-est de Concord. Sa voiture particulière, une Oldsmobile gris fer, rasait le lac de Humboldt au cœur de la forêt de Farthview Woods ; presque partout la neige retenue sur les arbres avait dégoutté. Les rayons d'avril redessinaient le paysage.

À l'intérieur de l'automobile, la radio diffusait un titre de country. Le chanteur de Chattanooga dans le Tennessee y répétait d'une voix chaude que la « vérité » se cache toujours au prochain virage. Selon lui, il suffisait de ne jamais lever le pied et de garder l'œil ouvert.

Pour le chef de la police du New Hampshire, le « prochain virage », ce serait simplement le portail de l'université de Durrisdeer. Et ce n'était pas tant la vérité qu'il allait y trouver qu'un coupable.

En bordure de chaussée, il aperçut le panneau de bois qui annonçait Durrisdeer. Sheridan connaissait la réputation de l'établissement. Élitiste, friqué, imbu de ses humanités. À plusieurs reprises, il s'était élevé contre l'avis de sa femme et l'idée que l'un de leurs cinq enfants intègre cette école. Une affaire de principe : il n'aimait ni l'atmosphère ni les fréquentations de l'endroit.

Pas mal d'histoires circulaient au sujet de Durrisdeer; Sheridan savait que des flics de son département s'étaient laissé graisser la patte pour préserver le renom de l'université. Ce n'étaient pas les familles des étudiants impliqués qui avaient réglé les enveloppes, mais le conseil d'administration. Durrisdeer était le plus gras contributeur fiscal de la région, le gouverneur y avait sa fille cadette, et la majorité des promoteurs immobiliers de l'État lorgnaient sur les lots constructibles du domaine. On ne plaisantait pas avec Durrisdeer dans le New Hampshire.

C'était la première fois que Sheridan s'y rendait. Il arriva devant l'imposant portail en fonte. À l'interphone, il se présenta et dit avoir un rendez-vous avec l'un des professeurs. Il y eut un instant de silence à l'autre bout du fil, puis une standardiste lui indiqua comment se rendre au château.

L'Oldsmobile roula sur l'allée bordée de gazon et de lampadaires. Une dizaine de jardiniers étaient déjà à pied d'œuvre pour récolter les feuilles mortes, rafraîchir la terre des bacs à fleurs, et égaliser les gravillons des chemins qui se perdaient dans les parties boisées. La tenue stylée des jardiniers, tablier olive, chemise blanche et large chapeau, annonçait que l'on n'était pas n'importe où.

Sheridan avait beau avoir vu en photo l'ancien château de Ian E. Iacobs, celui-ci lui parut plus massif que dans son souvenir. Architectural ou non, c'était surtout étrange. Avec le temps, le noir avait comblé les interstices et prononcé les pleins : ce qui devait autrefois paraître gai et magistral avait viré au sinistre.

Sheridan stoppa sa voiture dans la cour circulaire dominée par le château. Au centre, quelques élèves se regroupaient près de Norris Higgins, le régisseur technique, autour de la fontaine. Celui-ci enclencha une manivelle haute comme un homme, la fit pivoter et un jet puissant s'éleva dans les airs. Les étudiants applaudirent. C'était à Durrisdeer l'annonce du retour de la belle saison.

Étranger à toute cette bonne humeur, Sheridan se saisit d'une chemise cartonnée et d'un sac en papier. Il sortit de la voiture et avança vers le parvis du château. Le colonel n'était pas en service, il avait revêtu ses vêtements civils. Personne ne lui prêta attention. Avec son trois-quarts qui tombait impeccablement et son chapeau marine, Sheridan n'avait rien du flic d'élite et tout du parent d'élève.

Il pénétra dans le hall. Là encore, il lui était donné de s'étonner : l'immense escalier, les galeries de droite et de gauche, le sol marbré, les portraits aux cadres massifs. Il flottait dans le vide des strates grises et bleues, un mélange de poussière et d'air vicié.

Face à Sheridan, un homme apparut en haut du grand escalier et le dévala dans sa direction.

– Monsieur Sheridan ?

– On m'a demandé de venir me présenter au...

– Je suis Lewis Emerson, le doyen de l'université.

Il lui tendit une main vigoureuse.

– Enchanté, monsieur Emerson. Je ne m'attendais pas à vous...

– Sheridan ? Sheridan ? Attendez voir, avons-nous un élève de ce nom parmi nous ?

Sa main toujours dans celle de Sheridan, Emerson plissait le front.

– Je me souviens d'ordinaire de tous nos inscrits, mais là... murmura-t-il.

Le colonel s'était annoncé au portail. Soit le doyen avait été mal renseigné et le prenait vraiment pour le père d'un de ses pensionnaires, soit il jouait au con.

– Je suis le *colonel* Stuart Sheridan de la police d'État, laissa-t-il claquer.

Une appréhension fugitive mais spectaculaire passa sur le visage du doyen. Aussitôt, Sheridan sentit la main de l'homme se ramollir entre ses doigts, perdre presque toute consistance. Le flic lui présenta son insigne de la police du New Hampshire dans son étui à rabat.

– Quelque chose qui ne va pas, colonel ? se formalisa le doyen. Je veux dire... ici, dans mon université ?

– J'aimerais m'entretenir avec... Attendez.

Sheridan sortit un calepin extra-plat de la poche de son manteau. Coup traditionnel : la trêve silencieuse de l'officier de police. Si brève soit-elle, elle suffit à dresser le crin de n'importe quel interlocuteur et à lui rappeler qui, présentement, a la main.

– Frank Franklin, lut-il. Il travaille ici comme professeur, n'est-ce pas ?

Le doyen prit un air ébahi à l'énoncé de ce nom.

– Bien entendu. Bien entendu ! fit-il très vite. Frank est présent à Durrisdeer depuis bientôt trois mois. Nous sommes satisfaits de son travail. Mais... a-t-il des ennuis ?

Sheridan se contenta d'insister :

– Puis-je le voir ? Il n'est pas en classe à cette heure ?

Le doyen consulta la grande horloge qui trônait à droite de la porte d'entrée.

– Non, répondit-il. Il est au courant de votre venue, au moins ?

Le doyen paraissait soucieux, pour tout un tas de raisons. Il sentait le vent tourner, et il s'en était déjà persuadé : un horrible scandale allait se répandre sur Durrisdeer.

– Il le sait, fit Sheridan d'un ton sec. Enfin, je lui ai laissé un message ce matin. Il ne m'a pas joint depuis.

– Je vois.

Un silence tomba entre les deux hommes. L'œil du doyen disait : « Je ne vais pas me laisser faire aussi facilement », celui du flic lui rétorquait : « Dépêchons ! »

C'est le doyen qui céda.

– Suivez-moi, colonel.

Il passa devant pour gravir l'escalier et fit surgir une cigarette d'un paquet de Pall Mall froissé. Arrivé à la dernière marche, il l'avait déjà sévèrement carottée d'une seule bouffée.

Le doyen conduisit Sheridan à l'étage des bureaux des professeurs. Ils croisèrent la jeune Mary Emerson qui surprit l'air contrarié de son père, mais ne dit rien.

Derrière la porte encartée à son nom, Frank était installé à sa table de travail, penché sur des copies d'étudiants. Le jeune professeur composa à peu près la même figure ébahie que le doyen lorsqu'il apprit la présence de l'officier de police, et plus encore lorsque Emerson lui expliqua qu'il venait en particulier pour lui parler.

Il n'avait pas reçu le message téléphonique de Sheridan.

D'instinct, il se mit sur ses gardes.

– Je vous laisse, balbutia le doyen avec une pointe de dépit. Tranquillisez-moi, Frank, tout va bien ?

– Euh... oui, tout va bien, monsieur le doyen. Enfin je crois.

Après qu'il eut franchi la porte, le professeur resta debout, un peu embarrassé, ne sachant quelle pose choisir. Il détaillait Sheridan : sa taille impressionnante, ses meurtrissures au visage, son autorité naturelle, ce pardessus qui élargissait encore sa silhouette. Il avait les épaules d'un débardeur ou d'un harponneur du Nantucket. Sans doute, selon les circonstances, ce type devait-il inspirer soit un formidable sentiment de sécurité, soit une frousse pas tenable.

Le flic, lui, s'était déjà fait son idée sur le professeur. Franklin portait un blue-jean clair et un col roulé bordeaux, manches remontées, renforcées de cuir aux coudes. Des lunettes et une barbe de quelques heures le vieillissaient à peine. Ses cheveux blonds ondulés lui dessinaient un front délicat d'ange. Le flic le sentait intelligent, assurément dégourdi s'il surprenait le besoin de se défendre, mais curieux aussi, attentif, ce qui était bon signe. La pièce était rangée, impeccable, méthodique. Ça aussi, cela lui convenait.

Le colonel posa son sac par terre, son dossier sur le bureau, et s'assit sans en avoir été prié. Le professeur fit de même.

– Ma venue vous inquiète, Franklin...

Le professeur hésita, à demi surpris, en partie pour savoir si c'était une question, en partie pour mesurer le côté piégeux de la phrase ; puis il fit signe que non. Mais sans répondre ouvertement. Sheridan sourit de la prudence du garçon.

– Cela ne va pas être long, lui dit-il.

Frank désigna sa pile de copies.

– Je corrigeais quelques études de texte. C'est assez urgent, mais je peux m'interrompre pour... pour la police, bien entendu. En revanche, j'ai un cours qui débute dans une vingtaine de minutes. Aussi... Je vous écoute.

Sheridan acquiesça. Il ressortit son calepin et un stylo-bille.

– Je viens vous réclamer des explications, professeur.

– À moi ?

Franklin avait songé en premier lieu que la police se présentait au collège pour une affaire de l'obscur Scribe Club. Ce n'était peut-être pas le cas.

– Veuillez noter, l'avertit Sheridan, que je ne porte pas ici mon uniforme. Cela afin de ne pas prêter à confusion. Je suis devant vous au sujet d'une enquête que je poursuis en solitaire. À mes moments perdus.

Franklin avait surtout vu que le gars assis devant lui était le flic le plus gradé et le plus influent de l'État ; et qu'il se présente en uniforme ou en peignoir de bain était passablement secondaire.

– J'ai beaucoup bûché le dossier d'une affaire, comment dirais-je, ténébreuse. Et j'ai accompli des avancées sensibles. Il me faut désormais quelques éléments supplémentaires afin de poursuivre... et j'ai pensé recourir à vos lumières.

Sheridan disait vrai. Pas un jour, depuis plus de deux mois, il n'avait lâché cette énigme des vingt-quatre cadavres de Concord. Avec Amos Garcia, il était *devenu* cette enquête sans fin, obsédé par ses ramifications. Il savait tout des victimes, des indices et des preuves matérielles, du balayage des statistiques d'identité, il possédait même plusieurs pistes, beaucoup d'impressions persistantes, davantage encore de doutes. Un jour, il croyait engranger du nouveau et se réjouissait, le lendemain, découragé, il était prêt à rendre les gants. Le flic tenace qu'il était se retrouvait prisonnier d'idées qui pouvaient naître et mourir en une seule soirée.

– C'est une affaire criminelle, colonel ?

– Oui.

Sheridan ponctua cela d'un ton sec, presque provocateur. Franklin se raidit. Le mot de « mort » posé, tout pouvait arriver.

– Je garde en ce moment plusieurs théories à ma disposition pour faire le jour sur cette énigme, dit Sheridan. Dont une, qui va sans doute vous paraître insolite, mais que je souhaite creuser toutefois, de manière prudente. Et j'ai besoin de quelqu'un comme vous.

Sheridan sortit un livre de sa chemise cartonnée. C'était l'ouvrage de Franklin sur les romanciers. *La Tentation d'écrire ou les Écrivains au travail.*

– Intéressant. Très intéressant, dit-il en soupesant le mince ouvrage. Même pour ce que je poursuis ces jours-ci.

Franklin eut envie de sourire mais il avait les mâchoires et les lèvres scellées, presque douloureuses.

– Je m'imagine mal ce qu'un essai littéraire peut apporter à un officier de police dans ses enquêtes, fit-il.

Sheridan ouvrit le livre et se reporta à une page qu'il avait cochée et un paragraphe qu'il avait souligné. Il lut :

Le comte Léon Tolstoï vivait à la manière des serfs de son domaine afin de mieux rendre la condition des pauvres hères de son pays ; Gustave Flaubert s'administra une dose minime d'arsenic pour restituer adéquatement le goût du poison lors du suicide de la Bovary ; Émile Zola ne fléchissait pas lorsqu'il s'agissait d'aller visiter les bouges et les mines de charbon de ses personnages ; Jack London et Joseph Conrad tiraient leur inspiration de leur jeunesse de trappeur et de matelot...

Il existe chez certains auteurs romanesques un besoin de connaissance exacte, de vérité tangible, qui ne recule devant rien. Ils veulent savoir *pour créer.*

Et le paradoxe de ces immenses écrivains est qu'ils sont dotés, de surcroît, d'une imagination inouïe. Mais elle ne leur suffit jamais.

Franklin approuva de la tête, plus perplexe encore sur l'objet de la visite de Stu Sheridan. Celui-ci parcourut une trentaine de pages et s'arrêta à un second passage marqué de sa main. Là, il sourit, posa le livre plié sur le bureau et regarda Franklin.

– Connaissez-vous un écrivain appelé Ben O. Boz ?

Le professeur réfléchit.

– Ben O. Boz ? Cela m'évoque quelque chose... Attendez, j'y suis : *La Règle de trois*. C'était son premier succès, je crois. Et son seul et unique, malheureusement. Depuis quinze ans, l'on n'entend plus parler de lui. Cela dit, ce premier livre était vraiment bien tourné. Vous l'avez lu ?

– Oui.

De son sac en papier, Sheridan tira sept livres de Boz, et les empila devant Franklin. Puis il ouvrit sa chemise cartonnée et sortit sept dossiers ; des dossiers marqués du tampon de la police d'État.

– Pour faire court, professeur, disons qu'un concours de circonstances, dans les dernières semaines, m'a conduit à m'intéresser à cet auteur mineur. Il se trouve que l'un de ses livres était le roman favori d'une des victimes du drame que j'étudie en ce moment.

– Une *des* victimes ? s'inquiéta Frank.

Le peu d'assurance qui lui était venu dans ces derniers instants fondit en un éclair.

– Oui, lui confirma le policier. Des victimes. Nous avons remarqué que les œuvres de Boz apparaissaient étrangement dans la vie de plusieurs autres cas de mort violente. Pour une raison que l'on ignore complètement, Boz est présent dans les dossiers qui les concernent. Son œuvre était connue de nos victimes. Évidemment, exprimé de la sorte, ce n'est peut-être qu'un hasard. Si l'on tenait toujours compte des lectures de nos victimes, des Stevenson ou des Jules Verne seraient toujours suspects. Pourtant !

Le flic appuya une main sur les romans rangés en colonne.

– Là, j'ai sept histoires policières écrites par Boz. En piochant un peu, je me suis aperçu qu'elles touchaient toutes à des affaires réelles qui ont eu lieu en Nouvelle-Angleterre.

Il posa son autre main, à droite, sur la pile des dossiers.

– Celles-ci. Les noms, les lieux, les instruments des meurtres peuvent avoir été changés, mais le fond est dramatiquement juste.

Franklin avança les bras sur la table. Pour le coup, sa curiosité était piquée au vif. Sheridan poursuivit lentement :

– Je n'ai lu que quinze livres de Boz publiés dans les neuf dernières années, une experte de nos services a épluché le reste ; nous n'avons pu confronter ses œuvres qu'avec les archives policières de notre région, impossible d'interroger d'autres juridictions pour l'instant. Et pourtant voilà : déjà sept points de contact.

Il croisa les bras, l'œil fixe. Prêt à attaquer la seconde étape de sa démonstration.

– Franklin, je n'évoque pas seulement de simples coïncidences ; il y a là, sous le stylo de Boz, des détails criants de vérité et intimement liés aux affaires en question. Je parle d'un savoir incontestable du dossier. Pire, d'une connaissance *en amont.* Certaines histoires semblent avoir été rédigées par Boz avant même que la police ne se mêle de tel ou tel meurtre. Me suivez-vous ?

Franklin acquiesça. Sheridan se leva et alla regarder à travers la fenêtre du petit bureau.

– Les écrivains, c'est votre domaine ! Vous savez mieux que moi comment fonctionnent leur imagination, les degrés d'écriture, le travail pur du romancier. Ce qui les motive surtout, les pousse à écrire...

Il revint sur ses pas et agrippa des mains le dossier de la chaise sur laquelle il s'était assis.

– Voulez-vous bien lire ces romans et ces dossiers et tâcher de me dire si ce type possède un imaginaire malchanceux ? Expliquez-moi si cela se peut d'inventer tout ça à partir de rien, installé derrière un bureau, ou si j'ai des raisons de m'inquiéter ?...

Un long silence suivit.

– Si je vous comprends bien, reprit doucement Frank Franklin, vous soupçonnez Ben O. Boz de...

– D'être obsédé par la vérité des tueurs qu'il dépeint, oui. Ou d'être le tueur lui-même. Pourquoi pas ?

Il reprit le livre de Franklin laissé sur la table.

– Vous parlez dans ce chapitre de Léonard de Vinci et de Michel-Ange qui achetaient au prix fort des cadavres encore tièdes pour les éviscérer et perfectionner leurs notions anatomiques. Non par souci de l'art de guérir, mais juste afin d'améliorer leurs sculptures ou leurs dessins du corps humain. Leur art ! C'est à cette famille de guignols que je fais référence. Capables de tout. Professeur, dites-moi si ce Ben O. Boz, auteur de polars de son état, ne trouverait pas, lui aussi, que son imagination ne lui *suffit pas* !

Franklin observa la pile de romans, les sept dossiers, puis revint sur Stu Sheridan.

– C'est plutôt... hors du commun comme proposition. Vous avez vraiment des éléments qui vous laissent entendre que Boz...

Sheridan pointa les dossiers.

– Il y a quelque chose qui ne tourne pas rond. Sans cela, je ne serais pas devant vous.

– Et vous croyez que... ?

– Je ne crois rien. Ce n'est pas ma règle de m'avancer. Je réclame un avis compétent. Une lecture de professionnel, littéraire et non flicardière. Voulez-vous ?

Franklin remonta ses lunettes sur les cheveux.

– Pourquoi vous adresser à moi ? Il y a d'autres professeurs émérites dans cet État ou ailleurs, d'autres experts plus qualifiés, me semble-t-il. Et le FBI sait les entraîner au besoin.

Sheridan leva de nouveau son livre.

– Ce que je vous demande à propos de Boz, c'est précisément ce que vous avez tenté de faire sur vos auteurs classiques : les percer à jour, pointer ce qui dans leur œuvre trahit leur vie quotidienne, et vice versa. Ne vous mésestimez pas, Franklin, je vous ai lu : vous êtes un excellent profileur de romanciers. Et de cette aptitude, j'ai aujourd'hui besoin.

Franklin saisit le premier roman sur la pile : *Ceux de Portsmouth*.

– Et comment m'avez-vous trouvé ? demanda-t-il.

Sheridan posa sur le bureau un exemplaire du *Concord Globe* daté de février dernier qui annonçait l'arrivée du jeune Franklin à Durrisdeer, le même que Lewis Emerson lui avait présenté au cours de son petit déjeuner.

– Que des louanges, lui dit le flic. Alors ?

– Alors je vous promets de lire tout cela, bien entendu.

– Je ne vous demande rien de plus. Mais que tout cela reste entre nous !

Le professeur quitta le château pour rejoindre son cours et le colonel sortit songeur de Durrisdeer. Il savait qu'il avançait dans le noir sur cette énigme des vingt-quatre cadavres. Depuis des semaines. Mais il avançait. Aujourd'hui, il priait le ciel de ne pas s'être trompé et de ne pas avoir glissé son précieux jeu de billes dans la mauvaise poche.

2

– Qu'est-ce que tu bouquines ?

Frank Franklin était allongé sur son lit, Mary Emerson étendue nue près de lui ; à plat ventre, elle se tenait sur les coudes, les joues appuyées entre les mains. Ses jambes repliées et croisées se balançaient au-dessus de ses fesses. La jeune blonde était irrésistible.

Tous deux formaient un « secret » depuis quelques semaines à Durrisdeer.

– Je lis un policier de Ben O. Boz, répondit Frank.

– Connais pas. C'est bien ?

– Plutôt obséquieux. Donc long.

– Pourquoi poursuis-tu, alors ?

Elle lui ébouriffa les cheveux pour attirer son attention.

– Je cherche quelque chose, lui dit-il. Pour mes cours peut-être...

Sur son meuble de chevet reposaient les autres livres de Boz et, planqués, les sept dossiers remis par le colonel Sheridan. Il les consultait dans l'ordre avec un carnet et un crayon à portée de main.

– Je suis passée par ton bureau tout à l'heure, reprit Mary en se renversant sur l'oreiller, une main glissée derrière la nuque. La machine à écrire n'a toujours pas imprimé une page nouvelle. Tu ferais aussi bien de la ranger sous sa housse.

Frank sourit.

– On croirait entendre ma mère.

– Il faut bien te secouer, ou tu ne le débuteras jamais, ton roman ! Même si, toi et moi, ce n'est qu'une hypothèse, je préfère me dire que je construis quelque chose avec un romancier plutôt qu'avec un prof d'université ! J'en ai soupé de ce monde-là...

Elle bascula sur le flanc et pianota du bout des ongles sur le torse de Frank, comme sur les touches du clavier d'une machine à écrire.

– Je ne t'inspire pas ?

***

Quelque chose le gênait dans tout ça.

Frank relevait avec soin les passages des romans marqués par Sheridan, puis leurs répliques dans les dossiers d'enquête de la police. Sûr, c'était troublant. Trop de points authentiques parallèles, des aspects voisins qui récidivaient, des indices qui « ne pouvaient être inventés »...

Pour *Pie-grièche*, un double assassinat à la corde de piano dans l'Idaho ; pour *Le Crépuscule des seigneurs*, une séquestration dans une tour en construction du Dakota ; pour *Zéro absolu,* un fétichiste des grains de beauté à Manhattan ; pour *Doublure lumière*, un suicide maquillé en Californie. Tous ces romans avaient leurs pendants quasi exacts en Nouvelle-Angleterre, dossiers de flic à l'appui.

Pourtant, Frank restait convaincu que c'était Sheridan qui trahissait dans cette histoire un excès d'imagination. Si Boz avait supprimé ces gens comme cela était écrit dans ses polars, il se serait fait immanquablement prendre. C'était trop énorme pour un seul homme. Il valait mieux partir de l'idée que Boz entretenait d'excellents contacts aux Départements de justice de la Nouvelle-Angleterre. Des flics indics, en quelque sorte, qui lui permettaient de suivre certaines affaires en direct, semblable à un journaliste, et de façonner son roman en cours. Participer aux enquêtes, étudier les indices sur place, avoir ses entrées dans les morgues, être à la bonne avec les spécialistes, ce n'était pas impossible, surtout pour un romancier qui, à la différence des gens de la presse, ne publie jamais rien à chaud, et donc ne risque pas de compromettre le boulot des enquêteurs. Ça aide. En revanche, lorsque les dates des publications et celles des enquêtes ne correspondaient pas ? Lorsque des romans avaient été écrits avant même que des victimes n'aient été retrouvées par la police ? Il fallait se résoudre à ce que Boz se soit inspiré d'autres enquêtes similaires non repérées par Sheridan. Après tout, ce dernier avait admis n'avoir pu atteindre que les cas de sa juridiction.

« Bon Dieu, il suffit d'aller lui parler à ce type, et c'en sera terminé ! »

Frank quitta son lit. Mary s'était endormie. Dans quelques heures, il devrait la réveiller pour qu'elle rentre discrètement chez ses parents. En poste à Durrisdeer depuis seulement onze semaines, c'était un peu court pour qu'il avoue à tout le monde qu'il s'envoyait déjà la fille du doyen.

Il descendit dans la cuisine. Nu devant le frigidaire à l'éclairage peu flatteur, il décapsula une bière. Il ne l'admettait pas encore, mais cette histoire de Boz lui plaisait par endroits et, pour l'heure, elle le tenait bel et bien éveillé.

Les *détails*. C'était ça qui l'intriguait.

Les romans de Boz péchaient par une accumulation, une abondance de détails qui rendaient ses récits indigestes. Tout était sacrifié à la petite description qui voulait faire vrai. Par là même, les enquêtes se transformaient en bulletin de santé, en procédure d'amputation ou en *delirium* de tueur qui impose des séances interminables d'hypnose à ses victimes. Le tout parfaitement documenté. Parfois, Boz se répétait. Ou plutôt il retouchait ce qu'il avait déjà écrit. Pour preuve, cette femme enceinte traquée par son mari devenu sanguinaire dans le roman intitulé *Ceux de Portsmouth*. Elle termine sa course en forêt et met au monde sa fille toute seule, avec le maniaque qui rôde non loin à sa recherche. Le premier cri poussé par l'enfant signera leur fin à toutes les deux. Ça, c'est dans un livre de 1995. L'épisode de l'accouchement ne fait que quelques paragraphes, tout y est raconté du point de vue du tueur. Quatre ans plus tard, dans *Le Réducteur*, Boz reprend le même procédé de la femme seule, en souffrance, mais là, l'acte d'accoucher devient le cœur du chapitre, chirurgical dans tous les sens du mot. Plus de huit pages de descriptions ! Pas un saignement, pas une contraction, pas une larme ne sont épargnés au lecteur. Le texte paraissait si bien renseigné qu'on aurait cru un devoir d'école de médecine recopié mot à mot.

Le seul endroit où Franklin rencontrait autant de détails, c'était dans les rapports de police laissés par Sheridan. Là aussi, tout reposait sur de petits indices.

Mais cet écrivain avait-il besoin d'être un forcené pour que tout cela se tienne ? Frank lut sur les dos de couverture que l'homme rédigeait facilement ses deux romans par an, ce depuis quinze ans, et publiés par un nombre toujours croissant d'éditeurs différents. Alors, pour le colonel Sheridan, quoi ? Cela constituerait trente affaires de sang ? De métier, Franklin savait que l'inspiration des écrivains, celle assez puissante pour initier un roman, voire toute une œuvre, connaissait bien d'autres voies que le « vécu » relevé l'autre jour par Sheridan : un article de journal, la confidence d'un proche, un rêve isolé, l'idée d'un titre ou d'un nom de personnage, le métier surprenant d'un inconnu vu à la télévision, le thème d'une conversation entendue dans un train, parfois même le simple fait de se mettre à rédiger sans savoir où l'on va suffisaient pour lancer toute la machine de guerre du romancier. Pas besoin d'ausculter des viscères comme Michel-Ange, ou d'accomplir des tours du monde comme Joseph Conrad.

Franklin vida sa bière, sans soif.

« C'est des conneries, tout ça ! »

Il remonta vers sa chambre.

L'installation de la maison était presque achevée. Au cours des deux derniers mois, Franklin avait visitéquelques antiquaires de Concord et des brocantes dans la région. Ses goûts, associés à ceux de Mary, avaient produit un méli-mélo rustique moderne qui n'aurait certainement pas été du gré du vieux Mycroft Doyle. Mais Mary nota, le soir où ils firent l'amour pour la première fois sous ce toit, que cette maison n'en était plus à une révolution près : Doyle était demeuré vieux garçon toute sa vie, les murs de sa chambre n'avaient pas entendu jouir une femme depuis, au mieux, le second mandat de Dwight Eisenhower !

En haut des marches, Franklin aperçut dans le bureau et sous la lumière bleue rendue par l'alcôve vitrée sa machine à écrire, posée comme un objet de culte sur la table d'écriture. Mary avait encore vu juste : il n'avait pas écrit une seule ligne depuis qu'il était installé à Durrisdeer.

Mais là ?...

Frank ne passa pas dans sa chambre. Il s'assit devant la vieille Remington 3B de collection. L'osier fendu de sa chaise s'imprima douloureusement sur ses fesses nues, mais il n'y prêta aucune attention.

Il roula une feuille blanche dans le cylindre et vérifia la qualité de sa bande monochrome.

Il venait d'avoir une excellente idée...

3

Quatre jours plus tard, Franklin profita du week-end de Pâques et d'un jeudi et vendredi où ses élèves étaient requis par des examens partiels dans leurs autres classes pour se rendre à New York visiter son éditeur et souffler un peu. Depuis des semaines, il n'avait pas quitté l'enceinte de Durrisdeer plus de quelques heures.

Pour ce voyage, il avait embarqué Mary « dans ses bagages ». La fille du doyen argua auprès de ses parents de tentatives d'inscription dans une école de stylisme à Manhattan pour justifier son départ. Personne ne savait encore rien du couple secret. C'était leur premier week-end ensemble. Qu'il soit clandestin pimentait l'équipée.

Ils se rejoignirent à la gare de Concord pour atteindre Boston. Puis New York.

De Manhattan, Franklin ne connaissait que Central Park, les deux Met, et des clichés strictement touristiques et panoramiques. Il n'y avait presque jamais mis les pieds. Sa mère avait cet îlot sur échasses en horreur.

Mais Mary, elle, connaissait tout et, semblait-il à son petit ami, tout le monde. Le jeune homme découvrit, en quelques virées, un aperçu inédit de la ville : bars enfumés enfreignant les lois, bukowskistes à souhait, ou bien fitzgéraldiens, aux cuirs fatigués, aux bois vernis, aux lampions de verre d'Italie, présentant au menu la meilleure sélection de malt de tout le borough. Avec cela, des quartiers de verdure insoupçonnés, des apnées dans des clubs de jazz aux instruments contemporains du *Bop for the People*, et même des boîtes de *house* en compagnie d'hurluberlus et de timbrés du monde de la couture, cher à Mary. Le couple était logé dans le New Jersey, un appartement exigu d'une amie modéliste de Mary, peint en rose bonbon du plancher au plafond ; là, ils firent l'amour, considérablement, et ils parlèrent des heures, aussi pour le plaisir.

Le vendredi, en fin d'après-midi, Frank se rendit au croisement de la 52e Rue et de l'avenue des Amériques pour rencontrer son éditeur. Le bureau de ce dernier se situait à mi-hauteur d'une tour occupée par une bonne trentaine d'autres maisons d'édition.

Benchmark Altaï Publishing était dirigée par Albert Dorffmann, éditeur heureux de *La Tentation d'écrire* de Frank Franklin et de rayonnages entiers d'œuvres strictement universitaires ou à destination des universitaires et des étudiants. Cette maison d'édition ne vivait pas de ses ventes en librairie mais des acquisitions des bibliothèques de centaines de centres d'enseignement supérieur à travers le pays. Ce marché parallèle était sans péril, l'on savait à dix ou vingt exemplaires près la vente qui serait faite. Le sujet du livre n'y était quasiment pour rien : le réseau universitaire de l'auteur, son influence, l'ancienneté de son poste faisaient tout. L'auteur recommandait son œuvre pendant des congrès, présidait quelques conférences sur son sujet de publication, et les commandes affluaient. Ce circuit éditorial promettait un roulement d'opérations stable et garanti. Et puis, de temps à autre, un livre sortait du lot et allait à la rencontre d'un plus large public. Ç'avait été le cas pour Franklin.

– Comment allez-vous, mon jeune ami ?

– Très bien, monsieur Dorffmann, répondit Frank en entrant dans le bureau de l'éditeur.

C'était une pièce en angle vitrée, assez vaste et au rangement très soigné. Rangement qui jurait avec le reste des bureaux et des couloirs où s'amoncelaient manuscrits, épreuves en cours, documentations erratiques, livres de confrères et autres colis timbrés destinés aux services de presse interuniversitaires des deux côtes du pays.

– Combien de temps depuis notre dernière rencontre ?

– Presque six mois, dit Franklin.

– Ts, ts, ts. Je ne vois pas assez mes auteurs. Je devrais voyager plus. Voyez-vous, j'ai davantage de nouvelles de notre chère Eda que de vous !

– Ma mère ?

L'éditeur, petit homme tout rond, tout chauve, l'air bon mais roublard, lettré mais comptable, sourit au jeune homme en s'asseyant dans son fauteuil.

– Elle semble embarquée dans une entreprise d'envergure relative à Honoré de Balzac, dit-il.

– Vraiment ? Elle ne m'en a encore rien avoué.

Dorffmann leva les mains au ciel.

– De peur que vous ne la découragiez ! Chose à laquelle je ne parviens pas, en dépit de mes assauts renouvelés. Dites-vous seulement qu'elle s'est mis dans le crâne d'analyser tous les romans de Balzac, à la lettre !

L'éditeur fit du front un oui appuyé comme si Franklin avait sursauté et lancé des cris devant une telle révélation.

– Ça va peser son poids ! dit le jeune homme.

– Vous pensez comme moi. C'est de la folie.

Franklin reconnaissait bien là sa mère. Il n'était pas question pour lui de chercher à la faire changer d'avis. Eda Franklin ne s'avançait jamais sans avoir réfléchi son coup.

– Et vous, Frank ? demanda l'éditeur. Ce n'est pas que je m'impatiente, mais, vous le savez, nous devrions profiter de l'accueil remarquable réservé à votre essai. Le soufflé ne doit pas retomber. Un projet ?

L'éditeur, sur ses deux derniers mots, avait basculé son fauteuil et tenté de poser ses pieds chaussés à l'anglaise sur son bureau, pour se donner une contenance de producteur de cinéma, mais son ventre rondelet l'en empêcha. Plus modestement, il finit par arranger sa cravate de tricot et poser ses mains sur son bedon.

– Oui, monsieur, répondit Frank, j'ai un projet. Tout frais.

– Excellent ! Qu'est-ce que ce sera ? Un essai ?

– Non, un roman.

Dorffmann fronça les sourcils.

– Ah oui ?

Il garda le silence. Ce registre le gênait. On n'était pas trop porté vers le « romanesque » à la Benchmark Altaï Publishing.

– Vraiment ? reprit-il. Quel genre de roman ?

– Je ne vous dévoilerai rien pour l'instant. C'est encore trop jeune. Laissez-moi m'enfoncer dans l'histoire. Nous verrons ensuite.

– Bon, bon. Je respecte cela.

Mais l'éditeur lui expliqua, avec doigté, qu'après avoir posé ses vues sur de grands romanciers du passé, il courrait le risque de tendre le bâton pour se faire battre si son œuvre n'était pas au niveau de ses critiques de Tolstoï ou de Kafka.

Ce point ne convainquit pas le jeune homme.

– Telle mère, tel fils ! déplora Dorffmann. Je ne souhaite toutefois pas perdre un auteur tel que vous. Pas si tôt. Tenez-vous au moins un titre pour votre roman ?

Là, c'est Frank qui resta sans mot. Il n'y avait pas encore songé. Pourtant, une idée lui vint. Sur-le-champ.

– *Le Romancier*, dit-il.

Dorffmann le nota sur une page obsolète de son agenda.

– Encore plus audacieux, murmura-t-il l'air de rien. Contemporain ?

– Contemporain. Immédiat même.

Frank cachait à son éditeur que ce qui l'excitait dans ce dessein, c'était de se retrouver dans une position qu'il avait souvent enviée chez certains écrivains, spécialement des auteurs de romans policiers ; beaucoup d'entre eux connaissaient des journalistes, des flics, des détectives privés, des profs de criminologie, des laborantins en médecine légale, d'anciens cadres du FBI qui pouvaient les rencarder sur des assassinats, des personnages, voire des prouesses techniques mal connues du public. Franklin, lui, se rapprochait par hasard du chef de la police d'État du New Hampshire ! Il allait devenir le témoin d'une enquête *pour de vrai*, et, s'il ouvrait l'œil, arriverait à puiser à la source la matière première d'un roman. Pour l'instant, le cas de Boz le « tueur-écrivain » polarisé par Sheridan lui paraissait inconsistant dans la réalité, mais prometteur dans une fiction... Depuis des années, il cherchait un sujet décent pour se lancer, et voilà que le sujet lui-même s'était présenté à son bureau de Durrisdeer !

– Bon, bon, fit de nouveau l'éditeur. Nous allons établir un contrat. Mais ne soyez pas goinfre sur l'à-valoir, n'est-ce pas ? Vous m'auriez annoncé un essai du même type que la *Tentation*, je ne dis pas, mais un roman, maintenant... c'est l'inconnu, vous comprenez !

En sortant, Franklin se pariait à lui-même qu'il aurait entendu le discours inverse s'il avait proposé un essai. Il rentra dans l'ascenseur avec sa feuille contractuelle sous le bras et un chèque de trois mille dollars. Dorffmann lui avait octroyé un délai de huit à dix mois.

Dans la cabine d'ascenseur se trouvaient déjà trois personnes, dont deux femmes. L'une d'elles, la quarantaine flamboyante, se mit à dévorer le jeune homme blond des yeux. Frank dévia son regard. Ce fut en observant le double alignement vertical des numéros d'étage de l'immeuble qu'une idée lui vint. Il atteignit le rez-de-chaussée et le vaste hall d'entrée vitré où il rechercha le tableau d'attribution des diverses sociétés à cette adresse, par nom et par palier. Comme il le savait déjà, la grande majorité était des maisons d'édition.

L'une d'elles lui tira l'œil. Paquito & Saunday Books. Franklin était certain qu'un des livres de Ben O. Boz donné par Sheridan avait été publié par eux. Il se souvenait même du titre et du sujet : *Doublure lumière*, le meurtre maquillé en suicide d'un *booty hunter* de Los Angeles situé dans l'industrie du film.

Franklin se présenta au vingtième étage devant le poste de la standardiste de Paquito & Saunday Books. Mais il n'y avait personne. Et, lui semblait-il, la place était vacante depuis de longs mois. Le téléphone lui-même avait disparu. Il pénétra alors un peu plus dans le couloir unique des bureaux paysagers. Personne, là non plus. Des affiches de couvertures de romans agrémentaient les murs. Aucune n'était de Boz.

Paquito & Saunday Books semblait un navire en perdition. Tout juste si un homme de ménage venait encore faire la poussière le soir.

– S'il vous plaît ? appela-t-il.

Un type surgit de derrière une armoire de rangement croulant sous les manuscrits.

– Oui, fit-il. Je suis Paul Saunday. Vous désirez ?

Le vieil homme qui s'avançait, sur ses gardes comme lorsqu'on attend la descente d'un huissier, portait un long manteau de demi-saison, un complet de rayonne et un chapeau mou à la main. Il avait de grosses moustaches blanches et un nœud papillon à fleurettes. Visiblement, il s'apprêtait à vider les lieux.

– Je m'appelle Frank Franklin, dit le jeune homme. Je publie chez Benchmark...

– Ah ! Franklin, oui. Dorffmann est un vieil ami. Il m'a parlé de vous. Vous êtes sa dernière bénédiction ! Qu'est-ce qui vous amène dans mon trou ? Vous vous êtes égaré ?

– Non, au contraire.

Saunday se montra soudain intéressé.

– Ah ?

Mais sa curiosité s'évanouit aussitôt que Franklin prononça le nom de Ben O. Boz.

– Qu'est-ce que vous cherchez sur lui ? C'est un sale type, laissez-moi vous prévenir.

– J'étudie ses livres et...

– Étudier ses livres ? Pour quoi faire ? Moi, je n'ai plus aucun commerce avec ce bonhomme, depuis très longtemps. Comme tout le monde. C'est automatique, il se brouille avec tous ses éditeurs. Et, en plus de ses romans, qui sont très mauvais, c'est un escroc !

Franklin en espérait davantage.

– Un escroc ? insista-t-il.

– C'est bien simple, cet homme est très riche. Ne me demandez pas comment, ni pourquoi, je l'ignore. En fait, il achète la publication de ses livres. Il la « finance », si vous préférez. Mais il s'arrange toujours pour ne pas régler la note finale ! J'ai des tas de collègues qui se sont fait battre là-dessus.

Saunday vissa son chapeau sur sa tête, signe qu'il voulait en finir.

– Vous savez où je peux le trouver ? demanda quand même Franklin.

– Aucune idée. J'ignore s'il écrit encore.

– Cela, je peux vous le confirmer.

– Eh bien, je plains ses éditeurs. Dommage pour eux. Au revoir, monsieur Franklin. J'ai été ravi.

Et Saunday éteignit les lumières et boucla la porte de ses bureaux. Franklin se demanda si son humeur bourrue était due à l'évocation de Boz ou à l'état catatonique de sa maison d'édition. Paul Saunday prit place dans la cabine d'ascenseur en compagnie de Franklin et de quatre inconnus. Mais les deux hommes n'échangèrent plus un mot.

Frank, méditatif, rejoignit Mary dans un bistrot de Soho. Elle l'attendait avec plusieurs amies. Elle sauta à son cou en découvrant le contrat de Dorffmann. Il lui promit un dîner pour fêter cela.

Il se commanda une bière. Toujours plongé dans ses réflexions, et loin du babil de ses voisines, il porta son verre glacé contre sa tempe, soudainement très « heureux ». L'argent n'y était pour rien. Il n'avait plus qu'une envie, c'était que Ben O. Boz soit l'abominable assassin suggéré par Sheridan, qu'il surpasse même les soupçons du flic... Un vrai monstre que Frank pourrait étudier, et coucher sur le papier d'après nature.

Cette échappée dans New York lui fit le plus grand bien. Ce fut à ce moment qu'il mesura à quel point l'univers de Durrisdeer était imperméable. On n'en sortait jamais, il n'y avait aucune visite extérieure, le nombre restreint d'étudiants faisait que tout le monde se connaissait comme dans un village. Frank sentit à quel point ce confinement pouvait devenir malsain à la longue. Après si peu de temps passé sur place, Durrisdeer révélait déjà sa face sombre...

4

À l'université, ce vendredi matin, alors que Franklin dormait dans les draps roses de la chambre rose de l'amie de Mary, le parc était sans forme, enseveli sous un épais brouillard. La forêt avait disparu, le château s'était effacé, la lumière de l'aube peinait à se montrer, diffuse et blême. L'herbe avait blanchi avec le gel, les oiseaux se taisaient.

Soudain, sur un sentier serré entre les arbres, en bas du long espace gazonné dominé par le château, un bruit de roulement grandit. Il croissait, accompagné à mesure qu'il se précisait d'impacts de pas sur la terre lourde et trempée.

Une vague humaine apparut.

Il était 7 h 15 du matin. Tous les élèves de Durrisdeer accomplissaient leur jogging matinal. Le rythme des foulées était soutenu, la première colonne de coureurs se matérialisa et se dématérialisa dans la brume en quelques secondes. Un instant plus tard, une deuxième puis une troisième cohorte lui emboîtèrent le pas. Tous les étudiants, garçons et filles, portaient un survêtement identique : short et tee-shirt gris clair. Seules les chaussures de fond variaient, selon les marques et leurs logos. Certains joggeurs portaient un bonnet sur la tête, gris lui aussi, ou une écharpe autour du cou, ou des écouteurs de musique aux oreilles. Leurs souffles faisaient un panache qui se mêlait au brouillard.

Dans le peloton de tête, le plus athlétique de tous, trois garçons placés en queue de groupe ralentirent, puis quittèrent brusquement le tracé pour plonger dans la forêt. En quelques pas, ils avaient échappé à la vue de leurs camarades.

Ils n'échangèrent pas un mot, se regardèrent à peine. Ils franchirent des branches et des troncs renversés, semblant maîtriser l'itinéraire. Ils s'arrêtèrent dans un espace dégagé par la main de l'homme, entre quatre troncs massifs. L'un d'eux était tombé à terre, fendu en plein cœur par la foudre. Partout, les aiguillons décomposés et la terre grasse se faisaient glissants. Il flottait une entêtante odeur de résineux.

Le premier garçon ne semblait pas hors d'haleine ; les deux autres montraient plus de difficulté. L'un expirait en renversant son front vers ses genoux, l'autre s'appuya contre un arbre, un bras suspendu à une branche basse.

Le premier maugréa :

– Bon sang, il n'est pas encore là !...

De l'air le plus naturel qui soit, il sortit de son short un paquet de Benson & Hedges. Il pêcha une clope, la planta entre ses dents et l'alluma avec un briquet. Il emplit à fond ses poumons brûlants. Ses cheveux étaient trempés et collaient par grosses mèches sur son front. D'un mouvement de la main, il les rabattit en arrière puis inspecta autour de lui.

Avec la brume, les arbres se faisaient très noirs ; le garçon examinait les environs, comme on espère l'apparition d'un revenant.

Peu après, un sifflement se fit entendre. Les deux autres garçons se redressèrent, attentifs. Le premier haussa les épaules et répondit au sifflement par un autre sifflement, mais sans conviction. Ce petit jeu dura quelques instants. Jusqu'à ce qu'une quatrième silhouette de joggeur apparaisse.

Le nouveau venu avait l'air paniqué ; il soufflait très fort, son tee-shirt était noirci par la transpiration, les joues et le nez viraient au rouge, ses cheveux roux givraient aux pointes.

Le premier personnage du groupe, sans quitter cet air de dédain qui semblait lui convenir, tendit le bras pour l'aider à enjamber un tronc à terre.

– Vous avez de l'eau ? supplia le nouveau. À boire ?

– Rien, répondit le premier. Une tige peut-être ?

Le regard du garçon se vida, écœuré par l'idée. Il voulut s'asseoir, mais le premier, qui le maintenait toujours par le bras, le releva sans ménagement.

– Reste debout, ordonna-t-il. Marche un peu, respire. Tu vas nous dégueuler partout sinon.

Le garçon obéit, tout en frictionnant son bras désormais douloureux. Les trois premiers types se regardèrent, un peu décontenancés par l'état misérable du nouveau. Mais ce dernier finit par retrouver ses esprits. Il observa ses voisins d'un œil qui disait « Vous ! ». Mais, à l'évidence, il était devant eux en position délicate, presque soumise.

– J'ai cru ne jamais trouver cet endroit, leur avoua-t-il. Ça flanque la frousse... la forêt...

– Tu as suivi les foulards ? Sur les arbres ?

– Oui, oui... mais au dernier instant, chaque fois... Saleté de brouillard ! Ça tombe mal.

– Non, dit le premier après avoir dessiné un rond avec une bouffée de sa Benson. Ça tombe très bien, au contraire...

Les quatre garçons restèrent silencieux encore un long moment. Leurs épaules étaient glacées ; le froid, insensible durant la course, mordait maintenant douloureusement.

Puis le nouveau venu demanda :

– Mais qu'est-ce qu'on attend ?

– Le protocole.

– Le protocole ?

– Oui, mon gars. C'est toujours la même chose, tu sais...

Au loin, une lumière s'alluma dans la forêt. Trois éclats successifs à travers la brume. Une torche électrique.

– Bien, en conclut le premier joggeur. Tout est prêt. Tu connais le mode d'accession au Scribe Club ?

Le nouveau fit un signe incertain.

– Il existe deux cercles, reprit le chef. L'un regroupe les quelques étudiants de Durrisdeer qui savent qui nous sommes, l'autre regroupe les membres qui participent pleinement aux décisions et aux actions du Club. Ces derniers acceptent de te laisser tenter ta chance et de rejoindre directement le dernier cercle.

Le type sourit. Visiblement flatté.

– Combien êtes-vous en tout ? demanda-t-il.

– Sept. Dont trois dirigeants.

Ce chiffre parut le décevoir.

– C'est tout ?

– C'est suffisant. C'est inchangé depuis le temps de Iacobs.

Le nouveau s'était fait remarquer par le Club pour ses spectaculaires connaissances sur le Bas-Empire romain. Le Club nourrissait une très haute estime de ses membres ; tous devaient posséder une spécificité ou un talent notoire, distinct des autres. Plus une certaine qualité d'initiative et un goût immodéré pour le jeu et les simulacres.

– Afin d'accéder au premier rang, expliqua le joggeur, il y a un exercice de passage, tu l'imagines. Un test.

– Je le redoutais. Un rite, quoi.

– Oui. Mais tu n'as rien à craindre...

Il adressa un signal aux deux autres. Ceux-ci unirent leurs forces afin de faire rouler le tronc qui avait obstrué le passage au garçon lors de son arrivée. En dépit de sa taille, il se laissa déplacer de quelques centimètres sans trop de difficulté.

Pendant ce temps, l'étudiant nº 1 se ralluma une cigarette juste après avoir fait voler la précédente dans une longue gerbe d'étincelles.

Sous l'arbre, une dalle de béton fut dégagée. En réalité, une porte sas, comme une écoutille. Les deux joggeurs la libérèrent.

Le premier fit approcher le nouveau.

– Tu pénètres là-dedans, tu retrouves ton chemin, et puis tu te démerdes, ordonna-t-il.

– Quoi ?

Le trou béant était complètement noir. À peine si l'on discernait les premiers barreaux d'une échelle de corde.

– Qu'est-ce que cela veut dire ? Où ce passage mène-t-il ?

– Par là, tu dois pouvoir rejoindre le château.

– Sans indication ? Sans lumière ?

– C'est la règle. Nous y sommes tous passés. Vois-tu, Iacobs a dessiné cinq souterrains autour de son château. Depuis, ils sont devenus le territoire du Scribe Club. Tu dois les apprivoiser par toi-même. Considère cela comme ton baptême.

– Et la lampe torche, tout à l'heure ? Qu'est-ce qu'elle signifiait ? Il y a d'autres types là-dessous ? Je ne vais pas être seul au fond du trou ?

Le premier fit un signe de la main agacé.

– Dépêche-toi. Tu verras bien. Tu dois te présenter au réfectoire pour le déjeuner. C'est impératif, sinon tu auras échoué. Et tu n'auras pas de seconde chance cette année.

Le quatrième gars sourit, incrédule.

– Vous voulez m'effrayer, dit-il. Je vais le faire votre truc. Et en moins de temps encore !

Il mit un pied sur l'échelle. Le premier joggeur reprit :

– N'oublie pas, si tu te plantes, tu assumes, tu expliques au doyen et à tous que tu t'es paumé pendant la course, tu es tombé dans un trou, ce que tu veux, c'est ton affaire... mais tu ne nous connais pas, et tu ne nous as jamais vus !...

– Ça va, ça va, je sais...

Là-dessus, il disparut.

– Putain, ça caille encore plus là-dedans ! fut sa dernière phrase avant que les autres rabattent la dalle et roulent le tronc à sa place initiale.

Après un silence, les trois étudiants, l'un après l'autre, éclatèrent de rire.

– Il n'est pas sorti de l'auberge, le pauvre...

Puis ils reprirent leur course à pied et s'évanouirent comme des visions dans le petit jour...

5

Le lendemain de son retour de New York, le mardi, Frank Franklin gara sa Coccinelle devant le domicile particulier de Stuart Sheridan, sur Auburn Street.

Il était 8 h 40 du matin. Les deux hommes s'étaient joints au téléphone la veille.

– Où en êtes-vous, professeur ? avait demandé le colonel, ravi de l'entendre dix jours après leur rencontre à l'université.

– Je ne sais trop quoi penser de votre affaire, lui répondit Franklin, qui ne voulait pas piper un mot de son entretien avec l'ancien éditeur de Boz pour l'instant. J'ai tout épluché. Il y a du pour et du contre. À mon avis plutôt du contre pour le moment. Mais je ne peux me prononcer...

Au moment de l'appel, Franklin était à son bureau chez lui ; il avait les romans de Boz et les dossiers de police sous les yeux, ainsi que ses propres notes, et les pages qui s'amoncelaient depuis qu'il s'était remis à sa machine à écrire.

– Boz pourrait avoir *inventé* tout cela ? s'étonna le colonnel.

– Tous les romans policiers répondent à certaines règles communes : les procédures légales sont toujours les mêmes ; et plus le récit flirte avec la réalité, mieux cela ressort dans le texte. Il arrive que la fiction et le réel se recoupent. Pour Boz, son application n'aurait rien de suspect s'il ne tombait pas si souvent aussi près de la vérité. *(Pause.)* Je pense surtout que vous ne m'avez pas tout dit à son sujet. Vous n'y allez pas de main morte avec ce type !

Il y eut encore une pause. Sheridan reprit :

– Maintenant que vous avez lu ses livres et nos dossiers, peut-être serait-il judicieux que nous nous revoyions. Je pourrais vous en montrer plus.

Frank sauta sur l'occasion.

– Entendu. Je passe à votre bureau, demain ?

– Non. Venez plutôt chez moi. C'est là que je travaille sur l'affaire. Je vous l'ai dit : tout cela n'a rien d'officiel.

Au 55, Auburn Street, Sheridan se tenait derrière sa porte, l'air frais, chemise et cravate d'uniforme impeccables, souliers cirés.

– Bonjour, professeur. Entrez.

– Je suis un peu en retard, excusez-moi. J'ai été retenu à Durrisdeer.

– Des problèmes dans l'université ?

– Peut-être. Un de nos étudiants manque à l'appel. Ses parents s'inquiètent évidemment. C'est l'effervescence. Sans doute rien de grave au final.

La maison du chef de la police était très imposante et richement pourvue. Un architecte d'intérieur au goût prononcé pour l'acajou avait sévi un peu partout. À l'évidence, Sheridan percevait un excellent traitement de la police d'État. Il entraîna Franklin dans sa cuisine spacieuse, très moderne. Femme et enfants étaient déjà sortis. Le couvert du petit déjeuner avait été dressé pour deux sur un grand comptoir. Le colonel lui servit un bol de café. Une télé muette retransmettait les nouvelles du matin en continu.

– Dites-moi tout, qu'est-ce que mon affaire vous inspire ? fit Sheridan en sortant des jus de fruits de son frigidaire.

Frank fit un mouvement de la main dans les airs, disant assez qu'il se sentait un peu dépassé.

– Je ne sais pas, répondit-il. Cela dépend de ce que vous attendez de moi. S'il s'agit d'un avis du genre : oui, Boz est un horrible assassin, ou non, c'est juste un romancier très inspiré, il va m'en falloir davantage.

– Je m'en doutais un peu.

– Toutefois, je dois vous complimenter pour la précision de vos recherches sur les romans de Boz. J'ai étudié les rapports de police que vous m'avez confiés : vous avez su mettre au jour des détails stupéfiants et difficiles à cerner.

Tout en souriant, Sheridan reproduisit le même mouvement du bras que celui de Franklin un instant plus tôt.

– La lecture, ce n'est pas mon truc, vous savez ! Pas assez de temps pour la pratiquer. En revanche, j'ai des experts à mon service qui ont le livre imprimé dans le sang. Ils ont détaillé tous les écrits de Boz, à ma demande, et c'est leur travail qui a mis le doigt sur des dossiers d'enquêtes criminelles qui « ressemblaient » à ses romans.

Franklin hocha la tête.

– Ce n'est pas si sorcier, vous savez, ajouta Sheridan en versant du lait dans son café. Ils travaillent aux Archives. Les Archives de la Police. Chaque semaine, ils repassent sur une vingtaine d'affaires anciennes, afin de les numériser dans les ordinateurs. Ces personnes sont aujourd'hui ce qui se fait de mieux en termes de « mémoire vivante » de la police. Et elles peuvent remonter jusqu'aux années 1950 !

Franklin se dit que ce devait être un poste passionnant. Quoique navrant à la longue.

– Les qualités de l'informatique aidant, nous avons pu croiser nos vieilles données avec les éléments des romans. C'est ainsi que les points criants sont apparus. Toasts ou muffins ?

– Des toasts, merci.

Franklin se beurra des tartines.

– Vos soupçons sur ce romancier, dit-il à Sheridan, pèsent très lourd. S'ils vous sautent aujourd'hui aux yeux, on est en droit de se demander comment il se fait que personne, jamais, n'y a vu quoi que ce soit à redire dans le passé. Repérer une anomalie parmi les romans. Une coïncidence. Les enquêteurs, par exemple, ceux qui ont diligenté ces différentes affaires qui ressemblent tellement aux œuvres de Boz ? Rien ?

Sheridan sourit.

– Je suis obligé d'insister sur le fait que, comme moi, les flics ne lisent pas des masses. Et, lorsque c'est le cas, ce sont rarement des polars qu'ils se glissent entre les doigts. Au vrai, sans ces damnés nouveaux logiciels, même nous, nous serions sans doute passés à côté. Ensuite, Boz n'est pas très lu, ses tirages sont confidentiels. Cela s'explique peut-être par le mérite de ses œuvres. Est-ce un bon romancier ?

Franklin fit la moue.

– Pas selon mes critères. Boz est bizarre, il a trop le souci d'être exact. Il crève de prouver partout à son lecteur qu'il s'est renseigné sur son sujet, qu'il connaît ce dont il parle. Voyez toutes ces pages qu'il noircit pour nous expliquer la hiérarchie policière, les étapes de décomposition d'un corps humain, les effets de telle balle tirée sur tel ou tel matériau !

– En effet, c'est à n'en plus finir...

– Eh bien, ces détails « vrais » démolissent le rythme du livre. À force, ils en deviennent d'horribles platitudes.

Sheridan semblait apprécier l'analyse du professeur. Jusque-là, en tout cas, il était d'accord avec lui : Boz était un maniaque de l'exactitude.

– Voilà à peu près tout ce que je peux vous apporter pour l'instant, ajouta Franklin. Ne comptez pas sur moi pour m'avancer sur la théorie du « tueur caché derrière l'auteur » ! Je ne sais rien de ce Boz. Les œuvres ne disent pas tout. Ce que vous devez faire, c'est aller le voir. S'il est si terrible que cela, vous le sentirez, non ?

Sheridan sourit. Franklin jeta un œil à la télévision : une femme maudissait un routier qui avait aplati son mari sur sa calandre chromée.

– Ce n'est pas si simple, dit Sheridan.

– Pardon ?

– Pour Boz. Ce n'est pas si simple. Imaginez seulement qu'il ait une réelle relation avec les meurtres que nous avons rapprochés de ses romans. Je ne prétends pas qu'il les ait commis, je n'en ai aucune preuve, mais il peut y avoir participé, ou connaître leurs auteurs, ou avoir enfreint d'importantes règles de procédure pour soutirer ses infos, corrompre des fonctionnaires de police, même des gens plus importants... Bref, si je voulais faire mon travail, il me faudrait des preuves matérielles ou des témoins pour le mettre en difficulté. Pour l'interroger, peut-être même devrais-je conduire des fouilles chez lui... aussi aurais-je besoin de l'accord d'un juge. Et je n'obtiendrai jamais le moindre mandat basé sur de simples résumés de lecture de romans ! En gros, j'ai des soupçons mais pas la moindre affaire qui se tienne. Si j'allais le voir, comme vous le dites, la seule chose que je réussirais, c'est à éveiller son attention. Il saurait qui je suis et ce que je cherche. Je suis trop suspect.

Il y eut une pause. Franklin se dit que le colonel poussait un peu loin le scénario du complot de la paranoïa. Mais Sheridan le fixait. Intensément.

– Quoi ? *Moi* ? s'écria enfin Franklin.

Sheridan souriait toujours.

– Moi ? répéta le jeune homme. Vous voulez que j'entre en contact avec lui, que j'espionne Boz ? C'est ce que vous aviez en tête en entrant dans mon bureau ?

– Au mot près.

Impassible, Sheridan se servit calmement une nouvelle tasse de café brûlant puis la vida sans grimacer, avant de reprendre :

– Plusieurs points jouent en votre faveur : votre statut de professeur à Durrisdeer, la publication de votre étude sur les romanciers, bien accueillie par les critiques ; Boz ne verra rien venir. Un professeur de littérature renommé possède des chances de réussir là où un simple flic de Concord tuera dans l'œuf ses investigations.

Franklin secoua énergiquement la tête.

– Nous discutons là d'un homme qui, selon votre hypothèse, abat ou participe à des meurtres pour mieux les coucher sur la page blanche, avec le plus de détails réalistes possible. Il commettrait des crimes pour s'en inspirer !

Sheridan fit oui.

– Ce qui implique, insista Franklin, que tout ce qui approche le personnage, de près ou de loin, est une victime potentielle dans son système de maniaque. Vous voulez que j'échoue dans son prochain roman ?

Sheridan ne se départit pas de son sourire.

– Vous ne manquez pas d'imagination, dit-il. Vous voyez tout de suite le pire, le grand tableau sanglant ! D'abord, non, vous ne serez pas devant Boz entièrement sans défense. On dit assez justement qu'un homme averti en vaut deux. Et avec moi, ça fait trois.

– Ce n'est pas drôle.

– Professeur Franklin !

Sheridan prit soudain un ton nettement plus offensif. D'un coup, il n'était plus question d'un petit déjeuner relaxe, préparé par madame sur le comptoir familial ; le chef de la police d'État était de retour.

– Je ne vous demande pas de démasquer un tueur, de l'arrêter de vos petites mains innocentes, de risquer votre vie comme dans les scènes de conclusion des films d'action, avec du sang, des cris et des larmes... mais uniquement de jeter un œil sur l'homme, de voir comment il vit, comment il travaille, qui il est. Une simple mission d'observation que je ne peux accomplir à votre place.

Franklin leva une main et la laissa tomber comme une chose morte.

– Une mission d'observation... Envoyez un de vos hommes ! Une véritable taupe. Un type qui s'y connaît dans ce genre d'opération !

Sheridan refusa d'un mouvement de tête, lassé d'avoir à se répéter.

– Il ne sera jamais aussi légitime que vous. Aux yeux de Boz, j'entends. Pour lui, vous serez un interlocuteur sérieux. Ça n'a pas de prix.

Sheridan laissa à Franklin le temps de réfléchir. Il posa les couverts dans l'évier. Le jeune homme était perdu, dérouté.

– Mais pourquoi ferais-je cela ? dit-il soudain. Au fait ? À quel titre devrais-je courir de tels risques pour valider votre théorie, pardon, mais franchement fumeuse ? Je ne suis qu'un universitaire après tout !

Sheridan haussa les sourcils. Il s'attendait que la conversation de ce matin en arrive là.

– Je ne peux pas vous ordonner de le faire, en effet.

– Je pense bien que non !

Le flic s'essuya calmement les mains sur un torchon.

– Mais je peux vous convaincre d'y aller, dit-il. Venez avec moi. Vous verrez et vous déciderez ensuite si cela vaut le coup.

***

À l'étage, le bureau du colonel était fermé à clef. Ni femme ni enfants n'avaient plus le droit d'y pénétrer depuis plusieurs semaines.

Sur le sol, des piles de dossiers volumineux rangés dans des cartons éventrés, des rouleaux de polycopiés, des emballages métalliques remplis de dizaines et de dizaines de cassettes audio, tout ce capharnaüm de documents avait submergé le mobilier ; les meubles, les fauteuils et la table basse étaient renversés dans les angles.

Lorsqu'il pénétra dans la pièce, une carte des États-Unis suspendue au mur attira tout de suite l'œil de Franklin. Elle portait une vingtaine de points punaisés sur l'étendue du pays.

Et puis des photos.

Un tableau de photographies.

Quarante-huit, au total.

Vingt-quatre clichés de cadavres. Et, à côté, la photo des mêmes personnes du temps de leur vivant. Des hommes, des femmes, des jeunes gens, un couple de seniors.

Sheridan débarrassa une chaise encombrée de paperasses pour que le professeur puisse s'y laisser tomber. Le jeune homme était effaré. Il ne quittait plus les images des dépouilles...

– Ce que je vais vous dévoiler là est confidentiel au dernier degré, l'avertit Sheridan. Comprenez qu'en allant voir Boz à ma place pour nous fournir des informations sur son compte, vous n'agirez pas dans l'idée de m'aider moi, mais de les aider eux ! et de comprendre enfin ce qui leur est arrivé.

Il désigna le mur de photos.

– Dans la nuit du 2 au 3 février dernier, ces vingt-quatre personnes ont été retrouvées mortes sur le chantier de l'autoroute 393, à quelques pas des terres de votre université.

Sheridan expliqua toute l'affaire depuis le début, d'un ton paisible, mais en articulant avec une précision extrême. Franklin l'écoutait sans remuer un muscle.

– Si vous n'avez jamais entendu parler de cette affaire, c'est que la direction du FBI en a pris les commandes et a décidé de ne rien ébruiter. Ils en sont très capables. Personne n'a été tenu au courant de l'existence de ces cadavres. Pas même leurs familles !

Franklin fixa la photo d'un mort. Puis la photo vivante à côté. Une morte. Et la vivante à côté. C'était des juxtapositions à vous glacer la nuque. Rien de mieux pour s'inquiéter de sa propre fin.

– Je vous ai déjà averti que je travaillais en solo sur ce dossier, dit Sheridan. Le FBI nous a tout confisqué très tôt, les pièces, les dossiers, même les morts. Ces derniers sont désormais confinés dans cette caserne militaire en Virginie.

Il exhiba la photo d'un baraquement militaire.

– J'ai remonté chacun d'eux, leurs noms, leurs histoires, leurs professions, leurs familles, leurs amis. Vingt-quatre ! Tous ces individus ont été déclarés au fichier national des personnes disparues ; certains il y a seulement huit mois, d'autres depuis plus de onze ans. Tous évanouis sans laisser de trace !

Franklin hocha la tête pour dire combien il comprenait l'incongruité du cas.

– Et pourtant, lâcha le flic, dans le lot, là, il n'émerge pas un autre point commun que celui-ci. Pas un !

Sheridan regarda son tableau.

– Statistiquement, je suis prêt à parier qu'en pêchant autant de personnes au hasard, dans tout le pays, et en les enfermant dans une même pièce, on finirait par trouver mieux, au moins une ou deux similitudes. C'est un minimum. Là, rien ! Tranche d'âge, catégorie sociale, origine géographique, et cetera. Pas un point de rencontre. Il faudrait l'avoir voulu exprès !

Franklin hocha de nouveau la tête. Puis il posa une question, preuve qu'il réfléchissait tout ce temps et ne languissait pas dans un état second.

– Hormis ce romancier, Ben O. Boz, si je devine où vous voulez en venir ?

Sheridan sourit.

– À part Boz, oui. Et cela a commencé avec elle !

Il indiqua sur le mur la photo d'Amy Austen.

– Le livre favori de cette fille était *Cendres sacrées* de Boz, publié en 1991. C'est lui qui nous a mis sur sa trace. Ensuite, l'ordinateur a isolé ceux-là...

Il désigna les visages radieux de Lily Bonham, Tom Woodward, Maud Putch, Steve Bean, les Kenhead.

– Tous révèlent des liens avec Boz ou avec ses œuvres. Pour l'instant, sur vingt-quatre cas, je ne suis parvenu à repérer que onze victimes associées de près ou de loin à son nom. C'est maigre, je vous l'accorde. Et cela ne démontre rien, encore plus d'accord. Cependant, c'est l'unique lien que l'on puisse tisser entre eux tous, après deux mois d'intenses recherches. Le seul. Si je ne détenais que cela, j'aurais dû, au mieux, aller discuter avec Boz, l'interroger sur ce qu'il faisait dans la nuit du 2 au 3 février 2007, voire creuser un peu afin d'être certain qu'il ne louvoyait pas avec ses alibis ou qu'il ne connaissait pas mieux que cela certaines victimes, et ce ne serait pas allé plus loin. Seulement voilà...

Il se rapprocha de Franklin, les mots toujours très articulés.

– Alors que je passais mes jours et mes nuits à m'appuyer l'identité de ces personnes, les œuvres de Boz nous sont devenues suspectes. Vous savez comment et pourquoi.

Il leva un doigt.

– Partant de là, je n'ai plus devant moi un simple auteur de romans policiers lu par quelques victimes, mais un gars obscur, mystérieux, et qui s'y connaît drôlement sur la manière d'enlever, de torturer ou de violer des personnes !...

Là, tout à la conversation, Franklin l'interrompit :

– Attendez ! C'est un auteur de romans policiers. Il est là pour savoir ces choses.

Franklin ne pouvait s'empêcher de toujours considérer Sheridan comme s'égarant dans une théorie sans issue. À l'évidence, il particularisait le cas de son tueur, pour le voir partout ! Cette espèce de hantise portait un nom grec, mais il ne s'en souvenait plus.

– Ce sont des coïncidences ! insista-t-il du ton qu'on réserve aux élèves les plus butés. Je ne suis pas loin de songer que cela doit arriver tout le temps. Prenez n'importe quel écrivain dans ce registre romanesque, si vous grattiez assez, vous verriez certainement naître des correspondances entre ce qu'ils imaginent et la réalité ; il n'est pas invraisemblable que l'inspiration finisse par échouer sur quelque chose de vivant. Mais c'est la fortune. Le hasard.

– Le hasard ?

La voix de Sheridan avait forci.

– Le hasard, répéta-t-il. Je veux bien, moi. Mais à partir de combien de coïncidences, selon vous, le hasard cesse et, disons, la manipulation commence ?

Franklin secoua de nouveau la tête. Cette rhétorique ne tenait pas.

– Une coïncidence ?

Sheridan retourna à son bureau, prit une sacoche de travail en cuir de veau tout éraillé qu'il ouvrit.

– Sur le massacre des 24, argua-t-il, la police n'a pu produire que deux hypothèses : primo la possibilité d'un sacrifice de groupe orchestré par une secte. Secundo un type similaire de suicide de masse mais organisé, celui-là, par le biais de forums Internet ou d'associations qui défendent les droits de certains à vouloir se foutre en l'air. À la lumière de ce que je vous ai dit sur Boz l'autre jour dans votre bureau, et ce matin, sur la mise en scène soigneuse des 24, dites-moi ce que vous inspire cela ?

Il sortit une feuille.

– Ma « coïncidence » publie un roman dans moins de deux mois. N'oubliez pas qu'il rédige peut-être ses propres crimes, qu'il *novélise* ces horreurs perpétrées à dessein. Aujourd'hui, je n'ai malheureusement que le titre du livre.

Il lui tendit la fiche de recherche informatique d'un libraire de Concord.

Frank Franklin lut :

Ben O. Boz

Le Cercle des suicidés

– Voilà, dit Sheridan sans triomphe.

6

Macaulay Hornbill, dix-neuf ans, les cheveux roux, brillant et inventif, était l'étudiant en seconde année d'écriture créative disparu à Durrisdeer vendredi dernier, au cours du jogging matinal.

En fin d'après-midi du même jour, après les examens partiels, l'université s'était vidée pour le week-end de Pâques : le garçon ne reparut que le mardi dans la matinée. Toujours en tenue de joggeur, boueux, cheville cassée, déshydraté, affaibli au dernier point. Terrifié.

Le rite d'intronisation du Scribe Club avait singulièrement dérapé.

Les trois fomenteurs, n'apercevant point leur condisciple terminer l'exercice à l'heure du déjeuner, le vendredi, patientèrent, plaisantant sur son cas jusqu'au soir ; ils ne commencèrent à s'inquiéter qu'à la tombée de la nuit. Armés de lampes torches, ils renoncèrent à quitter Durrisdeer pour rejoindre leur famille et passèrent la première nuit à inspecter dans les moindres recoins tous les souterrains du domaine. Depuis toujours, il se racontait qu'il y avait plus de deux kilomètres de chemins enfouis aux alentours du château de Iacobs. La majeure partie de ces tunnels était l'œuvre des générations d'étudiants adhérents du Scribe Club qui avaient étendu le modeste réseau initial. C'était devenu une règle : chaque promotion se devait de créer de nouvelles galeries, ornementées selon un thème choisi, une époque de prédilection ou le symbole de la promotion.

Mais Hornbill restait introuvable.

Stupéfaits, les trois gars poussèrent leurs recherches à l'aube du lendemain, dans la forêt et dans les salles poussiéreuses du château connectées au « réseau ». Cela, sans se faire démasquer ni donner l'alerte.

Ils veillèrent la seconde nuit dans le même état fébrile. La nouvelle était tombée : le garçon n'avait pas rejoint les siens dans le Kentucky. Les parents avaient téléphoné le samedi pour faire part de leur surprise ; puis de leur profonde appréhension, le dimanche matin.

Lewis Emerson dut écourter son séjour dans le Maine pour revenir à Durrisdeer dénouer la crise. Il apprit que Hornbill n'avait rendu aucune copie aux examens du vendredi.

L'étau se resserrait autour du Scribe Club.

Le lundi férié, l'étudiant Oscar Stapleton, chef du Club, décida de forcer la bibliothèque de Iacobs dans le château. L'effraction à l'aide d'un démonte-pneu ne resterait pas discrète, mais le temps et les circonstances pressaient. Là, Stapleton fouilla parmi les vieux plans de construction du château, les ébauches et les desiderata insensés conservés par Iacobs.

– Hornbill a dû libérer un passage dans les souterrains que nous ignorons ! avait-il dit à ses deux amis. Il n'a pas pu sortir. Sinon il se serait montré.

– Ou bien il se moque de nous ? proposa Jonathan Marlowe, le second du Club. Souvent l'on pense jouer avec le chat et, en définitive, c'est lui qui se fout de vous. Si tel est le cas, il nous tient bien, Macaulay.

– Ce serait même un as! s'exclama Daniel Liebermann, le troisième de la bande.

C'était une idée qui en valait une autre.

Mais Macaulay Hornbill n'était pas un as.

Juste un gars malchanceux. Oscar Stapleton avait vu juste : perdu, le pauvre étudiant avait heurté les parois du poing en criant à la rescousse, et il avait ouvert une connexion secrète, ouvrage remontant au temps de Iacobs. Tout un nouveau dédale dans lequel il s'égara bel et bien.

Oscar Stapleton isola cette partie grâce à deux marques inexpliquées sur les plans jaunis. Lorsque les trois membres du Club retrouvèrent enfin Hornbill, il était dans le noir, allongé sur le flanc, en train de lécher les gouttes d'humidité qui roulaient d'une retenue naturelle dans la roche. Il s'évanouit aussitôt après qu'ils le levèrent à bout de bras.

Restait maintenant à s'expliquer.

Il fallait agir vite : au château, on parlait d'avertir la police, un avis de disparition allait bientôt être lancé par la famille. Macaulay Hornbill passa la nuit du lundi au mardi aux soins du Club. À moitié conscient, il promit de ne rien avouer. Il jura de conserver le secret du rite du Club.

Pour le coup, s'il tenait parole, Hornbill gagnerait une place incontestable dans les rangs du Scribe Club.

Aussi Hornbill arriva-t-il au château le mardi matin, vers 9 heures, en piteux état. Sa version des faits disait qu'il s'était écarté dans les bois, vendredi lors du jogging, avait chuté, perdu connaissance, puis erré deux jours sans savoir où aller, sans repères.

Emerson douta de cette histoire.
Les parents aussi.
La police aussi.
Peu après sa réapparition, Hornbill ne put se retenir de vomir à l'infirmerie. Tout ce que lui avaient offert à manger pendant la nuit les trois types du Club se déversa sur le sol en linoléum. Sa crédibilité s'effondrait.

***

Le lieutenant Amos Garcia vint en personne à Durrisdeer, suite à la plainte déposée par la famille. Il prenait toute l'affaire en main.
Le doyen Emerson l'avait appelé de toute urgence et reçu dans son bureau. Comme souvent, une enveloppe de billets verts scella les suites de l'enquête du policier. Emerson ne voulait rien risquer de la réputation de son établissement. Il refusait que l'on parle du Club, des souterrains, des anciennes lubies de Iacobs, des dangers de l'établissement.
Amos Garcia se laissa corrompre sans demander d'explication. Ce n'était pas la première fois.
Le lieutenant discuta avec Hornbill et ils se mirent d'accord. Il rédigerait son rapport dans la journée. Traces matérielles retrouvées dans les bois, pas de complot, pas de non-assistance à personne en danger. Dossier classé.

7

– Comment avez-vous dégoté son adresse ? demanda le jeune professeur.

– Péniblement, fit Stu Sheridan. Ben O. Boz est un pseudonyme. Son nom véritable est Clark Doornik.

– Doornik ? Ce n'est pas terrible... Boz était le pseudonyme employé par Charles Dickens à ses débuts. Il faut un certain front pour le lui piquer.

– Eh bien, cet homme, Doornik, ne possède rien en nom propre, pas de carte de crédit, pas de contrat de téléphone, d'enregistrement de carte grise, de numéro de permis de conduire, d'abonnements divers au câble ou à Internet. Pas de compte en banque identifiable. Il n'est pas plus membre d'une association de protection des bovins que donateur aux vétérans de l'armée ou au parti républicain. Rien. Ce sont d'ordinaire les sujets que nous étudions en premier dans la police pour mettre une adresse sur un nom. Les plus faciles. Mais, là, chou blanc. J'ai dû me montrer inspiré et chercher autre part en sollicitant une connaissance qui travaille aux impôts. Elle m'a fait parvenir hier un extrait de son dossier de l'exercice fiscal 2005. C'était une photocopie du chèque qu'il a signé et adressé l'an dernier pour régler ses taxes. Sur le chèque figure son adresse : 3193, Esquinade Street, à Dovington, dans le Vermont.

– Vous connaissez Dovington ?

– Jamais entendu le nom de ce bled de toute ma vie...

Stu Sheridan et Frank Franklin roulaient dans l'Oldsmobile du colonel. Dovington se trouvait à moins de deux heures de Concord. Le flic avait récupéré le professeur ce samedi matin, à Durrisdeer. C'était journée de repos pour les deux hommes.

La veille, après cinq jours de réflexion, Franklin avait finalement accepté l'offre de Sheridan. O.K., il irait parler à Ben O. Boz ; soit, il ferait son possible pour répondre aux besoins du flic et l'aider à résoudre l'enquête sur les vingt-quatre dépouilles, mais alors Sheridan ne devrait rien lui cacher ; Franklin voulait être tenu au courant de tout. Le professeur aidait une affaire policière, le colonel devenait, de son côté, le conseiller exclusif du jeune romancier. Franklin s'était jeté dans le livre promis à son éditeur. Sheridan, croyant y gagner, avait dit oui.

La voiture filait vers l'ouest, sur la 110, et atteignit les premiers reliefs appalachiens. Dans le New Hampshire, on appelait cette région la Suisse d'Amérique. La journée était fraîche mais ensoleillée. Franklin vit apparaître les monts plus arasés des Greens Mountains du Vermont. Ils franchirent la frontière d'État à Springfield, en passant le pont sur la Connecticut. De petites routes les conduisirent ensuite, de cluse vermontoise en cluse vermontoise, vers le cœur perdu du comté de Windsor.

Dovington. Petite ville. À peine trois mille habitants. Un centre commercial. Un cinéma. Un terrain de baseball. Un bar. Une banque. Un arrêt de bus. Une gare désaffectée. Un dépôt FedEx.

Mais aussi *vingt-sept* églises...

Congrégationaliste, baptiste, évangéliste, méthodiste, pentecôtiste, adventiste, orthodoxe, presbytérien, tous les « -istes » et autres courants subchrétiens étaient représentés à Dovington, Vermont. Bourg isolé, sévère, rural, seul sur son morceau de vallée.

Une pancarte annonçait la couleur dès l'entrée de l'agglomération : *Bienvenue aux hommes de foi.*

Une personne, le diable ancré dans l'âme, avait osé ajouter à la bombe rose : *Et aux femmes !*

Sheridan et Franklin furent stupéfaits par le nombre de clochers qui apparaissait en arrivant sur la route montueuse de Dovington. Le même soupçon leur vint à tous les deux :

« Si Boz est d'ici, il faut découvrir à quelle obédience il appartient ! »

Stu Sheridan, en dépit de ses avancées sur le romancier, n'avait toujours aucune raison d'écarter le scénario de la secte pour les vingt-quatre cadavres du chantier, et une secte chrétienne ferait parfaitement l'affaire.

– Pas besoin d'un gourou barré, de pauvres adeptes enroulés dans des robes safran vénérant un dieu nommé Gnou ou Passacaille, dit Franklin. Jésus-Christ convient aussi bien.

Sheridan s'était procuré un plan de la ville au précédent poste d'essence sur Rockingham Road. Ils cherchèrent Esquinade Street.

Au numéro censé représenter celui de Ben O. Boz, ils trouvèrent un portail blanc. Un puissant et haut mur d'enceinte soulignait l'étendue de la propriété. Et son prix. Certainement la plus cossue à des kilomètres à la ronde. Dans ce coin ne se voyaient que des clôtures en grillage, des corps de ferme, des maisons abandonnées, et cetera. Une partie de la population avait déserté, l'autre avait vieilli.

Sheridan roula à vitesse modérée devant l'entrée du 3193. Il avait aperçu une caméra de surveillance. Il longea l'enceinte ; la taille du parc lui parut déconcertante.

– S'il habite derrière ces murs, Boz a d'autres revenus que celui de ses livres, constata Sheridan.

Franklin lui rappela le mot de l'éditeur Paul Saunday à New York : le romancier était plein aux as.

– Mais comment vérifier s'il vit réellement ici ?

– J'ai mon idée, répondit le professeur.

Il demanda à ce que Sheridan les conduise au centre-ville. En guise de centre, Dovington proposait une courte rue commerçante. Le professeur stoppa Sheridan lorsqu'il aperçut la boutique qui faisait, entre autres, office de librairie.

À l'intérieur, il se dirigea vers les rayons de livres. À la lettre B, Frank désigna du doigt l'intégralité de l'œuvre de Ben O. Boz sur l'étagère.

– C'est un signe qui ne ment pas, dit-il. Boz ne vend presque rien, vous le savez. Vous aurez toutes les peines du monde à sortir un ou deux exemplaires des librairies du pays. Mais là ?

Plus d'une vingtaine de titres.

– C'est toujours le cas lorsqu'un auteur, une célébrité, habite dans la région. La population s'en enorgueillit. Je suis prêt à parier que les livres sont signés de sa main.

Il ouvrit une couverture. Il avait raison.

– Boz est ici !

– Bien vu, Franklin.

Derrière la caisse, au-dessus du libraire-épicier-serrurier, un tableau noir informait sur les prochaines publications avant l'été. Franklin et Sheridan lurent, en gros caractères, l'annonce du nouveau Boz : *Le Cercle des suicidés*.

– Vous voulez que je demande au marchand s'il a une idée de l'histoire du roman ? proposa le professeur. Il connaît sûrement l'écrivain.

– Non. Ne nous faisons pas remarquer.

Deux inconnus à Dovington ne pouvaient pas passer inaperçus et la nouvelle risquait de faire le tour de ce trou en quelques minutes.

Ils laissèrent la librairie derrière eux et s'arrêtèrent devant chaque église, comme des touristes. La plupart des structures et des façades étaient encore en bois, mais entretenues et repeintes avec soin. L'attraction de Dovington. Franklin et Sheridan apprirent, grâce à des panneaux à l'intention des visiteurs, que plusieurs pères fondateurs d'églises du XIXe siècle étaient passés par ici pour des retraites spirituelles. La vallée était alors très prisée pour son isolement et sa « charge divine ». John Smith et Brigham Young y auraient passé des séjours mémorables.

Franklin se sentait soudain tendu. Il avait l'habitude de s'imaginer des choses, en les lisant ou en les écrivant, mais là, ce qu'il avait rêvé ces dernières heures devenait progressivement réel, concret. Cela « entrait » dans sa vie. Comme un personnage de roman curieusement confronté à la réalité.

Assis dans l'Oldsmobile, les deux hommes s'étaient de nouveau arrêtés dans la rue de la propriété de Boz, après s'être assurés que personne ne les surveillait.

– N’oubliez pas, lui fit Sheridan, je vous demande seulement de m’aider à élucider le mystère des vingt-quatre morts. C’est juste une tentative de confirmation. Vous arrêterez aussitôt que vous le déciderez.

Sur ses genoux, Franklin ne lâchait plus une enveloppe kraft. Il tapotait dessus, nerveusement.

Le flic ouvrit sa portière.

Ils avancèrent vers le portail blanc ; Sheridan s’immobilisa une cinquantaine de mètres avant.

– Il y a la caméra au mur, rappela-t-il. Il ne faut pas que Boz devine ma présence.

– Ne vous inquiétez pas. J’y vais. Cela ne prendra qu’une minute.

Le professeur arriva devant la porte. Il fut surpris de ne trouver aucun interphone, aucune sonnette. Outre la caméra qu’avait aperçue le colonel, il y avait seulement une fente de boîte aux lettres pratiquée dans le mur. Franklin y glissa sa grosse enveloppe kraft. Il lança un regard vers la caméra, puis s’éloigna.

– Avant de repartir pour Concord, il faudrait essayer de jeter un œil à l’intérieur, dit-il après avoir rejoint Sheridan. Même fugace.

Le flic observa le mur. Il était nettement inaccessible sans échelle. L’idée d’espionner ne lui plaisait pas trop. Il ne voulait rien risquer de prématuré.

– C’est trop tôt, dit-il.

– Longeons-le, au moins, proposa Franklin. Plus loin, la forêt est à fleur d’enceinte. Nous trouverons peut-être un terre-plein ou une base d’arbre pour nous permettre d’observer en toute sécurité.

Sheridan accepta de tenter le coup. Ils mirent un moment à tomber sur quelque chose qui ressemblât à l’idée du professeur. C’était un coteau boisé, très abrupt.

– C'est jouable, assura Franklin. De là, avec un peu de veine, on pourra peut-être se faire une idée de la maison de Boz !

Sheridan épia longuement les alentours. Ils étaient seuls. Le coin disait assez que personne ne venait par là. Il voulut escalader mais le professeur l'avait devancé. Franklin s'agrippa à des branches basses, il crocha ses mains dans la terre, poussa sur ses jambes. Arrivé au sommet, il leva le front, à ras de mur, pour ne pas risquer d'être vu.

– Ce que je disais, Sheridan !... La maison ! Un manoir. Il y a même un grand type dehors en ce moment. Qui joue avec trois chiens.

Sheridan serra les poings.

– Je retourne à la voiture, lança-t-il. J'ai une paire de jumelles et un appareil photo dans le coffre. Vous, restez à couvert !

Hormis le cliché de quatrième de couverture de ses romans, toujours le même depuis quinze ans, Sheridan ignorait à quoi ressemblait Boz aujourd'hui.

Il partit en trombe. Ce n'est qu'une vingtaine de pas de course plus tard qu'il entendit les bruits de lutte.

Il se retourna et vit Frank Franklin rouler de tout son long sur le talus. Une chute énorme. Sa tête porta au sol. Trois hommes vêtus de noir dévalèrent à sa suite et l'agrippèrent par le col. Franklin était sonné.

Sur la route, un van sombre arriva précipitamment, sorti de nulle part, et s'immobilisa à leur hauteur.

Cela ne prit que quelques secondes. Le van fit demi-tour. Sheridan se rua vers le véhicule mais il sentit une main lui clouer la mâchoire et une autre lui appliquer une clé de bras. En dépit de sa force physique, il ne put se débattre, emporté sans toucher terre par quatre colosses dont il ne distinguait pas les visages.

Un instant plus tard, il était, lui aussi, dans l'obscurité d'un van, à moitié dans les vapes, sans comprendre, sans savoir où on le conduisait.

Peu après, dans l'obscurité, il se mit à tambouriner des pieds et des poings. Il vociférait. Ses ravisseurs ne répondirent jamais et restèrent dans la partie avant du véhicule.

Ils roulèrent très longtemps.

8

Un écusson rutilant, avec un glaive et une balance dorés taillés en relief, un condor américain de profil, grandes ailes déployées, le Département de justice en lettres capitales, passa lentement sous le nez de Sheridan et de Franklin, tenu par une main aux doigts blancs.

Les deux hommes se trouvaient assis sur de vulgaires chaises en plastique, les genoux glissés sous une table noire en Formica, déserte, avec pour vis-à-vis un trio debout. Une femme et deux hommes.

Sheridan restait impassible ; Franklin souffrait de la clavicule droite et gigotait sur son siège, mal remis de l'enlèvement. Il se tenait le bras en grimaçant.

– Que trafiquiez-vous à Dovington ? lança la femme. À quoi jouez-vous tous les deux ?

– À quoi jouez-vous vous-même ? répliqua soudain Franklin avant Sheridan. Qui êtes-vous ?

La femme fit disparaître son écusson dans la veste de son tailleur et sortit un badge pelliculé.

FBI.

– Agent spécial Patricia Melanchthon, et avec moi...

Elle fit un mouvement du menton pour désigner les deux gars qui ne la quittaient jamais.

– ... sont les agents Colby et O'Rourke. Vous êtes interrogés dans notre antenne principale à Albany.

Moulée dans un tailleur strict au gris anthracite des agents du Bureau, sa silhouette toute en jambes, ses longs cheveux blonds, sa bouche charnue, rien de tout cela ne semblait distraire ses collègues masculins : l'agent spécial Melanchthon campait un personnage si plein de détermination et de morgue que le boss du FBI lui-même se sentait souvent comme un rien lorsqu'il s'entretenait avec elle.

Colby et O'Rourke étaient deux baraques en complet sombre. Deux boules de muscles muettes.

Sheridan sourit.

– Patricia Melanchthon... Nous ne nous sommes plus vus depuis cette réunion houleuse du 3 février.

Il se tourna vers Franklin.

– Je vous ai parlé de ces trois-là. Ils ont surgi à l'aéroport militaire de Sheffield, le matin même de la découverte des vingt-quatre cadavres. L'embargo, le black-out, le départ des corps, c'est eux.

Son sourire s'élargit encore d'un pli.

– Nous devons être sur la bonne voie pour vous voir reparaître de la sorte !

La femme fit oui d'un lent mouvement de la tête.

– Vous êtes un enquêteur tenace, Stu Sheridan. Avec des résultats.

– Vous connaissez mes états de service pour l'avouer si facilement ? Cela ne ressemble pas à vos collègues du Bureau.

Elle approuva une seconde fois, de la même manière.

– Mais cela fait deux mois que l'on vous file le train, colonel. Mes hommes ne vous lâchent pas d'une semelle depuis que vous êtes allé cuisiner la vieille tante d'Amy Austen à Stewartstown.

Sheridan perdit son sourire et écarquilla les yeux. Jamais il n'avait senti la moindre présence à ses trousses. Au contraire, il pensait, *lui*, traquer le FBI !

Melanchthon s'assit de biais, posant une fesse sur le rebord de la table. Elle croisa les mains sur le haut de sa cuisse.

– Grâce à vous, nous avons recueilli des données inédites sur l'identité des 24. Merci. Vous êtes rapide et synthétique ; un excellent professionnel. Peut- être devriez-vous seulement vous inquiéter davantage de qui vous file le train.

La pièce autour d'eux était vaste mais mal éclairée, sans résonance, les murs moquettés, insonorisés pour garantir la qualité des enregistrements audio des prévenus. Deux parois étaient constituées de larges glaces sans tain, miroirs factices qui servaient à dissimuler les observateurs de l'interrogatoire. Seulement là, l'éclairage intérieur de ces deux cellules était plus intense que dans la grande pièce, le sans tain ne fonctionnait plus. Franklin vit au travers que les lieux étaient vides. Personne pour les surveiller. L'entretien du moment était exclusif.

Finalement, le professeur était plutôt soulagé de se savoir aux mains du FBI. Il avait d'abord craint d'être aux prises avec des sbires de Ben O. Boz et de se retrouver si vite à sa merci.

– En tout cas, reprit Patricia, vous avez eu raison de ne pas vous laisser impressionner par le discours d'Ike Granwood, en février dernier. Nous y avons tous gagné quelque chose.

Sheridan haussa les épaules.

– Ravi d'avoir pu vous éclairer... Maintenant, c'est à votre tour, non ?

Il était subitement agressif, sans doute vexé de s'être fait piéger par les Feds.

– Qu'est-ce qu'on fout ici ? insista-t-il. Pourquoi ces méthodes ? Vous auriez pu nous blesser gravement.

– Cela me semble clair : vous empiétez illégalement sur une de nos enquêtes, colonel.

– Les vingt-quatre cadavres du chantier, c'est cela ?

Melanchthon leva les yeux au ciel, accompagnés d'une main, comme pour contenir le flot de questions de quelqu'un qui déraille complètement.

– Les 24 ? dit-elle. Ces victimes ne représentent qu'une péripétie pour nous. On s'en moque. Le seul qui nous intéresse, mais vous le savez déjà, c'est Ben O. Boz.

Parmi ses talents, elle excellait à laisser flotter les silences. Cela pesait remarquablement sur ses phrases.

La conversation qui s'engageait était nettement entre le colonel et la femme du FBI ; Colby et O'Rourke restaient simples spectateurs, et le professeur de littérature n'en revenait pas de ce qu'il vivait. Quelques jours plus tôt, il se félicitait d'aller – peut-être – à la découverte d'une enquête de police et voilà où il échouait déjà !

Patricia Melanchthon fit glisser une feuille devant les deux hommes. Le jeune professeur la reconnut immédiatement : c'était la liste des dix criminels les plus recherchés du pays. Les *most wanted*, avec nom, photo, mensurations, catégorie criminelle, et récompense offerte par le gouvernement.

– Je ne vous apprends rien, dit la femme à Sheridan, vous connaissez cette liste blanche du FBI.

Sheridan fit un oui mécanique.

– Sachez qu'il en existe une seconde, de liste. Celle-ci concerne d'autres criminels que nous pourchassons avec autant de rage et de détermination, mais cette fois... nous refusons que le public connaisse leurs noms ou leurs visages, et encore moins que les intéressés eux-mêmes sachent que nous leur filons le train ! Cette liste est confidentielle. La liste noire, on l'appelle. Celle des *most most wanted*, si vous voulez.

Elle retourna la feuille sur la table. Le verso était tout imprimé de noir avec seulement trois photos d'hommes et leurs caractéristiques. Elle pointa l'un d'eux du doigt. C'était Boz.

Sheridan ne répondit rien. Il attendait que la femme poursuive. Franklin s'approcha en faisant racler sa chaise, pour mieux observer la liste secrète.

– Ce type ? fit Melanchthon en ne quittant plus Boz des yeux. Eh bien, nous sommes après lui depuis douze ans !

Un de ses magnifiques silences accompagna l'exclamation. Frank et Sheridan se regardèrent. Moment de vérité. Pour des raisons très différentes, ils étaient tous les deux heureux de l'apprendre.

– Au cours de cette période, reprit Melanchthon, il a réussi à liquider sept de nos agents fédéraux. Sept !

L'œil de la femme prit ce quelque chose de froid et de fixe qui faisait sa réputation. Elle articula :

– Pour nous, au Bureau, cet homme, c'est une affaire *personnelle* ! Vous connaissez, colonel... des poursuites qui obsèdent plus que d'autres, des enquêtes qui font plus mal. Après sept pertes d'équipiers, considérez que c'est l'ensemble du FBI qui a un compte à régler avec ce type. Quel flic n'a pas vécu ça ? Vous-même, Sheridan, vous êtes passible d'un délit fédéral pour investigation abusive risquant de compromettre une enquête du Bureau. Je pourrais vous faire coffrer pour curiosité mal placée.

Elle prit la feuille et jeta un dernier coup d'œil vers Boz. Dédaigneux ou fasciné, Franklin ne pouvait trancher.

– Ce fumier a aussi refroidi une bonne quarantaine d'innocents pour nourrir ses ignobles bouquins.

Elle fit disparaître la liste noire.

– Mais quel rapport avec les vingt-quatre cadavres ? lança le colonel.

Patricia Melanchthon se redressa et tendit la main vers ses hommes. Colby se précipita pour lui donner un dossier cartonné et un magnétophone.

– Pour ce qu'il en est de vos vingt-quatre cadavres, colonel Sheridan, Boz n'est ni le gourou, ni le disciple d'une secte, ni un quelconque webmestre de forum Internet obscur, comme vous l'avez d'abord imaginé. Non. Boz, c'est juste un *ravisseur*.

Elle ouvrit le dossier, il était rempli de photos anthropométriques de cadavres.

– Et ces vingt-quatre personnes-là, qui sont malheureusement tombées près de votre ville de Concord, n'étaient ni des frères de secte ni des otages, mais des *cobayes*.

Elle présenta un tableau chronologique imprimé sur trois longues pages. Il courait sur une vingtaine d'années et était couvert de noms, de lieux, de codes.

– Pour comprendre ce qu'il en est vraiment, mieux vaut remonter au premier de tous, un certain Steven Clifford, porté disparu en août 1984.

Sheridan se passa la main sur le menton, intrigué par le nom.

– Ne cherchez pas, colonel, lui indiqua Melanchthon, il ne fait pas partie de vos 24. Le jeune Boz travaillait alors à un personnage de roman qui allait périr de faim et de soif. L'écrivain connaissait la règle des trois : trois semaines sans manger, trois jours sans boire, trois minutes sans respirer, mais il voulait en être convaincu. Aussi a-t-il enlevé Steven Clifford, un inconnu de 22 ans de passage à Mobile, Alabama. Il l'a placé exactement dans la situation du personnage de son livre. Le cobaye est resté enfermé dans une cellule sans boire et sans se nourrir. Boz l'a longuement observé, et son agonie, et sa mort, *en prenant des notes*. La tragédie, c'est que ce petit livre a été très bien accueilli par le public et lui a même valu un prix littéraire. Imaginez seulement qu'on a loué la précision et la vérité du récit !

La femme rectifia du bout des doigts un pli qui courait sur sa jupe.

– Avec ce roman, il n'en fallait pas davantage pour Ben O. Boz : il venait de trouver sa méthode. *Une* de ses méthodes. Il a continué de kidnapper des « sujets », au gré de ses créations littéraires. Souvent des femmes influençables, des lecteurs, des romanciers en herbe, des gens à qui il prêtait de l'argent, toutes personnes qu'il pouvait séduire et placer sous sa coupe. Les choix ne manquaient pas. Les vingt-quatre cadavres du chantier sont seulement les derniers d'une longue liste.

– Vous le savez ? Vous le savez et vous ne l'avez jamais arrêté ?

Franklin avait presque crié. Patricia Melanchthon ne cilla pas.

– À vous aussi, professeur, je vais apprendre quelque chose. Ben O. Boz n'est peut-être pas une pointure littéraire, en dépit de ce qu'il en pense ; non, mais c'est un génie du crime. Cet assassin, et c'est le premier que nous rencontrons de ce format au service comportemental du FBI, a tout simplement eu l'intelligence d'inverser l'ordre ordinaire qui préside à toutes les réalisations de meurtre. J'entends par là qu'il ne sélectionne pas en premier lieu une victime, une proie et, ensuite, se met à chercher et à concevoir un moyen propice de l'éliminer selon ses désirs, et sans se faire prendre. Non, Ben O. Boz commence par la *fin* : les alibis.

– Les alibis ?

– Oui. Il se forge des alibis avant même de savoir le crime qu'il va accomplir. Il crée une situation sécurisée pour lui, et ensuite seulement, de ce point de départ, il examine *qui* il peut tuer et *comment*. Son atout est de ne jamais se comporter comme un *serial killer* habituel. Il ne tue pas par soif de sang ni par pulsion sexuelle, ses mobiles sont ses livres. Il tue pour écrire des romans. Boz ne suit donc aucun rituel ni méthode prédéfinis qui se répéteraient d'un acte à l'autre. Il ne *signe* jamais ses meurtres. Un romancier de polar ne doit pas proposer deux fois la même histoire à ses lecteurs. Les scènes de crime sont faites pour surprendre. Le profil des victimes, les armes, les lieux, tout doit varier constamment. Boz a transposé cette exigence dans la réalité. D'où son absence de *modus operandi* et son côté insaisissable.

Elle regardait toujours Franklin.

– Nous ne l'arrêtons pas, professeur, parce qu'il est un homme rompu, par son métier, à nouer et à dénouer des intrigues, des énigmes, à berner la police ; parce qu'il ne tue jamais deux fois de la même façon ; parce qu'il n'est pas fou, tout simplement. En dépit de nos efforts, nous n'avons jamais réussi à détenir un élément solide à présenter à un procureur pour l'inculper. Jamais de témoin fiable et indépendant, pas d'indice matériel, pas de pièce à conviction. Rien. On l'a fait suivre. Il arrive à s'escamoter. Une fois, il est même parvenu à se servir, pour alibi, du fait même qu'on était en train de le surveiller à telle heure et à tel endroit !

Patricia se tut. Franklin était ébahi ; Sheridan, le visage fermé, brisa le silence d'une voix grave :

– Nous avons retrouvé le lieu où il a enfermé les 24...

– Je sais. La centrale électrique désaffectée de Tuftonboro. En effet. C'est là qu'il a conduit ses dernières « expériences ». Certains de ses cobayes sont restés plus de dix ans sous son joug, enfermés dans des cellules comme des rats de laboratoire. Nous savons qu'il a inoculé le sida à un homme dans les années 1980 pour ne rien manquer des symptômes qu'on connaissait peu alors, qu'il a violé une femme et l'a laissée accoucher seule à même le béton de son cachot, ayant médicalement interrompu son lait maternel. L'enfant est mort sous ses yeux. Sur une pute, il a pratiqué des séances d'hypnose. Il a offert un homme en pâture à des chiens pour observer comment ils allaient s'y prendre pour le dévorer, il a électrocuté un adolescent sur une chaise de condamné à mort achetée à une vente dans le Texas. Tout cela, il le filmait, il le récrivait, s'emparait de détails *vrais* puis les glissait ensuite, très fièrement, dans ses romans. Tout ce qu'il a fait publier, il l'a éprouvé par lui-même.

Son ton de voix se durcissait à mesure qu'elle déclinait les horreurs perpétrées par Boz.

– Quant aux vingt-quatre morts que vous avez découverts près de Concord, il semble qu'ils étaient les derniers qui lui restaient. Pour une raison que l'on ignore encore, il a décidé de s'en débarrasser. Boz brûle ses vaisseaux. Mais, une fois de plus, d'une manière qui serve à l'écriture de ses romans. Maquillé en sacrifice de secte, en suicide de masse... De quoi rédiger *Le Cercle des suicidés* !

Voilà. La messe était dite. Boz était bien Boz. Un long silence tomba dans la pièce. Celui-là était de loin un chef-d'œuvre du genre.

Les deux janissaires restaient immobiles derrière la femme, sans broncher ; elle demeurait sur sa demi-fesse en bord de table. Son discours faisait rapidement chemin dans la tête de Sheridan et de Franklin. Ils étaient abasourdis. Que Boz se révèle être un assassin, soit. C'était leur idée. Mais à la barbe de la plus puissante agence du pays et depuis des années !

– Et l'on ne peut vraiment *rien faire* ? murmura timidement Franklin.

La femme sourit.

– Bienvenue dans ma vie, monsieur le professeur.

L'agent remit les photographies dans le dossier qu'elle rendit à Colby.

– Maintenant, messieurs, mon sac est vide. Vous pouvez répondre à ma première question : qu'est-ce que vous fichiez à Dovington ?

La femme fit apporter des verres d'eau. Les deux hommes burent longuement. On donna aussi à Franklin, à sa demande, des analgésiques et une crème anti-inflammatoire.

Sheridan s'expliqua :

– J'avais à peu près deviné ce que vous nous dites sur Ben O. Boz.

– Je sais, répondit Patricia.

Elle activa la touche lecture du magnétophone resté sur la table. La voix du colonel s'éleva :

« Partant de là, je n'ai plus devant moi un simple auteur de romans policiers lu par quelques victimes, mais un gars obscur, mystérieux, et qui s'y connaît drôlement sur la manière d'enlever, de torturer ou de violer des personnes !... »

C'était sa conversation avec Franklin enregistrée par mouchards dans son bureau. On entendit le professeur qui protestait :

« Attendez ! C'est un auteur de romans policiers. Il existe pour savoir ces choses. C'est son métier ! »

Les deux hommes se regardèrent. Sheridan encaissa le coup. Il aurait commis la même intrusion pour son enquête. Il reprit calmement :

– Je savais aussi ne pas pouvoir m'approcher de Boz en tant que flic. J'ai donc cherché la personne qui convenait. Je suis tombé sur Frank Franklin.

Melanchthon approuva en regardant le jeune homme.

– Astucieux, admit-elle. Un professeur. Un auteur.

Mais son approbation s'arrêta là.

– Cela ne fonctionnera pas. Nous avons déjà écumé cette stratégie : de faux journalistes, des femmes qu'on glissait dans son lit, des lecteurs enthousiastes, des éditeurs, toute la panoplie piégeuse ! Cela n'a jamais mordu. Il se méfie. Boz vit seul, cloîtré, il a très peu de connaissances ou d'amis. C'est un bunker humain.

Sheridan insista :

– Peut-être que vos taupes n'étaient pas aussi légitimes que Franklin ? Ce matin, à Dovington, il a glissé une enveloppe avec un exemplaire de son livre et une demande d'entretien. C'est une idée à lui. Frank lui écrit vouloir rédiger un chapitre sur lui, pour son nouveau livre. C'est notre hameçon.

Melanchthon n'eut pas l'air impressionné. Elle laissa tomber un cinglant :

– Prendra pas !

Les deux hommes parurent déçus.

– Nous, ce que nous voulons à présent, dit-elle, c'est que vous sortiez de cette histoire. Intégralement. Sheridan, vous avez beaucoup de dossiers en retard sur votre bureau, retournez-y. Franklin, rejoignez vos élèves et ne les quittez plus. Si je vous ai détaillé cette enquête, c'est parce que je sais que Sheridan, au bout de deux mois de filature, ne lâcherait pas un tel morceau sous une simple menace de ma part. Maintenant, vous savez tous les deux de quoi il retourne. Laissez-nous poursuivre notre travail en paix. C'est à nous qu'*il* a enlevé sept agents... Boz, c'est notre affaire... Votre mission, désormais, c'est de la boucler une bonne fois pour toutes. Si vous parliez, vous connaissez nos méthodes... Je ne suis pas le genre à m'encombrer de partenaires indésirables.

Mais là, dans le silence qui suivit, avec le colonel et le professeur qui s'apprêtaient à se récrier vigoureusement, le téléphone portable de Frank Franklin se mit à sonner.

9

Trois jours après les révélations de Patricia Melanchthon.

Frank se laissa tomber dans un fauteuil ; il avait les traits marqués, l'air soucieux. Il consulta sa montre : 14 h 15.

C'était aujourd'hui après-midi de lecture à Durrisdeer. Franklin était entouré par une huitaine de ses étudiants qui s'installaient sans se presser. Deux semaines auparavant, il leur avait imposé un thème, un sujet d'écriture ; depuis, ses romanciers en herbe avaient écrit entre deux mille et deux mille cinq cents mots. Ils devaient les présenter cet après-midi. L'épreuve de « la lecture à haute voix devant les camarades » était reconnue pour être la plus ingrate de ce cours. Durant ces séances, le nombre d'étudiants était réduit, afin de ne pas succomber sous le flot des commentaires et des questions. Le théâtre du « supplice » se tenait à l'étage de la maisonnette de Mycroft Doyle. Franklin s'était habitué à ce pavillon dans la forêt ; quelques aménagements lui avaient rendu l'endroit agréable, surtout depuis les beaux jours. Le temps était magnifique. Les fenêtres mansardées ouvertes en grand, les étudiants eurent exceptionnellement le droit de fumer.

Franklin n'était pas fâché d'assister à ces lectures ; elles lui changeaient un peu les idées, ce qui n'était plus chose facile. Pendant les auditions de texte, il n'en regarda pas moins sa montre à plusieurs reprises.

L'atmosphère du cours était joyeuse. Les commentaires des camarades ne se faisaient pas trop incisifs. C'était rare. Franklin était toujours dérouté par la capacité de démolition qu'avait un auteur dès qu'il s'agissait d'un confrère. Combien de séances de lecture s'étaient achevées dans les larmes ou les insultes !

Pourtant, en dépit de cette bonne humeur ambiante, à l'heure pile de la fin du cours, Franklin se dressa de son fauteuil comme une détente et quitta la pièce. D'ordinaire, il traînassait avec les étudiants, mais là, il disparut sans explication.

Les élèves de la classe d'écriture créative avaient senti leur professeur préoccupé. Son départ précipité ne fit qu'appuyer ce sentiment et soulever des questions.

Ce qu'il ne pouvait leur dire, c'était que Ben O. Boz lui avait donné rendez-vous dans quatre jours...

Au pas de course, Frank Franklin fit un détour vers le château et la salle des professeurs pour vérifier que la tournée de courrier de l'après-midi ne lui avait rien remis ; mais son casier était vide. Il retourna chez lui, évitant les regards des élèves et des profs. Devant le perron de sa maison, il aperçut une voiture noire. Véhicule du FBI.

Il y pénétra sans hésiter.

À l'avant, deux agents. En l'occurrence, les colosses qui lui étaient tombés dessus à Dovington sur la butte de terre boisée adossée au mur de Ben O. Boz.

– Ça va, l'épaule ? lâcha le premier, narquois.

Frank ne répondit pas. Il n'appréciait pas ces types ; ils lui faisaient trop sentir l'humeur générale de l'équipe de Patricia Melanchthon à son encontre : un blanc-bec se retrouvait à assurer une mission qui aurait dû revenir à un agent du Bureau ! C'était lui qui allait se trouver en présence du tueur ! On l'avait gratifié du sobriquet : le « petit bleu de madame », en référence au patron.

L'agent passager, celui qui avait lancé l'allusion aux blessures de Franklin, fit une moue devant son silence, puis se retourna et lui tendit un énorme classeur noir. Lourd et si plein qu'on n'aurait pas ajouté une feuille à la spirale géante.

Sur la tranche, Franklin lut TLW. « *The Last Word* », « Le Dernier Mot. » C'était le nom de code de toute l'opération du Bureau qui concernait Ben O. Boz. C'était aussi l'acronyme de l'équipe de Melanchthon.

– Merci, fit-il tout de même.

Ces textes composaient le dossier complémentaire à sa préparation qui durait depuis trois jours. Franklin devait, ordre de la hiérarchie, tout savoir de Boz avant d'aller lui faire face.

– Fais attention avec ça, hein ? persifla l'agent passager. Tu sais où le ranger ?

– C'est du sensible, ponctua l'autre agent en regardant Frank dans le rétroviseur.

Le jeune homme hocha la tête positivement.

– Presque personne ne passe par chez moi, dit-il. C'est sans danger.

Alors l'agent passager lança un clin d'œil à son collègue.

– Personne ?

Il caressait un mince dossier couché sur ses genoux.

– Hormis la petite Emerson... Mary Emerson. Un joli morceau, mes compliments !

Franklin blêmit. Ça y est, il était fliqué, traqué, étudié, lui et tous ceux qui faisaient partie de sa vie. Le FBI allait poser ses grosses pattes sales à tous les échelons de son petit monde. Il fallait s'y attendre.

– Es-tu certain de bien la connaître, cette fille ? questionna le fédéral. On est parfois surpris, tu sais. Ça te dit de jeter un coup d'œil ?

Et il souleva le dossier de Mary, avec un air minable.

Franklin se dit, au même moment, qu'il préférerait se trancher une main plutôt que de tendre le bras vers cet abruti ; cela lui ferait trop plaisir. Il vouait une confiance absolue à Mary. Jamais il ne s'était senti aussi proche de quelqu'un. De toute façon, il trouvait indécent de violer une intimité de la sorte. Et puis, cette chemise était quasi vide. L'agent bluffait.

– Allez vous faire voir ! D'accord ? Tous les deux !

Les deux gars se marrèrent.

– Oh ! le petit bleu voit tout rouge...

Frank haussa les épaules, empoigna son classeur et sortit de la voiture en claquant sa portière. « Petit bleu de madame » ou pas, il irait dès demain demander au patron que ces brutes ne l'approchent plus, même pour lui fournir l'heure.

Il rentra chez lui. D'instinct, il boucla la porte, histoire de ne pas être dérangé à l'improviste. Il marcha vers son répondeur. Un message unique de sa mère, depuis l'Arizona. Elle avait appris par l'éditeur Dorffmann qu'il avait enfin signé pour un roman. Voilà ! soupirait-elle. Elle le félicitait, à sa façon. C'est-à-dire qu'il avait eu raison de l'avoir écoutée *elle* et de se mettre à des choses sérieuses.

Franklin ne se souvenait plus si c'était une réflexion de Chandler ou de Hammett qui disait que « faire des choses sérieuses » n'avait de sens que lorsqu'on risquait sa peau. Le reste n'était que du flan. Aujourd'hui, il comprenait qu'on puisse écrire cela.

Le message de sa mère était trop long, il l'interrompit avant la fin. Le classeur sous le bras, il grimpa jusqu'à son bureau et le posa entre sa vieille machine à écrire et l'ordinateur portable tout récent qui lui servait pour Internet. Il piocha un trombone dans son mug à crayons puis l'inséra dans le mécanisme de la Remington 3B, entre la marguerite et le ruban encreur, pour y repêcher une clé minuscule. Celle-là même qui ouvrait les compartiments de son meuble de travail.

À l'intérieur du caisson inférieur, il délogea un second dossier cartonné. Volumineux, lui aussi. Il constituait l'enquête sur les vingt-quatre morts, retranscrite par Stu Sheridan et Amos Garcia depuis le 3 février. Dans son intégralité. Le colonel avait répondu au vœu de Franklin lorsque celui-ci avait accepté de le seconder, avant leur départ pour Dovington : « Ne rien me dissimuler, je veux tout connaître ! »

Le jeune homme se renversa dans son fauteuil. Il contempla les lourdes briques de feuilles côte à côte sur sa table. Il tenait maintenant *tout* entre les mains. C'en était presque inouï.

Dans un tiroir voisin, lui aussi verrouillé, reposait le manuscrit de son roman en cours...

Le gros classeur noir remis par le FBI devait l'aider à combler ses dernières défaillances sur Boz.

Tout s'était tellement animé après le coup de téléphone de Boz dans la salle d'interrogatoire du FBI à Albany. Que de panique !

Une voix grave et lente avait résonné à l'autre bout du fil.

– Je m'adresse bien à Frank Franklin ?

– Lui-même.

– Ben Boz à l'appareil.

Le nom l'avait fouetté jusqu'au sang. Le téléphone dans une main, il fit un signe de l'autre pour dire que c'était *lui*, et tous dans la salle s'étaient d'abord secoués puis figés. Sheridan se leva de son siège et resta inerte, les agents prouvèrent qu'ils étaient en vie en faisant deux pas, Melanchthon lui lança des regards catastrophés, persuadée qu'il allait tout faire planter. Elle lui intimait l'ordre muet de raccrocher ou de dire qu'il rappellerait. Mais Franklin assura son rôle crânement et conversa avec Ben O. Boz. Il détourna la tête pour ne plus les voir. En fait, c'étaient eux dans la pièce qui le tendaient, bien plus que de parler avec ce tueur dont ils discutaient depuis une heure.

Boz dit :

– J'ai lu votre lettre déposée ce matin.

Il avait déjà entendu parler du travail du jeune professeur. Une connaissance lui avait envoyé son livre publié l'an dernier et il l'avait lu.

– Je ne suis pas contre l'idée d'étudier votre proposition. L'étudier seulement. Ce serait une sorte de contribution à votre nouvel essai, si je comprends bien ?

– Oui. Mais sous forme d'entretiens.

– Ah !... *(Une pause.)* Vous connaissez mes romans ?

– Assez bien, je crois. C'est pourquoi je me suis adressé à vous. J'aurais beaucoup de choses à en dire...

– Envoyez-moi un résumé, une lettre qui détaille votre projet, vos objectifs. Ainsi que la liste des auteurs susceptibles d'en faire partie. C'est important pour moi. Nous verrons par la suite.

De dos, Frank sentait les regards des quatre flics. Melanchthon lui glissa un papier sur la table où elle avait écrit : « Dites-en le moins possible ! »

– Au fait, reprit Boz, je vois qu'il n'y a pas de timbre sur l'enveloppe, c'est vous qui l'avez déposée chez moi ?

– Heu... oui.

– Êtes-vous toujours dans la vallée ?

Franklin fit non.

– Pourquoi être venu à Dovington ?

Le professeur se lança dans des considérations sur les églises du patelin. C'était un terrain glissant mais il joua à merveille l'intérêt, la surprise, la modestie devant les compliments de Boz, et l'excitation de voir son « projet » peut-être prendre forme. Si Boz acceptait son offre. Il eut même assez de front, ou d'inconscience, pour solliciter une entrevue. Et d'insister ferme pour l'avoir.

Melanchthon levait les bras au ciel et reportait ses regards haineux vers Sheridan. Cette conversation n'opérait pas du tout selon les techniques du Bureau ! On courait à la catastrophe.

Mais après quelques hésitations, Boz finit par accorder un rendez-vous, pour la semaine suivante, *chez lui.* Tout cela s'était accompli avec une déconcertante facilité.

Ce ne fut qu'après avoir raccroché d'avec Boz que les complications, les vraies, tombèrent sur Franklin...

En premier lieu, tout le monde se mit à parler en même temps. Y compris les agents O'Rourke et Colby. On lui arracha son téléphone portable pour tracer l'appel. Le résultat dit que le coup de fil provenait d'un téléphone public situé dans le hall du cinéma unique de Dovington. Mais Franklin n'écoutait plus personne. D'abord satisfait de son numéro, son humeur chuta brusquement. Il sentit monter une frayeur rétrospective. Il eut la désagréable impression que des poinçons lui faisaient rentrer ses tempes dans le crâne.

En second lieu, le lendemain, Ike Granwood, haut responsable de la section Grand Nord-Est, et six membres du staff psychologique du FBI débarquèrent de Washington pour le soumettre à une batterie de tests et d'interrogatoires.

Enfin, toujours résolu à poursuivre l'aventure, mais surtout coincé par le succès de son propre piège, Frank prêta serment de taire tous les éléments de l'affaire dite « Le Dernier Mot ». À cette occasion, il comprit comment le FBI avait réussi, deux mois plus tôt, à contenir l'énorme black-out qui avait suivi la découverte des cadavres du New Hampshire : tous les personnels présents cette nuit-là, brancardiers, *team* médical civil, journalistes espions, pilotes d'hélicoptère, D-Mort, Milton Rook, habitants du SR-12, etc., avaient été contraints au même serment, attesté par écrit. Si un mot leur échappait sur le sujet, il se changerait instantanément en crime fédéral. Payable d'un séjour en prison sans retard et sans « procès ». Plus perte des droits civiques. Les équipes de la police d'État et du shérif du comté de Merrimack, déjà assermentées, eurent seulement le droit à une circulaire confidentielle. Mais encore plus coercitive.

Partant, personne ne pipa.

La vie du jeune Franklin basculait. Et la petite voix intime censée l'avertir du danger, le retenir de sa douce musique sage était assourdie par la préparation psychologique intensive et les enjeux de la mission.

Dans son bureau, Frank ouvrit le classeur noir du FBI. Il devait réviser ce qu'il avait entendu sur Boz, sa jeunesse, ses relations, son œuvre.

Au bout d'une heure, son téléphone sonna. L'unique appareil de l'étage se trouvait dans sa chambre. Frank s'attendait à entendre Mary, ce fut miss Lisl Wang, la responsable des tests et des simulations auxquels le professeur était astreint. Sous ses ordres, il préparait la conversation avec Boz.

– Monsieur Frank, dit la petite Asiatique avec sa voix de soldat sans jamais d'humour, notre rendez-vous de demain est avancé d'une demi-heure.

– Pourquoi ?

– Un nouveau protocole à vous enseigner.

Dans sa nouvelle vie, après trois jours, protocole et évaluation étaient devenus ses deux maîtres mots. La complexité des épreuves renvoyait les célèbres taches d'encre du test de Rorschach à la préhistoire des méthodes thérapeutiques.

– Bien, je serai là, dit Franklin.

– Dans le classeur qu'on vous a remis, ajouta Wang, j'ai glissé en toute fin un nouveau questionnaire. Veuillez le remplir pour demain.

– Ce sera fait.

Wang remercia et raccrocha.

Frank partit dans la cuisine se chercher une bière. Il examina par la fenêtre pour voir si les fédéraux avaient bien décampé. La lumière déclinait. On n'y voyait presque plus rien. La voiture noire n'était plus là. Mais étaient-ils encore dans le coin ? À présent qu'il constituait une valeur essentielle de l'enquête, c'était hors de doute que Granwood le faisait surveiller. Les deux agents disparus, cela n'écartait pas l'idée d'un planton tapi dans les bois à côté, ou de la pose de micros chez lui. Il repensa au dossier de Mary. *Ils* en avaient sûrement compilé d'autres sur sa mère, sur ses amis de Chicago, sur tous les profs de Durrisdeer...

Sheridan l'avait prévenu, peu après le coup de téléphone de Boz et les premières dispositions de Melanchthon à son sujet :

– Vous bilez pas, professeur, la paranoïa, c'est forcé : vous allez passer par tous les stades imaginables de l'angoisse et du doute. Une vraie excursion en eaux troubles. Va falloir se montrer solide, Franklin !

Bon. Franklin le « solide » remonta avec sa bière vers son bureau. La suite du dossier l'y attendait.

Il trouva le questionnaire de Miss Wang. Encore une suite de choix à départager par des croix dans des cases, manœuvres peu subtiles pour localiser dans l'inconscient de Frank sa frontière entre le bien et le mal, estimer ses chances de révolte ou d'abandon, son niveau de fiabilité en mission. Des questions parfaitement anodines mais dont la somme, disait-on, produisait une statistique très fiable.

Au moment où il allait entamer le QCM, Mary tambourina à la porte. Il descendit lui ouvrir, l'embrassa puis la pria de l'attendre un instant, le temps de terminer les notes d'un nouveau chapitre de son livre.

– Pourquoi fermes-tu ta porte à clef ?

– Je n'y ai même pas songé...

La jeune fille alla à la cuisine puis s'allongea devant la télévision du living. En remontant à l'étage, Frank ferma là aussi la porte du bureau à clef. Il cocha toutes les cases de miss Wang avant de refermer le dossier, troublé. Avant de redescendre, il alluma une cigarette et tira dessus nerveusement, sans s'en rendre compte. Lui, revenait toujours à ces vingt-quatre morts qui avaient tout lancé. Pourquoi un tel luxe de mise en scène ? Juste pour soutenir l'écriture du *Cercle des suicidés* ? Cela paraissait énorme. Et comment s'y était-il pris ?

« Il se débarrasse de ses cobayes. Il brûle ses vaisseaux », avait conclu Melanchthon péremptoirement.

Mais qu'avait récolté Boz à ce jour, en coulant sa flotte ? Son coup d'éclat avait avorté, les médias n'en disaient rien, même son bunker de cellule était resté secret, et un gars buté comme Stu Sheridan s'était mis sur les rangs. Puis ce même Sheridan avait entraîné un malheureux professeur d'écriture avec lui. Ce dernier développement, aussi adroit fût-il, Boz *ne pouvait pas* l'avoir imaginé. Alors quoi ? Qu'allait-il en sortir, en définitive, de tout ça ?

Le prof n'aimait pas l'idée selon laquelle il serait une sorte de petit grain de sable venu gripper une mécanique conçue par Boz. Mécanique dont personne ne devinait rien. Il s'en sentait d'autant plus vulnérable.

Plus il cernait la personnalité de Boz, traqué dans ce dossier sous ses moindres aspects, et moins il s'expliquait ce qu'il faisait là. Patiemment, il rangea les dossiers dans les tiroirs de son bureau, donna des tours de clé et replongea cette dernière dans l'ossature de sa Remington.

Frank se demandait ce que lui avait apporté la lecture de ces rapports, de toutes ces atrocités commises par le romancier... La réponse lui tomba dessus alors qu'il descendait l'escalier pour rejoindre Mary.

Un puissant sentiment de préservation.

« Une arme ! se dit-il. Il me faut une arme. Je ne poserai pas un pied chez Boz sans un calibre et des munitions. »

Avec cette idée bien ancrée dans la tête, toute la soirée, il resta l'esprit ailleurs. Mary lui parlait, mais il écoutait à peine. Comment se procurer une arme dans les délais ?

« Si Boz commet quoi que ce soit de menaçant, s'il se met à jouer avec moi, s'il dérape, si je perçois un piège, *je le bute* ! Aussi simple que ça. Sans réfléchir. C'est à moi de fixer les limites. Après, les fédéraux se démerderont... »

Mais les fédéraux lui avaient dit la veille qu'il n'emporterait pas même un micro miniature avec lui au cours de l'entretien. Ils ne voulaient rien risquer pour la première rencontre. Boz ne devait pas pouvoir s'imaginer...

Soit.

« J'obtiendrai mon flingue sans qu'ils en sachent rien. »

Hier, Patricia Melanchthon et Ike Granwood l'avaient pris à part.

– Petit, on te dit la vérité : nous n'avons qu'un seul objectif en te laissant aller là-bas. Un seul. Conserve-le en tête. Au cas où. Si l'occasion se présente.

– Et c'est ?

– Découvrir ce que Ben O. Boz écrit en ce moment. Après *Le Cercle des suicidés*. Essaye de pénétrer le sujet de son prochain roman. L'un des personnages qui s'y trouvent... c'est celui qu'il va tuer. Très bientôt.

– Hé ! Tu m'écoutes ?

C'était Mary.

– Tu fais comme si je n'étais pas là. Tu n'entends rien de ce que je te dis depuis cinq minutes, pas vrai ?

Juste.

Il la regarda longuement, sans dire un mot.

Elle s'inquiéta.

– Quoi ? Qu'est-ce qu'il te prend ?

À son tour, elle le fixa. De plus en plus dépitée. Soudain, elle se fit son idée.

– Ah ! je vois, dit-elle. Je connais cette tête chez les mecs. Tu vas me sortir un truc débile du genre, j'ai réfléchi, ce serait bien le moment de s'accorder un peu d'espace... avec l'écriture de mon nouveau livre, tout le baratin quoi ! Tu veux que je parte ?

Il fit non de la tête.

– Non ?

Frank répéta son geste puis regarda tout autour d'eux, les murs, les lampes, le téléphone, comme quelqu'un qui suspecte des oreilles cachées derrière chaque cloison.

– Ça te dirait d'aller faire un tour ? lui demanda-t-il.

– Quoi ? Maintenant ? Un tour ? Où ?

Il lui fit un grand sourire, se leva et dit :

– On prend ta voiture.

10

Ben O. Boz avait 59 ans. De son vrai nom Clark John Doornik, il avait vu le jour le 30 septembre 1948, à Desmoines dans l'Iowa. Sa mère était correctrice d'épreuves pour un éditeur spécialisé dans les traductions de romans russes et français. Son père se faisait passer pour un scénariste d'Hollywood ; en fait, un raté qui vivait de contrats non honorés et de plagiats non encore dénoncés. Il cognait femme et enfant. L'homme était décédé en 1958, dans un accident de voiture trouble. À l'époque, la mère de Boz fut inquiétée par la police. Mais aucune preuve de son implication dans la sortie de route de la Ford familiale n'avait pu être démontrée. Sa communauté à Desmoines y croyait pourtant dur comme fer. Vu le climat délétère, la mère emmena son fils de 10 ans au Canada. Elle maîtrisait le français, ils se posèrent au Québec. Le petit Doornik suivit une scolarité banale dans une école paroissiale de la banlieue de Montréal. Enfant plutôt calme, il se mit tôt à écrire, publiant dans le journal de son école. Il entra à l'université de Toronto à 19 ans. Comme auparavant, il consacra davantage son temps à assurer la publication bimensuelle de l'établissement qu'à ses études de psychologie. En vrai, il se distinguait en étant l'unique contributeur du journal. Il rédigeait tout : fictions, comptes rendus de journées portes ouvertes, critiques de cinéma, résultats sportifs, poèmes, billets humoristiques, interviews, même le courrier des lecteurs. Sous le pseudonyme de Fargal, il postait aussi de courtes nouvelles pour des revues littéraires américaines. L'une d'entre elles fut publiée dans le *Asimov's Magazine* d'avril 1978. Boz renonça à ses études le jour de la mise en kiosque du numéro, persuadé de percer dans l'écriture. Grosse époque de création, et de déceptions. Ses manuscrits suivants lui furent tous réexpédiés.

Les éléments biographiques concernant la vie du jeune homme Boz avaient tous été enregistrés au cours de l'audition par le FBI en 1995 d'un certain Simon Abelberg, juif new-yorkais qui allait devenir son premier éditeur. Personnage incontournable pour tout ce qui touche le tueur. Il l'avait accueilli dans sa maison d'édition comme membre sans honoraires du comité de lecture, puis en tant que correcteur d'épreuves, dans les pas de sa mère. Abelberg aimait bien Boz. Le jeune homme emménagea seul dans le New Jersey. Au bout d'un an, à titre de promotion, il se vit offrir la possibilité de rédiger ou de retravailler des petits polars signés par des vedettes sans actualité ou des capitaines d'industrie qui voulaient faire briller leur nom. Ce poste ingrat était resté le sien pendant près de sept ans. Abelberg avait avoué que Boz devenait fou, furieux de ne pas exister par lui-même, consterné du niveau déplorable de ces publications. Mais les pages qu'il pondait de son côté étaient toutes décevantes. Le grand retournement, le pivot sur lequel sa carrière changea de cap, ce fut le décès de sa mère. Tumeur. Boz était demeuré à son chevet pendant les deux semaines d'agonie.

L'hypothèse des experts du FBI sur cet événement clé voulait que sa mère aurait pu lui avouer, durant ses derniers instants, qu'elle avait réellement assassiné son père et lui expliquer pourquoi et comment elle s'en était « tirée » avec la police... Car, aux dires de Simon Abelberg, le Boz qui revint à New York après l'enterrement au Canada n'était plus le même homme. Il se mit à travailler davantage, sans demeurer confiné chez lui ployé sur sa machine à écrire : il sortait hanter les salles de rédaction, rubrique criminelle, les commissariats, les morgues, les tribunaux, les bistrots et les restos près du QG local du FBI, les bureaux de détectives privés. Il engrangeait des notes monstres, il suivait des cours accélérés en criminologie. Son éditeur reconnut que ses fictions progressaient. Le style restait plat mais les idées fusaient. Il avait enfin accepté de le publier.

Le premier livre n'avait qu'un intérêt mineur pour le dossier : son personnage principal s'y nommait Ben O. Boz. Dès son deuxième roman, Clark Doornik préféra ce pseudonyme à celui de Fargal. Trois livres publiés chez Abelberg en deux ans, trois échecs. À cette époque, l'éditeur dit avoir craint pour la santé mentale de son protégé : l'auteur ne comprenait pas les raisons de son insuccès. Il était proche de se foutre en l'air. Les deux hommes se fâchèrent sur cette frustration. Abelberg n'eut plus jamais de contact avec lui.

L'année suivante, Boz publiait, autre part, *La Règle de trois*, un court roman. L'histoire d'un homme séquestré par sa femme jalouse et qui meurt de faim et de soif.

Le passage sur la mère de Boz avait donné à réfléchir à Franklin. La remarque des spécialistes du FBI pouvait être appropriée : un meurtre initial, un secret de famille enfoui. En avait-il eu conscience dès l'âge de ses 10 ans ? Le doute avait-il perduré jusqu'à la mort de sa mère ? Son impunité acquise avait-elle été pour lui une sorte de... choc salutaire ? De révélation ?

Les données actuelles sur Ben O. Boz étaient sommaires : il vivait en solo dans sa grande maison de Dovington. Pas même de personnel de ménage. Un jardinier de temps à autre, mais ils ne s'adressaient jamais la parole. Trois chiens. On ignorait presque tout de l'organisation intérieure de son habitation.

« Vous allez être notre premier œil là-dedans, Franklin. Ouvrez-le bien ! » lui avait dit Ike Granwood.

Depuis sa visite à New York à la maison Paquito & Saunday, et les courtes révélations de l'éditeur, Franklin s'interrogeait sur l'origine de la fortune de Boz et le financement de ses romans. Son manoir était bien trop imposant pour être le fruit de ses gains d'auteur.

Une page dans le dossier le renseigna.

Sa femme. Carol Sandra Pinkus. Épousée en 1989. Famille richissime.

« Je suis prêt à parier qu'elle y est passée, la pauvre... »

En effet. Un an et demi après leur mariage. Accident d'automobile. Boz se plongea peu après dans les eaux du pactole de sa part d'héritage. Et l'enquête sur la mort n'avait rien donné. Le mari de Carol Pinkus ne fut jamais inquiété pour l'accident.

« À l'évidence, le fils a dépassé la mère en habileté ! »

Mais cela, plus personne n'en doutait.

11

Dès leur sortie de l'enceinte de Durrisdeer, Franklin, au volant de la BMW de Mary, piqua vers le sud, en direction de Manchester, la ville la plus populeuse du New Hampshire. Il emprunta l'Interstate 93 qui traversait tout l'État jusqu'à Boston. À 22 heures, le trafic était modéré mais constant, de longs semi-remorques se suivaient par grappes, des chargements de bois les ralentissaient de temps en temps, et des particuliers les dépassaient avec prudence.

– Alors ? Où allons-nous ? demanda la jeune femme.

– On va devoir improviser un petit peu, répondit mystérieusement Frank.

Elle le regarda, de nouveau inquiète.

– Mais à quelle heure serons-nous de retour ?

Il sourit, sans quitter la route des yeux.

– En fin de matinée peut-être. Demain.

D'un coup, elle revissa son visage vers le pare-brise.

– Mais... on va être découverts !... je veux dire, nous deux... s'ils ne me retrouvent pas à la maison !...

– Il fallait bien que cela arrive. Cette initiative

de tout dire, dont on parle souvent... eh bien, c'est aujourd'hui. J'en prends la responsabilité. Si tu es d'accord, bien entendu. Je ne te force en rien. On peut encore rentrer.

Silence.

Mary se passa les doigts dans les cheveux.

– Oh, je n'ai pas fini d'en entendre parler !

– Tes parents ?

– Ma mère, surtout. Tu la connais mal. Elle a des faux airs de Margaret White dans *Carrie*.

– Allons, tu as plus de vingt ans. Tu es libre de tes choix, enfin ?

– L'âge n'a rien à voir dans l'émancipation des enfants. Le tempérament des parents fait tout. Y en a qui ne veulent jamais lâcher prise...

Franklin pensa à sa mère et se dit qu'elle avait marqué un point.

Mary fronça les sourcils.

– Tu es sûr de ce que tu fais ? À Durrisdeer, cela va t'attirer pas mal d'ennuis. Tu vas te mettre du monde à dos : tous les profs qui m'ont vue grandir, ma famille, les étudiants... Tu en as conscience ?

Cette fois, il ralentit un peu l'allure pour pouvoir la regarder dans les yeux.

– Je tiens à toi, Mary. Beaucoup. Cela seul compte. Le reste, je m'en fous.

Il fit un signe de l'œil vers la route.

– Je continue ou je rebrousse chemin ?

Le visage de la fille s'illumina.

– Continue, imbécile !

Et elle l'embrassa longuement sur la joue.

Il reprit une bonne vitesse, jetant régulièrement des regards dans son rétroviseur. Rien ne lui paraissait suspect dans la circulation.

– Tu me fais confiance ? lança-t-il soudain, après un long silence.

– Bien sûr ! Plus que jamais...
– Alors, boucle ta ceinture.
– Quoi ?
– S'il te plaît. Fais comme je te dis.

Mary se demanda à nouveau ce qui lui arrivait mais obéit sans protester.

– Je t'expliquerai, lui dit-il.

Aussitôt après, il poussa sur l'accélérateur. Le moteur de la BMW vrombit et la vitesse autorisée fut rapidement avalée.

– Qu'est-ce qui se passe ?

Il ne répondit pas ; toujours à fixer par intervalle son rétro. Une grosse Buick. Elle sortit du rang. Elle avait accéléré, elle aussi.

Frank soupira et redescendit à une vitesse légale. Puis au-dessous. Il se mit sur la file de droite, à rouler presque au ralenti.

La Buick ne le doubla jamais. Elle se planquait derrière un poids lourd.

– Mais quoi ? insista Mary. On est suivi ? *Tu* es suivi ?
– Cela se pourrait.
– Qui est-ce ?

Elle se retourna pour voir.

– Hein, c'est qui ?
– C'est un peu long, mais ça a un sens. Dès que l'on sera arrivé, tu comprendras. Je te le promets.

Il reprit une allure normale, sur au moins huit miles. Il étudiait avec soin les différents panneaux de sortie de la 93 et les distances qui les séparaient les uns des autres.

Mary ne disait plus rien. Elle se retournait seulement de temps en temps pour essayer de voir quelle voiture les prenait en filature.

– Tiens-toi, lâcha Frank.

Et il accéléra, mais cette fois beaucoup plus violemment que la fois précédente. La flèche des tours-minute grimpa. Il n'était pas fâché que Mary possède ce petit bolide.

Sans surprise, la Buick bondit à son tour, mais avec un temps de retard. Franklin pouvait compter sur un peu de mou. Mary s'agrippa à la poignée de sa portière et plaqua ses pieds au fond du tapis de sol du passager. Le dernier panneau indiquant la sortie pour la ville de Suncook apparut. Plus que deux cents yards.

Brusquement, Frank se déporta sur la ligne de droite et pila. Mary sentit la ceinture l'écraser contre son dossier.

Et Frank s'arrêta sur la bande d'arrêt d'urgence de l'autoroute. Il mit ses warnings, demeurant à trente petits yards de la sortie.

Comme attendu, la Buick ralentit mais pas assez pour éviter de le doubler. Lui et la sortie d'autoroute.

Franklin regarda le véhicule.

– C'est elle ? murmura Mary.

– C'est elle.

Et, sans perdre un instant, il fit à nouveau rugir le moteur et s'engouffra dans la sortie pour Suncook. Il n'eut que le temps de repérer les feux arrière de la Buick qui s'empourpraient avant de disparaître à la vue.

Mary était de nouveau accrochée à tout ce qu'elle pouvait saisir de solide.

La sortie accusait un long virage sur la droite, sur deux voies. Frank regardait partout, essayant de deviner les alentours malgré la nuit. Des panneaux de direction annonçaient Pembroke, Allentown ou Suncook. Il ne prit aucun de ces croisements ; il sortit de la route pour rentrer sur un chemin de terre qui menait à une exploitation agricole. Il s'y arrêta et éteignit la voiture et tous ses phares. La BMW noire était à l'abri sous quelques arbres.

– Qu'est-ce qu'on attend, maintenant ? lâcha Mary émue. Tu les as semés, non ?

– Sans doute pas. Ils doivent être en train de faire marche arrière.

– Sur l'autoroute ? Sur l'autoroute ! Mais ce sont des dingues, ces types. Qu'est-ce qu'ils te veulent, bon sang ?

– Rien de précis. Seulement savoir où je me promène...

Plusieurs voitures passèrent à leur hauteur, sans qu'ils puissent deviner leur modèle. Il n'y avait pas d'éclairage communal.

Après une petite dizaine de minutes à attendre, Franklin, toujours secret sur les pourquoi et les comment, décida de sortir de sa cache. Il se dégagea du chemin de terre, en marche arrière. Mais il ne s'interrompit pas pour passer la première et reprendre une conduite normale sur le bitume. Il continua, le cou démanché, à regarder par la lunette arrière de la BMW.

Il monta dans les tours.

– Mais qu'est-ce que tu fais ? Qu'est-ce que tu fais ? cria très vite Mary.

– Je retourne sur l'autoroute, dit Franklin froidement.

– Mais !...

– Ferme les yeux. Cela va passer.

Mary engloutit son visage entre ses mains, murmurant des blasphèmes de circonstance. Frank avait les doigts exsangues sur le volant.

Sans surprise, une camionnette lui arriva droit dessus. Pleins phares. Frank décida de ne pas varier d'un pouce de sa trajectoire. Il laissa la camionnette accomplir seule son embardée. Le pauvre conducteur, impulsif, mit un tour de trop à son volant et se retrouva en tête-à-queue sur une bande de gazon. Tout cela se fit comme une danse silencieuse, il n'y eut pas même un crissement de pneus, ni un coup de klaxon. Trop expéditif.

Encore quelques secondes de cette folie, et Frank stoppa la voiture pour retrouver la marche avant.

Ils étaient de retour sur la 93.

Mieux, sa place paisible dans le trafic, on aurait cru qu'il ne s'était rien passé.

Le professeur fixait la route, stoïque, pas un tremblement, pas une goutte de sueur sur le front. Mary rouvrit lentement ses mains et releva la tête. Pâle et le souffle coupé.

– On est morts ?

– Non. On est tranquilles.

12

Il quitta la 93 peu après, en direction de Goffstown, et entra ainsi dans Manchester par l'ouest. Une route des plus discrètes. Pour déjouer d'éventuelles dispositions levées contre lui sur l'autoroute. La BMW était repérée, sa fuite enregistrée par le FBI, il ne fallait pas en douter. Il traversa le Merrimack.

– Tu sais où l'on va ? demanda sa passagère, toujours sous le choc.

Il hocha la tête.

– Je sais ce que je cherche. C'est déjà ça.

Cette chose, il la trouva à l'angle des rues de Oak et de Myrtle : le Montego Hotel. Un petit établissement sans gloire mais qui disposait d'un parking souterrain. La voiture, son souci majeur, fut planquée entre un énorme 4 × 4 aux jantes chromées et un squelette calciné de Pontiac Grand Am.

Cela posait le quartier.

La façade du Montego montrait plusieurs couches de peintures différentes, marquant ses âges successifs. Elles étaient toutes défraîchies. L'hôtel n'était pas borgne, mais presque.

En revanche, la réception annonçait un récent changement de propriétaire : la moquette était neuve, des ampoules halogènes avaient remplacé les néons des années 1980, les odeurs de vieux canapé et de cendre froide avaient disparu, et des tons crème aux murs s'évertuaient à donner du chic à ce qui n'était qu'un motel de chambres à l'heure.

Un vieux type attendait derrière un comptoir, le regard perdu dans le vide. L'apparition du couple le secoua. C'était quelque chose de voir approcher ces deux blonds aussi beaux l'un que l'autre. Un vrai couple de magazine. Ils étaient élégants, ils étaient propres, et ils étaient blancs.

Frank négocia une nuit.

La chambre au premier étage répondit aux promesses de la façade : pour sûr, les rénovations n'avaient concerné que la réception. C'était une turne sordide !

– Romantique, non ? dit-il en plaisantant.

– Écoute, cela cadre plutôt bien avec cette soirée. Parfaitement *inattendue*.

Elle s'assit sur le lit et en testa la profondeur.

– Et un peu dangereuse, ajouta-t-elle.

Il se posa près d'elle. Puis il parla. Sans détour. L'aventure de Sheridan, de Boz et du FBI, la vraie raison de sa douleur à l'épaule, le rendez-vous prochain avec le romancier. Mary avait relevé ses genoux contre son menton et se mordillait méthodiquement les ongles en l'écoutant. Elle était médusée.

Au final, après un long silence, elle dit :

– Tu viens de commettre un crime fédéral en me révélant tout cela !

Il sourit et l'embrassa.

– Je t'ai dit que je tenais à toi.

Elle retint difficilement un rire nerveux.

– J'ignore où tu cours le plus de risques. Avec le FBI ou avec ma mère lorsqu'elle va apprendre que je me suis laissé séduire en quelques semaines par un inconnu ! Aussi professeur soit-il !

Ils sourirent tous les deux. À son tour, Mary voulut se raconter. Vers ses 16 ans, elle s'était entichée d'un revendeur de drogue de Concord, de treize ans plus âgé ; rébellion contre la figure maternelle. Quelques séjours au poste avaient suffi à la remettre dans le droit chemin et à rendre Agatha Emerson folle de rage. Point final.

Son dossier au FBI avait des raisons d'être peu épais...

– Et maintenant ? demanda-t-elle.

Là aussi, Frank lui détailla ce qu'il comptait faire.

13

Il se leva à 6 h 30 et quitta la chambre sans faire de bruit. À la réception, un jeune homme avait remplacé au comptoir le vieux désespéré de la veille. C'était un Hispano de 18-20 ans avec un piercing en forme de crucifix sur une narine et des dreadlocks de rasta à breloques de couleur. Un petit poste diffusait du Ronnie James Dio. Pourtant, le garçon tenait un exemplaire du *Conte de deux villes* entre les mains, ce qui le rendit, pour Franklin, subitement et curieusement très proche. Il leva les yeux du bouquin.

– Oui ?

– Vous avez les pages jaunes ?

– Près du taxiphone, là-bas.

Il fit un mouvement du front et ses tresses firent un léger cliquetis.

– Merci.

Le jeune retourna à Dickens. Frank marcha jusqu'au fond de la salle, prit le bottin et le compulsa une bonne dizaine de minutes en écrivant des notes.

Il quitta ensuite le Montego Hotel. Le jour pointait. Il découvrit que le quartier était nettement jamaïquain. On ne pouvait faire un pas sans rencontrer un pochoir de Marley ou le drapeau à croix jaune sur fond vert et noir. Mais, comme souvent, la communauté ne s'étendait en réalité que sur deux rues. Rapidement, il fut de retour dans le New Hampshire.

N'ayant rien avalé depuis la veille, il s'arrêta dans un snack pour petit-déjeuner. Là, café sur café, et muffin collant qui s'émiettait au bout des doigts, il attendit 8 heures.

Puis il héla un taxi. Il fit la visite d'une demi-douzaine d'armuriers. Partout, il longea des rayons où il ne rencontrait que des articles de chasse. Des fusils, des monocanons, des canons juxtaposés ou superposés basculants, des munitions pour gros gibier... Et tout l'attirail qui allait avec.

En tout cas, aucun vendeur de flingues dans le coin.

Seul le sixième vendeur lui adressa la parole, en le voyant sortir de son magasin, dépité.

– Vous cherchiez quelque chose en particulier ?

Franklin se retourna. C'était un monsieur tiré à quatre épingles, une sorte de grand-père à toison blanche et aux yeux riants.

– Une arme à feu...

– Une arme de poing, c'est ça ?

Frank fit un oui timide. Le vieux lui rendit un sourire puis lui expliqua la situation avec beaucoup de bienveillance :

– Cela nous vaut trop de problèmes désormais de vendre des pistolets et des revolvers. À cause des enquêtes criminelles. Dès qu'il y a un meurtre, on se retrouve avec la police qui déboule pour vérifier si l'on n'aurait pas refilé l'arme. Et puis il y a ces listings de vente avec numéros de série et photocopies de pièce d'identité qu'on doit remettre aux autorités toutes les semaines. Si c'est incorrect, si l'acheteur nous a roulés, qu'est-ce qu'on prend ! En bref, on finirait presque par être tenus pour responsable de tout. C'était plus possible. On s'est rabattus sur les armes de chasse. Et puis, pour nous, le marché des flingues, c'est comme celui des fabricants d'imprimantes. Ce n'est pas sur les machines qu'ils font leur fric, mais sur les cartouches d'encre. Nous, pareil. Ce ne sont pas les flingues, mais plutôt...

Il se tourna et montra du doigt son mur gigantesque de munitions.

– Au moins, ajouta-t-il, jusqu'à preuve du contraire, les enquêtes ne vont pas encore rechercher celui qui a facturé la boîte de balles !

Le vieil homme inscrivit un nom et une adresse au dos d'une des cartes de visite de son enseigne.

– Allez voir ce gars. Mais dites-lui bien que c'est moi qui vous envoie. Je ne voudrais pas manquer ma commission.

C'était à l'est, sur Eskrine Avenue. Le Hunting Pond, au nom de Dan Fukuyama.

Un nouveau taxi. Un nouveau magasin d'articles de chasse. Franklin présenta tout de suite la carte du précédent armurier.

– Selon lui, dit-il à Fukuyama, vous auriez du stock ?

– Faut voir. De quoi avez-vous besoin ?

– Quelque chose de sûr. Un gros calibre.

Le vendeur hocha la tête et, devinant qu'il avait affaire à un novice, se lança dans une explication exhaustive du terme de calibre. La taille millimétrée ne voulait rien dire. Tout était affaire de marque, de charge explosive, et d'autres nuances encore qui échappèrent à Franklin. L'homme débita sa leçon comme un pro. Une vraie encyclopédie. Franklin se dit que, de son côté, il pourrait lui tenir la jambe jusqu'à la nuit sur le rôle de la culpabilité dans l'œuvre de Tolstoï ou la notion de temps émotionnel chez Proust. À chacun son dada.

L'homme sortit deux pistolets qu'il posa sur son comptoir. Un Sig Sauer P220R Équinoxe, chambré à .45ACP, et un Taurus PT138, calibre .380ACP, magasin de 10 balles + 1 dans le canon.

– Vous avez un budget ? Parce que moi, je dois vous prévenir, je n'ai plus que du très bon.

– Je veux quelque chose de correct, pour un débutant.

Ni une ni deux, un Kimber 1911 Compact et un Kel-Tec P32 surgirent sur la tablette.

– C'est du solide, dit Fukuyama. Seulement, je suis un sentimental, mon cœur ne peut s'empêcher de battre pour...

Un Para-Ordnance P14.45. Il était rutilant, posé sur un lit de taffetas dans une boîte en chêne.

– Une réserve de quatorze avec celui-là ! Du sur mesure pour l'autodéfense.

Franklin les prit en main, les uns après les autres, les tournant et les retournant. Il sentit un étrange frisson à empoigner leurs grips en polymère qui se coulaient parfaitement dans le creux de sa paume. Ils avaient un poids, une solidité, une densité qui donnaient déjà l'illusion de la force. C'était la première fois que Franklin avait un flingue sous les doigts.

– Je vous garantis des percuteurs annulaires qui réagissent au moindre titillement... Vous venez d'avoir un enfant, je présume ?

Franklin le regarda, surpris, et fit non.

– Ah bon ? D'ordinaire, c'est toujours comme cela. Même avec les gars qui ont toujours milité contre la vente des armes. Dès qu'un mioche arrive sous leur toit, ils réalisent soudain qu'un Smith

& Wesson dans la table de chevet peut ne pas être complètement inutile.

– Non, moi, c'est pour autre chose.

Fukuyama se rembrunit.

– Je comprends. Dans ce cas, il ne faut pas acheter une arme, l'ami.

– Que voulez-vous dire ?

Fukuyama haussa les épaules.

– Il faut d'abord l'essayer !

Et il entraîna Franklin vers le sous-sol de son commerce, sur son stand de tir. Quatre lignes de feu, des murs en ciment brut, un éclairage minimal, des boxes pour les shooters et des cibles silhouettes, des bustes essentiellement, suspendus à plusieurs dizaines de mètres de là.

– Écoute-moi. Que tu aies dans la tête de « fumer » un type, lui dit Fukuyama, libre à toi. C'est ton karma, pas le mien...

L'arrivée sur le pas de tir avait instantanément autorisé le tutoiement.

– ... mais je suis convaincu que ni toi ni moi ne voulons qu'une balle se perde et atteigne une cible innocente. Il n'est pas question d'arroser. Tu vois ? Un flingue, on peut mettre un certain temps avant de s'en faire un ami. Et puis on a parfois de mauvaises surprises. Vous risquez de ne jamais vous entendre, le joujou et toi. T'as déjà tiré ?

– Non.

– C'est ce que je craignais. Défoule-toi ici. À ta guise. Tu me diras ensuite si l'idée de régler tes comptes de cette façon te trotte toujours sous le crâne. Et après, si tu es incapable de viser droit, je ne te vendrai strictement rien. Vu ?

Il chargea les pistolets, alluma une piste, donna un casque et des lunettes à Franklin. Ce dernier était ravi de l'initiative du vendeur. Sans hésiter, il testa les cinq armes à sa disposition.

Les premiers coups l'effrayèrent. Il manqua outrageusement sa cible. Puis, peut-être plus vite que prévu, il se prit au jeu.

Lorsqu'il était tendu, il lui suffisait généralement de pratiquer un bon jogging ou de boxer un sac de sable pour se détendre. Il découvrit aujourd'hui, sidéré, que le seul fait d'appuyer sur une détente et de sentir le feu entre ses doigts lui procurait le même effet. Tirer au pistolet défoulait incroyablement son homme, aussi bien qu'un effort physique. Étrange. Il venait de découvrir l'ensorcellement des armes. Et la damnation qui s'ensuivait.

Fukuyama le regardait faire. Au bout de quarante minutes, Franklin réussit trois cartons pleins.

– Me voilà rassuré, dit l'armurier.

Frank remonta au magasin avec le Sig Sauer P220 et le Kel-Tec P32.

– Je prends ces deux-là. Un gros et un petit. Ils me conviennent.

– Deux ? Vous êtes très « remonté » à ce que je vois.

Le vouvoiement « vendeur et client » avait reparu.

– J'ai des raisons de vouloir couvrir mes arrières. Chez moi et dans ma voiture.

Fukuyama réitéra sa phrase fétiche, avec un haussement de sourcils :

– C'est vous qui voyez, votre karma...

Franklin régla la note en liquide, près de mille dollars.

– Faites attention, avertit toutefois le vendeur. La loi est retorse. Vous avez le droit de posséder une arme, mais pas de vous déplacer avec. Encore moins muni de cartouches. Si vous vous faites pincer... vous les avez trouvées dans la rue.

– Je tente le coup. Merci.

Et il quitta le Hunting Pond avec ses sacs et ses boîtes rectangulaires, comme un client sortant de chez son cordonnier.

Il retourna au Montego Hotel.

Mary venait de se réveiller. Il était 10 heures. Ils prirent un petit déjeuner dans un restaurant d'hôtel un peu mieux garni que celui de la nuit, puis retournèrent lentement en voiture vers Durrisdeer.

Elle le déposa chez lui.

Franklin s'occupa de planquer ses armes dans sa Coccinelle et dans son bureau.

De son côté, Mary allait tenter de faire entendre à ses parents qu'elle était amoureuse et qu'elle se fichait pas mal de leur point de vue.

***

Le professeur de Durrisdeer arriva avec un bref retard à la réunion de miss Wang au PC du FBI de l'équipe Dernier Mot. Mais ce ne fut pas son retard qui lui valut l'ire de Melanchthon.

– Qu'est-ce que c'est que cette histoire de disparition en pleine nuit ! Où étiez-vous passé ?

– Vous ne m'aviez pas dit que j'étais suivi...

Elle écarta les bras.

– Il me semble que cela tombe sous le sens ! Nous vous protégeons ! Vous êtes en terrain miné !

– Auriez-vous aussi omis de me prévenir que ma maison était placée sur table d'écoute ? Pour ma protection ?

La femme resta interdite.

Il reprit calmement :

– Dites-vous bien que vous aurez toujours ma totale coopération dans cette affaire de Boz, mais pas ma vie privée. Mary et moi, cela ne vous regarde pas.

Là-dessus, il partit suivre ses nouveaux tests.

Melanchthon ne lui rétorqua rien.

Elle comprenait.

En cela, elle était bien une femme flic et pas un flic tout court.

14

Le temps virait à l'orage ; le ciel restait gris, crevé de minables éclaircies. Le vent poussait mou, comme disent les marins ; sans élan, il s'engouffrait dans la vallée de Dovington.

Franklin stoppa sa Coccinelle et descendit devant le portail de Ben O. Boz. Rien n'avait changé depuis sa visite avec Sheridan, sinon une végétation plus verdoyante.

Sa dernière entrevue avec Sheridan et Melanchthon datait d'une vingtaine de minutes, dans un snack à Chester-Chester Depot City, vingt-quatre kilomètres plus au sud. Juchées en rang d'oignons sur un faux zinc des années 1950, les trois personnes n'avaient pas ouvert la bouche ; l'on s'était contenté de vider des cafés et de suivre des yeux l'aiguille des minutes d'une horloge Coca-Cola. Franklin n'était pas si inquiet. Ce n'est qu'ensuite, seul au volant, que l'angoisse le prit à la gorge.

Sur le mur d'enceinte de Boz, pas de sonnette, ni d'interphone. La caméra de surveillance reposait sur son bras mobile. L'engin rectifia soudain son angle pour fixer Franklin. Le professeur s'immobilisa, l'œil planté dans la lentille noire. Le romancier l'observait sans doute de l'autre côté. Frank leva la main droite, en signe de salut.

Le portail s'ouvrit.

Franklin rejoignit sa voiture.

Un chemin en gravillon blanc pénétrait dans le parc ; quelques essences rares, de vastes étendues verdâtres et marron encore marquées çà et là par des plaques de neige fixées à l'ombre des grands arbres. Franklin progressait sur ce territoire étranger comme lors de son arrivée à Durrisdeer : l'œil grand ouvert, fasciné par ce qui allait lui apparaître.

Un manoir Tudor. De hauts toits très inclinés, des fenêtres aux linteaux épais comme des troncs, certaines teintées par des vitraux. Franklin se souvenait d'avoir aperçu un autre versant de la maison, du haut du mur, avant que les deux brutes du FBI ne le plaquent au sol six mètres plus bas. La demeure était aussi calme qu'un musée hanté pour touristes de la Nouvelle-Angleterre.

Dans l'encadrement de la porte, au loin, se profila une silhouette d'homme. Franklin se gara et quitta sa voiture.

Il portait une sacoche à bretelle sur l'épaule : un calepin, des crayons, des copies d'étudiants et des banalités d'usage. C'était tout ce que lui avait autorisé le FBI avant le départ. Le Sig Sauer P220 Équinoxe, Frank l'avait planqué sous le tableau de bord de la Coccinelle. En quittant Chester-Chester Depot pour Dovington, il avait vérifié le magasin et glissé l'arme avec soin au fond de la sacoche.

Boz apparut.

A priori, rien de très ressemblant avec la photo en quatrième de couverture de ses bouquins. Le Boz que découvrait Franklin face à lui – il le reconnaissait aux clichés présentés par Melanchthon – n'avait plus un cheveu sur le crâne, rasé même, un collier de barbe grise fournie, il avait gagné vingt kilos au bas mot, et... c'était un géant! Il portait un pantalon de velours usé, un chandail à grosses mailles sous une veste de mouton retourné.

Trois chiens s'échappèrent d'entre ses jambes, et fusèrent vers le nouveau venu. Frank ne recula pas. Les rottweilers lui tournèrent autour, très nerveux. Boz n'esquissa pas un pas dans sa direction; adossé à sa porte d'entrée, il attendait que Franklin se plantât devant lui.

– Bienvenue.

– Monsieur Boz, lança Franklin en réponse, la main tendue.

Le visage du romancier était anguleux, pâle, très ridé pour sa jeune soixantaine, mais avec des rides inhabituelles, sur des zones d'ordinaire plus épargnées par l'âge. L'œil était fixe, intelligent.

« Bien, se dit Frank, rien que là Boz pouvait déjà flanquer la frousse, il colle parfaitement au tableau dressé par Sheridan et le Bureau. »

Pourtant, tout monstrueux qu'il dût être, il ne dressa aucune tronçonneuse ensanglantée, ni ne fit jaillir des incisives de vampire entre ses lèvres; il sourit. Plutôt convivial.

– Je suis très heureux, dit Franklin. Je ne m'attendais pas à ce que vous puissiez me répondre aussi rapidement!

– Pourquoi non? Comme je vous l'ai dit au téléphone, j'ai lu votre livre à l'automne dernier. Je suis un féru de Tolstoï; votre long chapitre à son sujet m'a transporté.

Boz aimait Tolstoï. Soit, sa poignée de main avait tout de celle d'un cosaque : pleine, serrée, sans timidité.

– Suivez-moi, s'il vous plaît.

Ils entrèrent dans le manoir, escortés par les chiens.

Après un long vestibule aux portes latérales closes, Franklin fut conduit dans un petit salon, moquette épaisse, tissus rouges sans motifs, mobilier dépareillé. Une vitrine éclairée présentait des reproductions de bustes antiques ainsi que trois modèles d'armes à feu issues d'un siècle où l'homme réglait ses différends dans un bois. Franklin vit aussi une table basse en bois loupé avec une pile de quotidiens locaux et, aux murs, des clichés en noir et blanc de photographes célèbres, la plupart des portraits. Franklin ne put s'empêcher de revoir en esprit l'ordonnance d'horreur dans le bureau de Sheridan, les vingt-quatre visages de cadavres.

– Asseyez-vous, professeur. Je vous en prie.

Tout était propre, briqué même. Pourtant, Melanchthon l'avait averti : aucun domestique ou autre. Boz vivait seul.

Le romancier proposa à boire et offrit sur sa demande un soda à Franklin. Lui se fabriqua une petite fine allongée à l'eau dans un verre à whisky. S'ensuivirent quelques remarques pointues sur Tolstoï et la littérature russe. Franklin, tranquillisé, se dit qu'il pourrait aussi bien s'agir d'un rendez-vous entre deux passionnés, tout ce qu'il y a de plus normal.

C'est Boz qui brisa le charme.

– Comment m'avez-vous trouvé ?

C'était à la fois une question et un reproche.

– Mon adresse ? insista-t-il. D'ordinaire, l'on me contacte par l'intermédiaire d'un de mes éditeurs qui répond un mot de mon cru, aimable toujours mais négatif. Je n'aime pas être dérangé.

Franklin fit un mouvement de tête pour dire combien il le comprenait !

– C'est un de mes élèves à Durrisdeer, lui dit-il. Ses parents habitent près d'ici. Lorsqu'il a vu que je lisais l'un de vos livres, il m'a appris que vous viviez à Dovington.

– Hm. Quel est son nom ?

– Qui ?

– Votre élève.

– Heu... Pullman. David Pullman.

À sa grande surprise, Frank vit Boz sortir un calepin de sa poche et noter le nom ! Déjà que mentir, en soi, avait le mauvais pli de lui accélérer le pouls, mais ce geste lui fit sauter une mesure cardiaque... Cela dit, il ne faisait qu'obéir aux instructions de Melanchthon et de miss Wang. C'étaient elles qui avaient proposé l'idée de l'étudiant ayant grandi dans le coin.

Boz leva son verre de fine et l'assécha presque d'une traite.

– Vous dites, dans votre lettre, vouloir composer une nouvelle étude ?

– Oui. Dans le premier tome, je n'ai travaillé que sur des auteurs du passé. Des questions me sont venues au cours de ce processus, des questions que j'aurais aimé leur poser si je les avais eus en face de moi. Les Melville, les Hemingway, les Conrad. Principalement des questions de technique.

Boz hocha la tête. Franklin poursuivit :

– C'est alors que j'ai pensé me servir de ces interrogations, que j'avais soigneusement notées, pour les proposer à des auteurs contemporains. Lorsque la question de réfléchir à « qui » s'est présentée, je me suis dit, suivant vos travaux depuis un certain temps, que vous possédiez une méthode... très à vous. Et que vous aviez votre place dans ce nouveau projet.

Là, Boz tiqua et Frank sentit ses mains devenir moites. Il n'était pas certain, mais pas certain du tout, du choix de ses mots.

– Ma méthode ? répéta Boz. Qu'est-ce que vous entendez par là, professeur ?

Avant de répondre, Franklin se réfugia derrière une goulée de son soda. Il avait la gorge sèche, la langue lourde. Il en oublia le verre et but à même la canette.

– Eh bien, j'entends que vous avez, en écriture, un souci d'exactitude que j'ai rarement trouvé ailleurs. Sinon jamais. C'est en cela que vous êtes intriguant. Je peux vous présenter dans mon essai en contre-exemple de beaucoup d'autres romanciers.

Nouveau mouvement du bras pour reprendre sa canette et retrouver son souffle.

– Ah oui ? Quels romanciers ? fit Boz.

Franklin haussa les épaules.

– Ils sont légion ! Disons qu'il y a les rêveurs d'un côté, et les réalistes de l'autre. Les Washington Irving et les William Dean Howells. Cela a toujours été le cas, dans tous les pays et à toutes les époques, mais, dans ce groupe des réalistes, peu ont osé aller aussi loin que vous. Tenez...

L'exemple dont il allait arguer maintenant avait été bâti avec le concours du FBI :

– ... l'autre jour, je me suis rendu à l'hôpital de Concord avec votre roman, *Le Réducteur*.

Boz fronça imperceptiblement les sourcils. Le colosse était immobile dans son fauteuil, un verre vide dans une main, l'autre main posée à plat sur l'accoudoir. Jusque-là, l'entreprise de séduction piétinait.

Franklin enchaîna, bille en tête :

– Je suis allé à la rencontre d'un obstétricien et lui ai fait part de votre description de l'accouchement du personnage de Janine DeMilles, cette pauvre femme qui enfante seule en forêt. Eh bien, le médecin a été ébahi par la précision et la justesse de vos descriptions. Le déchirement du périnée est, selon lui, un morceau de bravoure. Impossible de l'imaginer ! Comme moi, il a salué la rigueur de vos propos. C'est un témoignage rare ; d'ordinaire, les spécialistes n'ont que des mots durs pour les romanciers qui tournent la science à leur sauce, par facilité.

Tout en débitant sa leçon, comme devant miss Wang, Franklin se répétait inlassablement qu'il devait en rester à l'œuvre de Boz. Ne jamais en sortir. Il était censé ne rien devoir connaître de plus.

Boz sourit. Pour la première fois depuis le début de l'entretien.

– Vraiment ? C'est flatteur...

– Depuis cette rencontre avec le médecin, je suis convaincu que vous occuperez dans mon livre un chapitre capital.

– Cela pourrait être vrai. D'autant que vous avez encore beaucoup à apprendre sur moi.

Boz se leva pour aller se servir un autre verre.

Malgré lui, Franklin avait blêmi.

Là-dessus, on entendit au loin un carillon de plus de vingt clochers qui frappaient les cinq coups de l'heure.

– Ces imbéciles de pasteurs n'ont jamais réussi à se mettre d'accord pour partager les différentes sonneries du jour et de la nuit, pesta Boz. Des chrétiens réformés qui partagent le même fils de Dieu, mais pas les mêmes horaires !

Quelques blasphèmes supplémentaires achevèrent d'anéantir l'idée d'un Boz religieux, pris sous une de ces multiples mouvances à tendance sectaire. Il proposa une cigarette que le professeur déclina. Lui s'en alluma une et resta un temps à réfléchir et à suivre sa fumée dans le vide.

– Votre proposition peut m'intéresser, finit-il par reprendre. Je suis un homme discret; secret même. Mais j'ai tout de même certains éléments à faire connaître sur mon compte. Cela pourrait inspirer les plus jeunes. Ils sont toujours friands de révélations venues des aînés. Du moins, j'étais ainsi à leur âge. Avant tout, comme je vous l'ai dit, je désire la liste des autres auteurs concernés par votre étude, plus un contrat écrit et une avance de dix mille dollars.

Franklin sursauta.

– Cela... ce n'est pas moi qui...

– Bien sûr. Parlez-en à l'éditeur du projet. Tranquillisez-vous, si je vous laisse pénétrer dans mon antre de création, je vous garantis le « retentissement » du chapitre qui portera mon nom. Votre éditeur sera enthousiaste.

Boz appuyait soudainement sur ses mots, et il se dégageait de lui une suffisance imbuvable. Une impression que l'art de recevoir avait dissimulée jusque-là. Il reprit :

– Mais je sais aussi comme ces gugusses sont frileux. J'en change suffisamment pour les connaître sur tous les fronts.

– Pourquoi tant de maisons d'édition différentes ?

– Bah ! ces boutiquiers veulent toujours couper dans mes livres ! Vous parliez de l'accouchement du *Réducteur*. Cela tient sur quatre pages. J'ai employé une énergie folle pour rendre cela réaliste. Eux n'y voient que du boniment. Ils ne comprennent rien ! Croyez-moi, le jour où l'on mesurera ce que j'ai accompli pour mon métier, tout ce que j'ai sacrifié pour être honnête dans mes romans, mon œuvre prendra un tout autre écho. On se les arrachera, mes romans !

Boz siffla un nouvel alcool. Celui-ci lui rendit une meilleure humeur. Il était soit cyclothymique, soit alcoolo. La conversation dériva sur des sujets secondaires, de pure forme. Franklin raconta les chamailleries qui avaient accompagné sa candidature au poste de Durrisdeer. Il se trouva même à en rire avec Boz. Rire avec Boz !

– Je suis très satisfait que vous ayez su percevoir le fond véritable de mon travail, reprit l'écrivain. La publication de votre étude dans quelque temps ne saurait tomber au meilleur moment.

– Ah bien ! Parce que ?

– Parce que j'ai décidé de tout changer.

Il s'était exclamé pour dire cela.

– Mes romans sont ce qu'ils sont, et par là même restent trop pointus pour le vaste public, vous ne l'ignorez pas.

Il regarda le fond de son verre vide, l'œil un peu fatigué.

– Mes ventes sont médiocres. Depuis toujours. Je souhaite rectifier cela avec mon prochain livre. Publier une pièce qui rencontre le succès, élargir mon audience. J'ai une expérience de trente ans, je dois enfin composer mon œuvre majeure. L'apothéose ! Si votre étude sortait en même temps que mon livre, nous pourrions faire coup double.

Franklin afficha une mine intéressée, passionnée même. À défaut de paraître terrorisé. *L'Apothéose* de Boz ?

– Convainquez votre éditeur, dit l'auteur. Faites-moi une liste prestigieuse de voisins de chapitre, amenez l'argent, et nous parlerons.

Boz se leva comme pour clore l'entretien.

– Mais je ne peux rien vous promettre... dit Franklin.
– Bien entendu, je comprends.
Le géant s'arrêta. Il réfléchit, pris d'une idée subite, puis ricana.
– Vous savez quoi? dit-il en hachant ses syllabes. Je vais vous présenter quelque chose à confier à votre éditeur. Pour l'accrocher... Venez avec moi.
Il sortit de la pièce. Frank hésita. Il se leva, sans omettre de reprendre sa sacoche.
– J'écris en ce moment une nouvelle qui se situe dans l'Angleterre du XIXe siècle, expliqua Boz en le précédant dans le vestibule. C'est une commande de deux textes pour un magazine littéraire. Une histoire de bagnards. Cela tombe bien que vous soyez là. J'utilise d'ordinaire des cobayes pour valider mes histoires, et aujourd'hui précisément j'en ai un sous la main!...
Un cobaye?
– Venez dans la cave avec moi.
Boz siffla pour que ses chiens les accompagnent. Le jeune homme n'aimait pas le cours que prenaient les événements.
Ils s'enfoncèrent vers les fondations par un escalier étroit.
– Méfiez-vous des chiens, avertit Boz, ils doivent rester dans la première cave, pour l'instant.
Ils pénétrèrent dans un débarras souterrain comme on en trouve partout : des cartons moisis, un banc et des chaises longues en plastique blanc, des piles de tomettes recouvertes de poussière, une courroie de motoculteur suspendue à un clou, un jeu de pneus, une armoire métallique d'outillage, tout un fatras sans surprise. Boz rabroua les rott-

weilers et ouvrit une porte en fer qui donnait sur une autre partie de la réserve.

Là, effaré, Franklin vit du sang et un corps pendu à une corde !

– Approchez, professeur. N'ayez crainte...

– Mais !...

C'était un squelette. À côté, sur une table de bricolage, de gros quartiers de boucherie avaient perdu tout leur jus. Boz se saisit d'un couteau gigantesque.

– Mais... répéta Frank, qu'est-ce que vous allez faire ?

Le géant, avec sa lame, aurait, tel quel, fait décamper le premier témoin survenu à l'improviste.

– Dans mon histoire, dit-il, un des bagnards pendus se fait dévorer la nuit par les loups. Ils l'attrapent aux mollets et l'arrachent vers le sol. Le point qui m'intrigue, c'est : qu'est-ce qui cède en premier ? Le cou du mort ? La corde ? Une jambe ? Comment les bêtes s'y prennent-elles ?

Boz expliqua qu'il avait affamé ses trois chiens depuis trois jours. Il pensait attendre encore un peu, mais la venue de Franklin précipitait l'expérience.

Avec efficacité, il assujettit la viande sur les extrémités du squelette avec de solides ficelles de boucher.

– Ce sont de vrais os, dit-il en tapotant un tibia, achetés grâce au département des accessoires de l'université de médecine de Manchester.

Boz requit à deux reprises l'aide de Frank pour l'aider à maintenir la viande. Le professeur essayait autant que possible de ne pas trahir ses hésitations ni le tremblement de ses doigts qui s'imprégnaient dans la barbaque. Le bas du corps artificiellement reconstitué avec du plat de côtes et des jarrets de bœuf rassis, Boz lâcha enfin les chiens.

Jamais Franklin n'avait assisté à une scène aussi violente et aussi répulsive que la ruée de ces bêtes. La rage famélique des trois clebs... était inimaginable. Ils se seraient entre-dévorés pour un morceau. Le squelette fut secoué en tous sens. Les articulations crissèrent, les crocs marquèrent dans les os. Boz crut devoir ajouter, pour que l'horreur soit complète :

– Il faut se figurer la réalité : les chairs à vif, le sang déjà noirci du pendu qui coule comme de l'empois... Et l'odeur ! Ça pue, un macchabée qu'on ouvre comme ça...

Les chiens bondissaient et demeuraient parfois dans les airs à se débattre, suspendus par la seule force des mâchoires. Boz affichait un sourire ignoble, comme s'il observait un couple en train de faire l'amour.

– Vous voyez de quoi ils sont capables ? Imaginez des loups ! Un instinct encore plus vif, une soif de sang plus affirmé !

En premier, ce furent les dents et la mandibule inférieure du squelette qui cédèrent sous la pression de la corde et du nœud coulant. Les maxillaires se relevèrent, puis se déboîtèrent sous les assauts et le poids des animaux.

– Ah ! dit Boz. Qui l'aurait deviné ? La mâchoire !

Il nota ce détail sur son calepin.

La corde résista jusqu'au bout, mais le pendu fut dépossédé d'une jambe et d'un mollet avec pied. Le cou ne céda nullement.

– Imaginez la scène : de nuit, lumière de lune, un bagnard au gibet, une clochette accrochée au cou, et le son frénétique qui attire soudain la population effrayée. Comment ? Le mort reviendrait-il à la vie ? Mon Dieu... Et ils voient cela ! C'est épatant, dit Boz. J'écrirai ce chapitre dès votre départ...

En rejoignant la surface, Franklin se dit que ce type était vraiment fou.

– Racontez ce que vous venez de voir à votre éditeur, dit-il avec fierté. C'est couru d'avance. Il voudra me connaître. Comme vos prochains lecteurs, Franklin. Espérons !

***

Dix minutes plus tard, Franklin quittait les lieux sans avoir aperçu autre chose de l'endroit que le salon et la cave.

Il remonta dans sa Coccinelle orange.

Boz lui avait donné un numéro de téléphone où le joindre.

Le Sig Sauer n'avait pas servi, mais Dieu que le jeune professeur était soulagé de l'emporter avec lui !...

***

Il rentra faire son rapport à l'hôtel Ascott, dans la proche banlieue de Concord, là où était perché le nouveau PC de l'opération du FBI. Sheridan était présent. Ainsi qu'Ike Granwood. Le grand patron ne quittait plus Melanchthon depuis qu'elle lui avait soutiré une importante rallonge budgétaire et la mise à dispo d'une dizaine de personnes supplémentaires pour faire face aux rencontres de Franklin.

Il fut conjointement décidé qu'on répondrait à toutes les exigences de Boz : contrat d'éditeur, à-valoir, liste fictive d'auteurs, tout le nécessaire pour le décider à engager des entretiens avec le professeur. Franklin leur décrivit les lieux, les photos au mur, la cave, l'attitude sereine du romancier, son penchant pour la fine, les chiens nerveux et le squelette. Le FBI possédait une carte de la maison de Boz, Melanchthon suivait les indications du jeune homme et les pointait sur la feuille.

Tous se demandaient si la nouvelle du *Pendu* cachait quelque réalité et s'il fallait s'en inquiéter...

– Va-t-il pendre quelqu'un ?

– Je l'ignore. Ce n'est qu'une nouvelle pour une revue littéraire, après tout.

Deux heures plus tard, Frank quitta l'hôtel en compagnie de Sheridan.

– Alors ? lui dit ce dernier. Hormis les faits, quelle est votre intime impression ?

Le professeur s'arrêta. Sérieux.

– Vous savez quoi ? Le coup de l'alcool, je n'y ai pas cru. Trop ostensible. Comme l'épisode du squelette dans la cave. Tout cela était prévu, réfléchi, bien avant ma visite.

Il secoua la tête.

– En dépit de ce qu'il a dit, Boz n'a rien improvisé aujourd'hui. Il joue déjà à quelque chose avec moi. Mais... à quoi ?

15

Ben O. Boz était installé à sa table de travail ; ses mains se promenaient sur son clavier d'ordinateur. Il restait immobile, le dos raide, recueilli ; seuls ses sourcils sautaient par à-coups, expression de son affection ou de son dédain pour telle ou telle formule qui lui venait.

Autour de lui, le bureau baignait dans des lumières feutrées, quelques petites lampes sous des abat-jour à motifs. Tout était calme et silencieux. Le propre d'un antre d'écrivain : un cerveau qui chauffe, des doigts qui cavalent et le reste suspendu, sans mouvement, délivré du temps.

Aux murs, pas un bouquin, mais une impressionnante collection de machines à écrire. Un rassemblement spectaculaire des grands modèles produits par Royal, Remington ou autre Underwood ; des pièces mythiques comme une Blickenscheefer sur bois verni, une Noiseless portable de 1923, une Olivetti M1 et même une reproduction de l'incroyable Yetman Transmitting Typewriter de 1908. Au moins cinquante exemplaires suspendus à plat contre les parois.

Sur deux canapés, face à la cheminée au gaz, dormaient les chiens du romancier. Dans le silence, seule la note sèche et atone des touches du clavier claquait.

La table de travail de Boz était encombrée de documents : des colonnes de statistiques sur le taux d'obésité du pays, région par région ; des rapports rendus aux services des incendies sur le temps de combustion de certaines matières, une conférence d'un professeur de Harvard sur les records de graisse et d'adipocire chez les humains, et puis des références diverses sur les grands feux qui avaient frappé la Californie l'été dernier.

Boz écrivit :

Il alluma une allumette. Non. (Touche d'effacement : tic tic tic...) *Il gratta une allumette.* Non. (Tic tic tic...) *Il craqua une allumette.* Non plus ! (Tic tic tic...)

Il mit le feu à...

Voilà ! C'était plus net.

Boz acheva son paragraphe en quelques minutes et se renversa dans son fauteuil. Il soupira. La page de garde de son petit manuscrit annonçait : *Le Pyromane.*

C'était la seconde nouvelle de dix pages promise avec celle du *Pendu* pour l'*Atlantic Fiction Magazine.*

Boz se saisit d'autres documents dans un tiroir : la plupart, des photos des lieux où il voulait situer l'action de son histoire. S'il écrivait qu'à Pensacola, le Home-Depot se trouvait à la sortie de la 123e East, et que la réserve d'essence et de produits inflammables dans le magasin était collée aux barbecues et aux meubles de jardin, Boz voulait que cela soit scrupuleusement exact.

Son héros, le Pyromane, venait de se payer des outils dans l'entrepôt ; il voulait apprivoiser un nouveau dosage d'alcool et de soufre afin de rendre ses départs de feu plus spectaculaires.

D'après les dernières phrases écrites par Boz, le Pyromane venait de réussir une tentative dans une arrière-cour et il était aux anges.

Le romancier regarda sa montre. 20 heures. Il quitta son fauteuil et sortit du bureau pour se diriger vers la cuisine.

Toute la maison résonnait des notes de *L'Île des morts* de Rachmaninov. Le maître des lieux, qui vivait seul avec ses rottweilers, détestait le silence, hors de son refuge de travail. Un méticuleux réseau d'enceintes couvrait toutes les pièces. Un juke-box de 33 tours classiques tournait en permanence, le ventre chargé d'œuvres, de Monteverdi jusqu'à Britten.

À la cuisine, dans le four préchauffé, Boz glissa un gros poulet qu'il avait préalablement maculé d'épices et de crème. La bête enfournée, il jeta à nouveau un œil sur sa montre. Il avait plus d'une heure à tuer. Dans un placard, il saisit le chalumeau de cuisine qui lui servait à roussir la peau de ses volailles et à caraméliser ses gratins de fruits.

Il passa par son salon et monta sensiblement le son de la chaîne hi-fi. Rachmaninov ayant cédé le pupitre à Holst, le morceau d'orchestre *Uranus le Magicien* fit son entrée.

Boz avait un sourire crispé, les mâchoires serrées et un léger asservissement à la main gauche. Des spasmes du pouce. Ce mélange de nervosité et d'excitation l'avait pris d'un coup.

Dans le salon, sur une table basse, une page découpée dans un journal local de Montpelier dans le Vermont faisait état de la disparition d'un certain Jackson Pounds. L'homme, selon le communiqué de la police, très affecté sentimentalement et psychologiquement, avait laissé une lettre manuscrite sans équivoque sur son intention de mettre un terme à ses jours. Mais le corps restait introuvable. Descriptions et photos dans la presse devaient servir à aider les flics de Montpelier à le retrouver. Jackson Pounds ne passait pas particulièrement inaperçu.

Chalumeau en main, Boz se dirigea vers sa cave.

Cette vaste maison de Dovington, il l'avait achetée avec sa femme – et son argent à elle – neuf ans plus tôt. Le manoir l'avait séduit pour deux raisons : d'abord l'isolement dans les Green Mountains, ensuite la personnalité éberluée de son ancien propriétaire. L'homme avait à l'époque 65 ans. Un vieil excentrique ruiné. Contemporain paranoïaque du temps de la guerre froide, l'homme s'était aménagé un abri antiatomique sous sa maison, de ses propres mains. La peur du rouge sous toutes ses formes et des traîtres de sa ville, même religieux, lui avait fait taire cette disposition à tout le monde, jusqu'à la vente de son bien.

Ben O. Boz avait adoré. La transaction s'était faite de particulier à particulier. Même le registre cadastral du comté n'était pas au courant de ces cent quarante mètres carrés supplémentaires.

En bas des escaliers, Boz prit une autre coursive dans les caves que celle suivie par le jeune Frank Franklin quelques jours plus tôt. Il déverrouilla une porte blindée, très voisine de celles que l'on trouve aux étages des coffres dans une banque.

Il enclencha un interrupteur à minuterie, et une demi-douzaine d'ampoules nues sous grillage éclaira le couloir central et les cinq pièces de l'abri. Le bâtisseur de ces lieux appréciait le confort et avait compté attendre la dissolution d'un nuage nucléaire au-dessus du Vermont dans les meilleures conditions. Partout se sentait cette décoration désuète des années 1950 qui, en 2007, avait retrouvé un certain charme. Une salle des machines servait au traitement de l'air et aux ressources d'énergie. Pas de quoi faire tourner un ordinateur moderne mais assez pour y voir clair et filtrer l'air.

Chaque compartiment de l'abri était isolé. Boz ouvrit la porte d'une unité destinée à servir de garde-manger aux survivants.

Un corps d'homme gisait au milieu.

Il avait une quarantaine d'années. Il était complètement nu. Recroquevillé sur lui-même.

– Comment ça va, Jackson ? demanda Boz.

Rien sur ses traits n'avait cillé à la vue pitoyable de ce personnage. Au contraire, son excitation semblait se repaître du spectacle.

Jackson Pounds, le disparu de Montpelier, portait bien son nom. Il pesait deux cent quarante kilos. La peau glabre et blafarde, couverte de vergetures, Jackson était une répugnante boule de graisse renversée sur son flanc gauche. À ce stade d'obésité, l'être humain se changeait véritablement en biomasse. Il avait les mollets assujettis par de lourdes chaînes. Mais, affaibli comme il l'était, l'homme n'était certainement pas en mesure de se relever... alors s'enfuir !

Jackson porta un regard misérable vers son tourmenteur. Le pauvre gars voulait mourir. Seulement mourir. Cela faisait des mois qu'il ne se supportait plus, qu'il se sentait incapable de réguler sa faim, ni d'espérer quoi que ce soit dans la vie. Il avait vagabondé sur Internet, là où l'on trouve tout et tout le monde. Y compris des portails destinés à vous donner les conseils nécessaires pour une sortie sans tache, pour accompagner votre passage à l'acte, quel qu'il soit. Ben O. Boz avait repéré Jackson Pounds sur un site pseudo-satanique spécialisé dans les potions médicamenteuses mortelles. Sous le pseudonyme de Bélial, le romancier lui avait mis le grappin dessus. Jackson, pensant faire la rencontre d'un soutien, se retrouva cobaye, sans même s'en être rendu compte.

– Nous allons passer aux choses sérieuses, l'avertit Boz. Ne crains rien, tes derniers instants ne manqueront pas de panache.

Jackson n'avait ni l'idée ni la force de répondre. Il ne comprenait rien. La seule perspective d'en finir le réjouit intimement. Mourir. Mourir vite !

Ce n'était pas dans les plans de Boz.

Celui-ci prit un temps révoltant ; primo, installer sur pied une caméra à infrarouge, vérifier la fiabilité d'un chronomètre, et apporter un bidon d'arrosage avec pistolet. Secundo, sortir un mètre et contrôler les dimensions exactes de la « bête », tour de taille, des bras, des cuisses, du col. C'était laborieux et humiliant.

– Excellent, tu n'as pas trop perdu, complimenta Boz.

Sans l'ombre d'une hésitation, il aspergea d'essence et de soufre Jackson Pounds. Puis il évacua le bidon dans le couloir, enclencha sa caméra, saisit le chalumeau de cuisine et, depuis l'orteil d'un pied replet et difforme, *il mit feu à l'homme*.

Le Pyromane imaginé par Ben O. Boz n'incendiait pas des forêts, mais des êtres humains. Et comme tout pyromane qui se respecte, il voulait ses brasiers les plus grands et les plus durables possible. Boz avait appris que le gras humain agissait comme la graisse animale des anciennes bougies : c'était un formidable combustible. D'études en études, il retint qu'un corps charnu pouvait se consumer pendant près d'une heure, voire plus.

Boz se dit que ce « voire plus » méritait d'être vérifié.

Embrasé, Jackson n'eut que quelques tressautements, herculéens au regard de sa masse, il se souleva de terre et retomba sur le dos à quatre reprises, ses membres se tortillèrent, sa tête se secouait dans tous les sens comme si elle voulait chasser les flammes. Jackson produisait des petits cris aigus et oppressants. Cependant, il ne hurla ni ne mugit longtemps, son cœur éclata très vite.

Évidemment, Boz s'attendait aux fumées noires de la peau brûlée, denses comme celles des boyaux de pneus ; il s'attendait à l'odeur âcre du cochon, mais pas aux *gouttes de graisse* ! Celles-ci perlaient littéralement sur la peau de l'obèse. Chaque goutte, transportant sa petite flamme, roulait jusqu'au sol et continuait de s'y consumer. Il y eut bientôt comme une mare ardente qui se répandait autour du sacrifié. Son « surplus pondéral ». Les dégorgements adipeux étaient très blancs, et ininterrompus. Pour l'instant, ils empêchaient même l'épiderme de noircir et de griller...

Les fumées, emprisonnées par la scrupuleuse isolation de l'endroit, furent bientôt trop épaisses pour que Boz restât dans la pièce. Mais il avait remarqué un phénomène qui l'excitait beaucoup : sous ses yeux, Jackson Pounds *fondait*, réellement, et cet immonde processus, au lieu de le rendre méconnaissable, avait plutôt la vertu de lui redonner lentement une forme humaine qu'il avait perdue depuis des lustres.

« Parfait ! »

Boz abandonna la suite des opérations aux soins de sa caméra. Jackson allait griller deux bonnes heures.

Le romancier jubilait. Il tenait, pour sa nouvelle, une donnée empirique neuve et incontestable. Tout ce qu'il aimait.

Il rejoignit sa cuisine et dégusta son poulet, quoiqu'un peu trop cuit à son goût.

En fin de soirée, il retourna à sa table de travail et reprit la rédaction du *Pyromane* là où il l'avait laissée. Il appréhendait d'un œil neuf son chapitre du « gros qui se calcine ».

Demain, il aurait encore d'autres éléments à recueillir sur l'état des restes osseux, le manteau de gras refroidi sur le squelette...

En tout cas, cette trouvaille de la fontaine de graisse qui s'étend comme une nappe en feu sous le corps le réjouissait; elle était pour son texte!

Ben O. Boz répétait très volontiers qu'il avait conservé une âme d'enfant : un rien provoquait son bonheur.

16

Franklin travaillait à la rédaction de son roman. Il tourna à sa façon un chapitre inspiré de sa première entrevue avec Boz et en fut très satisfait. Il commença même d'imaginer comment pourrait se dérouler la prochaine.

Mais cette nouvelle rencontre du samedi suivant ne ressembla en rien à ce qu'il avait rêvé à sa table d'écriture.

En premier lieu, la journée était claire, radieuse même, moins lourde que la fois précédente. En second : le professeur, lorsqu'il sortit de sa Coccinelle, ne trouva pas le romancier à l'attendre devant sa maison. Il aperçut plutôt un véhicule du Département de police de Dovington ainsi qu'une fourgonnette de pompiers au pied du manoir !

La police était chez Boz ?

Il entendit un échange de paroles, en même temps qu'il sentit une infecte odeur de brûlé. Ces indications lui firent contourner le manoir. Les plates-bandes avaient été garnies d'oignons, le lierre commençait à pointer sur les poutres de colombage, le gazon verdissait tout le parc.

Franklin aperçut au loin dans le jardin un flic et deux pompiers.

Boz se tenait auprès de l'officier de police.

Du fond du parc s'élevait un feu gigantesque. Le bûcher était encadré, surveillé, entretenu par les deux pompiers municipaux.

– Franklin, approchez ! dit Boz après l'avoir aperçu. Je vous présente le shérif Donahue, l'honorable responsable de l'ordre à Dovington. Shérif, voici le professeur Frank Franklin, de l'université de Durrisdeer dans le New Hampshire.

– Ah bien ! Enchanté, professeur.

– Shérif.

Boz s'était habillé en bûcheron. Toute la panoplie : les bottes, la chemise à gros carreaux, le large chapeau. Cela convenait assez à sa carrure de trappeur. L'écrivain semblait gai, même d'humeur à plaisanter.

– Que se passe-t-il ? demanda Franklin en montrant l'incendie.

– C'est journée de débarras, dit Boz. Le grand nettoyage de printemps !

Il lui expliqua que dans le Vermont, comme dans le New Hampshire, il était encore autorisé d'incinérer soi-même ses poubelles dans son jardin, à condition de prévenir les autorités et de laisser le feu sous la surveillance des pompiers. Cette mesure, qui datait des lointaines ordonnances du temps de l'Union, tendait à disparaître. Mais aujourd'hui encore, dans ce comté, il fallait simplement dresser une liste des objets mis au feu, pour s'assurer qu'aucun produit chimique ou matière explosive ne risquait d'éclater.

Boz était ravi. Dans le désordre de vieux documents, de chaises cassées, de roues de vélo, de brouillons de manuscrits et de sacs-poubelle, il avait dissimulé les os encore constitués de Jackson Pounds.

Le shérif et les pompiers du coin étaient des amis de l'écrivain ; pour lui, ils ne lésinaient jamais sur le combustible. Et ils n'inventoriaient pas ses ordures.

Quel contentement pour Boz de savoir que sa dernière victime était en train de voler en fumée là, sous l'œil même de la police ! Au demeurant, c'était la seule manière pour lui de monter une flambée assez puissante et étendue dans le temps pour venir à bout des ossements de Jackson qu'il n'avait pu refiler à ses chiens.

– Vous savez, shérif, dit Boz, le professeur Franklin va écrire un livre sur mon travail.

– Eh, pourquoi ne suis-je pas surpris ? répondit l'officier.

Il se tourna vers Frank.

– M. Boz est un sacré gaillard de romancier, je vous le dis ! Il y en a des quantités de choses à dire sur son compte. En ce qui me regarde, je suis fan. J'ai tout lu. C'est très vrai !

Le shérif, malgré une trogne moustachue à vous tétaniser un détenu, souriait et s'agitait comme un courtisan.

– C'est du roman, excusez-moi du peu, dit-il en parlant de l'œuvre de Boz. J'ai pas de culture, mais je vois assez qu'on n'est pas dans le conte ou dans la fantaisie de fumiste. M'sieur Boz sait mieux que quiconque les protocoles de la police de ce pays. Je ne l'ai jamais pris en défaut. Jamais !

Boz adressa un sourire à Franklin, l'air insensible à la flatterie.

– Vous savez, reprit le shérif, j'ai parfois voulu lui proposer des affaires du coin, de sordides personnages dont on entendait parler entre collègues shérifs, eh ben, il n'en a jamais voulu. Et pour cause ! À chaque livre, il nous pondait un maniaque encore plus gratiné ! Et puis, tout dans le détail et dans la justesse...

– Shérif...

– Non, non, vous me f'rez pas taire, m'sieur Boz. Une fois, j'ai même dû me référer à l'un de ses romans pour vérifier une disposition de la loi vis-à-vis des pédophiles, c'est vous dire ! Dans le Code, j'y comprenais que dalle, mais chez Boz, cela devenait limpide.

Boz avait dressé une table avec de la charcuterie et du vin. Franklin se dit que cette disposition, bien davantage que le sens du devoir, avait attiré les trois agents, un samedi matin, pour surveiller des vieilleries à incinérer...

Boz sortit un manuscrit roulé dans sa poche arrière.

– Tenez, vous donnerez cela aux pompiers. C'est mon dernier travail. Il sera publié en septembre dans un magazine national. Cela devrait les amuser.

Le shérif lut le titre : *Le Pyromane.*

– Oh ! m'sieur Boz, vous manquez pas d'humour. Donner cela à des pompiers ! Permettez que j'y jette un œil ?

– Bien évidemment.

– Ah ! j'suis fier. C'est un honneur...

Le romancier et le professeur s'excusèrent, sous le prétexte de reprendre leur travail. Ils s'éloignèrent vers le manoir.

– Alors, où en êtes-vous ? interrogea Boz.

– J'ai ce que vous aviez exigé, dit Franklin. Le contrat. Même le chèque de l'éditeur !

– Félicitations !

Boz fit entrer le professeur dans son bureau. Tout de suite, celui-ci fut ébahi par la collection de machines à écrire.

– C'est magnifique !

– Vous êtes connaisseur ?

Franklin désigna un modèle Remington 3B.

– C'est sur elle que je travaille depuis des années.

– Ah ! Un bijou.

Boz s'assit à sa table de travail.

– Moi, j'ai trahi, dit-il. Je suis passé à l'ordinateur. Que voulez-vous ! Plus rapide, plus fluide... on se laisse facilement attendrir par les sirènes du progrès.

Franklin lui transmit le chèque et le contrat.

– Comment vous y êtes-vous pris pour convaincre votre éditeur ?

– Comme vous me l'aviez conseillé : je lui ai décrit l'expérience du squelette et des chiens.

– Hé ? L'effet était garanti, pas vrai ?

Frank hocha la tête.

– Vous en avez beaucoup d'autres, des expériences de ce type ?

Boz lui fit un large sourire.

– Quelques-unes.

Boz visa le nom de l'éditeur. Albert Dorffmann. Il lut les clauses du contrat et signa sans rechigner. Puis il glissa le chèque dans un tiroir de son bureau.

– Et la liste des auteurs ?

– Oh ! elle est en cours. Je ne veux vous dire aucun nom avant qu'ils ne soient certains. J'espère du beau monde.

– Je l'espère aussi.

Boz se leva.

– C'est trop sombre ici, décréta-t-il, nous discuterons plus à notre aise dans la bibliothèque.

Ils longèrent plusieurs corridors. Assez sinistres. Franklin se surprit à ne pas avoir si peur que cela.

Un étrange sentiment d'impunité l'étreignait, sentiment qu'il n'aurait pas imaginé après la rencontre précédente.

– Vous vivez seul ? demanda Frank. C'est très vaste ici. Ce n'est pas inquiétant parfois ?

– Moi, cela me convient.

Les enceintes propageaient *Finlandia* de Sibelius à faible volume.

– Vous savez, reprit Boz, Dickinson disait justement que le romancier se doit d'être comme une maison hantée. Il doit s'ouvrir et se laisser habiter par des fantômes, des personnages, des mondes, au tréfonds de lui, des êtres et des sujets qui accepteront de refaire quelquefois surface sous sa plume. Cette grande maison vide, c'est un peu une image de mon métier. Je joue à être mon propre fantôme...

La bibliothèque était immense, des rayonnages garnis du parquet au plafond, des tables basses en acajou, de confortables canapés en cuir, deux bustes d'élans d'Amérique aux murs et un tableau, une reproduction de *La Leçon d'anatomie du docteur Tulp*. Trois hautes fenêtres donnaient sur le parc. Droit sur le feu alimenté par les pompiers. De là, on apercevait le shérif en train de ratiboiser les assiettes de saucisson et de siffler des verres en feuilletant *Le Pyromane*.

Boz resta un instant le front collé à la vitre pour observer l'extérieur.

– Vous me demandiez tout à l'heure si je faisais beaucoup d'expériences pour mon travail, comme celle du pendu ? Vous voyez ce feu ? Enfin... cette autorisation de brûler chez soi ses ordures... Je ne l'ai découverte que quelques années après m'être installé ici. J'ai trouvé que c'était un ressort romanesque intéressant. Aussi ai-je écrit un roman qui traitait d'un type qui avait zigouillé sa femme et ses trois enfants et qui les faisait disparaître, morceau par morceau, devant les flics et les pompiers et même toute sa famille qui venait pour le soutenir.

Il se retourna vers le professeur.

– Beaucoup d'idées me sont venues de la sorte. Par hasard. J'adore la partie empirique de mon travail. Un peu comme les journalistes qui tombent sur un *scoop*, un romancier tombe sur des idées !

Franklin s'assit et sortit un calepin pour noter ses paroles. Il entrevit la crosse noire de son Sig Sauer au fond de sa sacoche. Il s'efforça de tout observer autour de lui, d'enregistrer le plus de détails à restituer plus tard aux fédéraux.

– Alors ? reprit Boz en quittant finalement la fenêtre. Comment voulez-vous que l'on procède avec cette affaire d'entretiens ? Sous quel angle voyez-vous les choses ?

Comment voir les choses ? Franklin ne voyait qu'une chose : la fin. Une descente du FBI, des aveux circonstanciés, et Boz en cabane. Puis la chaise électrique.

– Il me semble que quatre séances de deux heures devraient largement suffire pour que je vous cerne avec mes questions, dit le professeur. Ensuite, le gros du travail sera pour moi : relire et commenter vos romans.

– Je vois.

– Attendez-vous à des surprises, à ne pas être d'accord avec mes premières conclusions. C'est toute la difficulté de ce projet : avec le précédent, je ne risquais pas de me voir houspillé par James ou par Hemingway sous prétexte que j'alignais des fadaises sur leur compte.

– Nous discuterons de tout cela, évidemment.

Boz se servit un cocktail et apporta une canette de soda à Franklin. Cette fois, ayant compris, il ne s'embarrassa pas de lui donner un verre. Il s'assit sur un fauteuil qui lui permettait de regarder encore vers le parc. Quelque chose le tracassait.

Franklin lui posa sa première question :

– La vocation d'un romancier naît souvent d'une lecture de jeunesse. Une rencontre décisive avec un auteur ou un type d'œuvre. Est-ce votre cas ?

– En quelque sorte... tout a commencé pour moi vers mes 16 ans. À cette époque, je suis tombé sur un conte fantastique assez peu connu de Jordan Crow : l'aventure d'un soldat qui défendait seul un avant-poste isolé. La guerre dans son pays imaginaire était finie depuis longtemps mais personne ne s'était dérangé pour venir l'en prévenir. Sa vie durant, il est resté à guetter l'ennemi, prêt à alerter ses arrières. Il devenait un peu cinglé à la longue. Un soir, le soleil s'estompant derrière une colline, il vit apparaître au loin un bataillon d'hommes ! Le soldat se rua à terre, arme au poing. C'est alors qu'il s'aperçut que sa colline n'était qu'un monticule de terre, et les ombres des militaires, une bande de fleurs qui oscillaient sous le vent. L'auteur de ce conte avait écrit que ces quelques fleurs étaient des mandragores. J'ai trouvé charmante l'idée du soldat qui se roule à plat ventre devant une invasion de solanacées... Et puis, je suis allé me renseigner dans une encyclopédie, et j'ai découvert la représentation d'une mandragore. Cette fleur est la seule à posséder une silhouette quasi humaine. Alors la vision du vieux soldat prenait une autre dimension ! De cette révélation-là, j'ai tout compris ; que les mots pouvaient cacher de multiples réalités, souffler des secrets, jouer au plus malin avec le lecteur. Ce que j'ai lu par la suite, je l'ai lu avec cette idée en tête, cet œil critique, en espérant retomber sur la surprise des mandragores. Très vite, j'ai été consterné.

– Consterné ?

Boz reporta ses regards vers Franklin.

– Je me suis aperçu que les romanciers étaient souvent légers, imprécis, qu'ils s'aventuraient dans des descriptions truffées d'inexactitudes, ils ne connaissaient pas leur sujet. En gros : ils imaginaient *faux*. Mêmes les plus grands. Ça m'a révolté !

– Je vous trouve sévère. Un romancier n'est pas forcément un spécialiste et...

– Pour moi, si, c'est forcé ! Et dans cette constatation de jeunesse, mon œuvre s'explique. Chez moi, tout est net, précis, documenté, vérifié... Allez-y ! Comme le shérif Donohue, vous ne me prendrez pas en défaut. C'est le seul point d'honneur qui m'importe dans mon métier. Mes œuvres sont truffées de mandragores. Il suffit de les découvrir.

Boz s'était animé. Un géant pareil qui s'énerve, cela valait la peine de le laisser se calmer, se dit Franklin. Le professeur n'enchaîna pas sur ce thème. Qu'il trouvait d'ailleurs captieux et tout à fait contestable. Il réussit à le faire parler de ses travaux à l'école, de son premier éditeur Simon Abelberg. Mais pas de sa mère.

– Abelberg me faisait écrire pour les autres. J'étais un jeune nègre très prolifique. Il disait que cela formerait mon style, pour plus tard. En définitive, cela m'a surtout fait perdre du temps.

Puis vint un épisode inconnu de Franklin et absent du gros dossier noir du FBI ; celui des prisons.

Boz expliqua :

– À 21 ans, je suis allé interviewer des tueurs dans leurs cellules, des violeurs de gamines, des assassins de toutes catégories. Je voulais apprendre la mort violente de leur point de vue à eux et non de celui des médecins légistes qui arrivent toujours après la bataille. C'est pour cela qu'aujourd'hui je peux affirmer que je *sais* le raidissement exact d'un cou qu'on étrangle, le murmure du dernier souffle, rarement entendu mais que l'on voit ! Grâce à ces monstres, je sais que le mythe des ongles et des cheveux qui continuent de pousser après la mort est une pure invention, c'est seulement la peau qui se rétracte ; les mecs m'ont confirmé que tu le remarques, au bout de quelques heures. Pareil pour le sang qui afflue vers les parties basses, les gonflements de gaz, l'épanchement des acides volatils... Tout cela, je ne l'ai pas appris dans une salle de cours en criminologie, je l'ai entendu de la bouche même des tueurs ! L'œil du médecin, je m'en moque, c'est l'œil du meurtrier qui m'intéresse, c'est lui que je veux restituer à travers mes personnages. Quelles sont leurs surprises pendant l'acte ? Qu'est-ce qu'ils apprennent d'un crime à l'autre ? Voyez-vous, Franklin, dans ce registre, je crois que je suis loin devant tous les autres.

Frank regrettait de n'avoir pas apporté un enregistreur. La voix appuyée, arrogante de Boz, qui vantait ses exploits, qui paradait à mots couverts, et qui dévoilait tout son processus de taré, toute sa logique de malade mental méritait bien d'être conservée.

Il y eut ensuite un long silence. Franklin se retranchait derrière la rédaction de ses notes. Alors Boz se dressa subitement. Sans lien apparent avec l'entretien. Il venait de distinguer quelque chose dans le jardin qui ne lui plaisait pas.

– Attendez, je reviens.

Lorsqu'il fut sorti, Franklin se leva à son tour pour observer par la fenêtre.

Le feu commençait à mourir.

***

– Qu'est-ce que vous faites ?

Boz pressait le pas vers le shérif et les deux pompiers. Ces derniers avaient approché leur fourgonnette et sorti des pelles.

– M'sieur Boz, dit le flic un peu soûlé par les verres, on pensait vous avancer. Il y a là sur les extérieurs de la cendre tiède qu'on va récolter et sortir de chez vous. Ça ne nous coûte pas grand-chose, vous savez.

Les pompiers avaient déjà rempli une bonne dizaine de pelles.

– Non ! fit le romancier. Laissez cela, merci. J'ai... je conserve la cendre. De l'engrais pour un ami. Il passera la prendre plus tard.

– Ah oui ?

– Oui !

Boz s'était approché des restes du bûcher.

– Oui, répéta-t-il.

Au même moment, il plongea sa botte dans les cendres. Il fit ainsi disparaître une côte flottante de Jackson Pounds qui affleurait dangereusement.

– Merci de votre aide, leur dit-il. Cela ira comme ça.

Les trois types, sans insister, acceptèrent de se retirer.

Boz regarda à nouveau l'os sous son talon.

Maudite poussière qui refusait de retourner à la poussière !

De loin, sans trop comprendre, Frank Franklin avait vu qu'il se passait quelque chose.

17

La découverte du couple que Frank formait avec Mary Emerson provoqua le scandale redouté à Durrisdeer. Principalement Agatha Emerson, la mère, se déchaîna contre le jeune homme. Les autres professeurs firent corps et les remarques sibyllines des étudiants ne tardèrent pas. Mary et Frank durent presque se cacher davantage qu'auparavant.

Aujourd'hui, ils se promenaient dans le parc, à l'abri des regards. Mary parlait d'un probable stage à New York cet été. Frank promettait de l'accompagner le plus souvent possible.

– Au moins, là-bas, on nous fichera la paix.

Ils se croyaient tranquilles, pourtant quelqu'un déboula devant eux. C'était Stu Sheridan.

– Franklin, il faut qu'on parle, dit-il. Tout de suite.

Surpris, le professeur s'excusa auprès de Mary et lui demanda de leur accorder un moment. Elle s'éloigna. Préoccupée.

– Nous retournons chez moi si vous voulez, colonel ?

– Surtout pas. Ils pourraient nous entendre.

Ils, c'étaient les fédéraux.

À son tour, Franklin se montra inquiet. Les deux hommes allèrent se réfugier dans le bâtiment de l'observatoire astronomique de Durrisdeer. La coursive sous la gigantesque machinerie de télédétection était déserte. Dans la pénombre, Sheridan lâcha, sans mâcher ses mots :

– Le FBI nous cache des éléments essentiels. Nous sommes, vous et moi, complètement à côté de la plaque.

– Qu'est-ce que vous...

– Boz *communique* avec eux depuis le mois de septembre dernier !

– QUOI ? Il leur parle ? Comment l'avez-vous appris ?

Sheridan inspira profondément. Il était au bord d'exploser.

– Il ne vous a pas échappé que ces derniers temps Melanchthon fait tout pour m'évincer des réunions et du progrès de l'enquête. Ce qui est sans surprise, maintenant que vous êtes de la partie, elle n'a plus besoin de moi.

Franklin l'avait remarqué, en effet. La police d'État n'était plus en odeur de sainteté auprès de l'équipe du « Dernier Mot ».

– Je n'ai pas protesté, fit Sheridan, mais cela m'a conforté dans l'idée de reprendre mes recherches de mon côté. Après tout, j'étais sur mes vingt-quatre cadavres depuis le début et je les considère toujours comme mon enquête. Aussi ai-je renoué avec le dossier au point où je l'avais laissé.

– Eh bien ?

– Tout est parti d'une question ayant trait à Patricia Melanchthon. Vous souvenez-vous du jour où elle nous a détaillé les expériences que menait Boz dans la centrale électrique du comté de Carroll ?

– Très bien, oui.

– Son explication était précise, mais à nul moment elle ne nous a informés de comment elle avait récolté ces informations.

Franklin resta interdit. En effet, le tableau sur Boz et les vingt-quatre cobayes était méticuleux. Quelles en avaient été la ou les sources ?

– C'est Boz, en personne, répondit Sheridan. Et cela a débuté le 14 septembre 2006 : Melanchthon a reçu un colis à son nom au Département des sciences comportementales dans les bureaux de l'académie du FBI, à Quantico, en Virginie. Ce colis contenait plus d'une quarantaine de cassettes vidéo !

Les bandes VHS. Franklin avait épluché le rapport de Sheridan et n'avait pas manqué la découverte du transformateur électrique à Tuftonboro, le 20 février dernier. Les cellules. Les dépôts de nourriture. Les caméras. Les enregistreurs. Et les étagères dans la salle de contrôle où le découpage de crasse au mur apprenait que des boîtes avaient été récemment enlevées.

– C'étaient bien elles, lui confirma le colonel. Les bandes vidéo qui dévoilaient crûment les expériences menées par Ben O. Boz sur ses cobayes.

Le flic tendit une chemise à Franklin : quelques images, des captures d'écran, mal reproduites par des photocopies en noir et blanc. Le professeur se doutait que le colonel lui avait épargné les pires clichés. Mais un jeune homme sur une chaise électrique, un pasteur qui se fouettait les reins au sang, un sidéen qui ne tenait plus sur ses jambes et qui avait fait sous lui. C'était amplement parlant.

– Comment vous êtes-vous procuré ces documents ?

– Au cours des réunions avec le FBI, j'ai surpris un code de communication entre les agents de l'équipe « Dernier Mot ». C'était assez pour parvenir à réclamer un double du dossier pour l'antenne locale de Concord aux noms de O'Rourke et Colby et le réceptionner en personne avant eux. J'ai des amis au FBI qui m'ont aidé.

Franklin était dérouté. Boz communiquait avec les fédéraux ? Et ce, depuis septembre, soit bien avant la découverte du massacre des 24 ?

– Au FBI, reprit Sheridan, l'agent spécial Melanchthon ne s'occupe que du cas de Ben O. Boz. Le fait que cet envoi lui soit adressé personnellement identifiait l'expéditeur sans le moindre doute. Boz la connaît. C'est à elle qu'il annonçait quelque chose. Cependant, elle n'exerce ce commandement que depuis deux années. Quatre chefs l'ont précédée à ce poste. Aux yeux de tous, Boz maîtrise si bien les pièges ou la surveillance des fédéraux que le soupçon qu'il profite d'une taupe à l'intérieur de l'agence ou de l'une de ses officines ne cesse de croître.

– Un espion ? Un complice ?

– Oui. Melanchthon et son équipe ont d'ailleurs été sélectionnés pour ne pouvoir détenir aucun lien avec Boz ni avec les personnels précédents. Ils devaient être incorruptibles et étrangers aux missions déjà menées, ne relevant que de l'autorité d'Ike Granwood. Aucun contact autorisé avec le reste de la hiérarchie. Et pourtant. Voilà que Boz faisait échouer sa première communication en dix ans sur le bureau même de Melanchthon ! La paranoïa de la taupe, pour impensable qu'elle soit, a repris de plus belle.

La seconde communication du tueur avait eu lieu deux jours après la découverte des cadavres du chantier au New Hampshire. Dès la révélation des corps, Melanchthon avait compris qu'il s'agissait des victimes des bandes vidéo. L'enquête devait lui revenir au plus vite. Il fallait juguler les compétences externes et prévenir tout risque de fuite. Sa première décision fut de paralyser le cabinet du procureur général et d'interdire au Département de justice de répondre aux demandes d'identification ADN des corps lancées par le docteur Basile King. Il était superflu que la police d'État sache qui ils étaient.

– Pourtant, l'interrompit Franklin, vous m'avez bien dit que des premiers fax de reconnaissance d'identité avaient été transmis à la morgue ?

– En effet. Mais j'ai depuis appris dans le dossier du FBI que c'était le tueur qui les expédiait !

– Boz ?

– Oui, il a employé une plate-forme de messagerie gratuite sur Internet. Des envois différés. On tape un texte, on l'enregistre sur le site et on le fait expédier à la date et à l'heure voulues. Des semaines à l'avance s'il le faut. Impossible à tracer.

– Incroyable, murmura Franklin.

Le tueur voulait donc rendre son sacrifice public. Il avait compris le jeu d'obstruction du FBI. Ou bien l'avait prévu. Il était le seul à pouvoir communiquer de la sorte avec l'institut médico-légal de Basile King.

– Amy Austen, Doug Wilmer, Lily Bonham ont été les premiers noms jetés en pâture, rappela Sheridan. La panique a saisi le Bureau. Melanchthon a fait tout ce qui était en son pouvoir pour casser les intentions du criminel. Quitte à couvrir l'existence des corps aux services de police, à taire leur découverte aux familles, à suspendre la ligne téléphonique de la morgue de l'hôpital de Concord. Quitte à recéler les dépouilles dans une morgue militaire et à piétiner une demi-douzaine de droits constitutionnels fondamentaux.

C'était cela seul le but de Melanchthon : pousser Boz à la faute ; précipiter une erreur ; bouleverser sa méthode. Frank connaissait cela. D'un point de vue strictement cinématographique, c'était le protocole classique usé contre tous les *serial killers*. Une guerre des nerfs. Et cela avait fait ses preuves. Sauf que là, la procédure atteignait un niveau très discutable.

Mais c'était la nouveauté dans le comportement de Boz qui avait galvanisé le FBI et l'avait poussé à ces extrémités. Le tueur changeait son *modus operandi*. Ils étaient certains de le coincer grâce à l'une de ses récentes failles.

– Pourquoi ne nous ont-ils rien dit sur ces communications ? demanda Franklin.

– Pour ne pas nous effrayer, peut-être. Mais qui sait s'il n'est pas encore d'autres loups cachés qui ne figurent pas dans les papiers que j'ai reçus ? Il a peut-être livré d'autres informations capitales ? En tout cas, nous sommes en plein dans une machination de Boz. Il prépare quelque chose, il pose ses pions, il se sert du FBI, et le FBI se sert de nous. De vous.

Franklin resta silencieux.

– Juste un point m'a réjoui, reprit Sheridan. Vous savez pourquoi le FBI a mis autant de temps pour m'arrêter dans mes premières investigations sur le romancier ?

Franklin lui dit qu'il n'en avait aucune idée.

– Ces crétins ont espéré que je puisse être sa nouvelle victime !

– Comment ça ?

– Dans une note, il est mentionné que Boz change de type de proie pour tous ses livres. Le gratte-papier du dossier a judicieusement inscrit que dans toute son œuvre, il ne s'en était jamais pris à un gradé de la police d'État. Ils s'attendaient alors à ce qu'il me tombe dessus ! Espérant, pour une fois, connaître la cible du tueur à l'avance et le prendre sur le fait !

– C'est invraisemblable.

– Ils ont abandonné cette piste au bout de deux mois lorsque je vous ai impliqué. Trop risqué. Ils voulaient bien jouer la vie d'un flic, mais pas celle d'un civil.

Franklin réfléchit. Son visage s'assombrit.

– Pourtant, moi aussi, j'ai lu les livres de Boz... Il ne s'en est jamais pris non plus à un professeur de littérature.

Sheridan hocha la tête.

– C'est aussi ce que je pense.

– Vous croyez que je pourrais être la cible ?

– La cible... ou l'alibi.

– L'alibi ?

– Puisque c'est, paraît-il, sur ce dernier point qu'il est si inventif... Nous ne sommes peut-être qu'une diversion de plus pour Ben O. Boz...

***

À la réunion suivante du FBI, Franklin déboula sans prévenir avec Stuart Sheridan. Patricia Melanchthon voulut se récrier, mais le professeur partit aussitôt dans une longue diatribe. Sans ménagement, secondé par le colonel, il la confronta à tout ce qu'ils avaient appris.

– Vous n'avez jamais voulu que je vous vienne en aide, mais seulement que je vous serve ! Il est hors de question de poursuivre dans ces conditions.

Melanchthon ne cilla pas. Tout au plus se contenta-t-elle de lancer à Sheridan :

– Vous allez finir votre carrière derrière les barreaux, colonel. Crime fédéral et obstruction contre le Bureau, recel d'informations, cela peut vous coûter dix ans !

Franklin éclata de plus belle.

– S'il lui arrive quoi que ce soit, vous pouvez faire un trait sur votre opération Boz. Allez vous dégoter une nouvelle taupe !

Cela, il s'en doutait, Melanchthon ne pouvait plus se le permettre. Franklin était le seul instrument qu'elle avait jamais détenu contre Boz. De surcroît, les rallonges de budget négociées avec Ike Granwood ne reposaient que sur ses compétences à lui. Un repli de sa part lui vaudrait un terrible camouflet.

La femme demeura calme.

– Que proposez-vous ? demanda-t-elle.

Sheridan avait convaincu Franklin que la discussion commencerait par là.

– Vous nous avouez tout sur Boz, dit Franklin. Sur ses communications ! Sur tout le reste. Et à partir de maintenant, vous renvoyez miss Wang et ses théories psychologiques et vous *me* laissez agir et piloter Boz à ma façon !

– Vous ?

– Le modeste professeur que je suis croit tout de même avoir deviné comment coincer le romancier. Cela n'entre peut-être pas dans vos cases protocolaires, mais cela peut marcher. Pour cela vous devrez me donner quelque chose. Quelque chose lié à Boz, lié à ce qu'il manigance en ce moment et que je ne suis absolument pas censé savoir. Donnez-moi de quoi agir. Vous entendez ?

Melanchthon ne remua pas un muscle de son visage.

– Je vous entends très bien.

***

Une heure plus tard, ils étaient tous les trois dans un avion du Bureau en partance pour la Virginie.

Les vingt-quatre dépouilles du chantier de Concord étaient entreposées à la base de Cornwallis, près d'Elizabethtown, dans des casiers frigorifiques, sous la protection de l'armée et d'agents fédéraux, aux confins de la Virginie et de la Caroline-du-Nord.

Melanchthon et ses invités apparurent dans ce local de haute sécurité, au laboratoire de médecine morte.

La pièce d'autopsie baignait dans la pénombre. Des instruments de chirurgie, des écrans d'ordinateur en veille, deux lits vides composaient le mobilier. Pas une chaise pour s'asseoir.

La porte du laboratoire s'élargit et un homme en blouse avec un lit sur roulettes et un corps recouvert d'un drap bleu ciel déboula, suivi d'un légiste.

Tout le monde s'approcha. Melanchthon rabattit le drap pour examiner le cadavre. Il était nu. Le sexe givré du jeune homme fit un effet curieux sur Franklin et Sheridan, mais l'agent s'en désintéressa totalement. Elle regarda le médecin légiste, sourcils froncés.

– Expliquez-leur.

– Voilà, dit le docteur Mildred. Ce jeune homme est la vingt-cinquième victime retrouvée dans le New Hampshire.

Sheridan écarquilla les yeux.

– Quoi ? Un autre corps ?

– Il a été isolé six jours après la découverte des 24 sur le chantier, par nos agents, dans la forêt de Farthview Woods, répondit le médecin.

– Sur les terres mêmes de votre université ! ajouta Melanchthon pour Franklin.

Le flic et le professeur étaient médusés. Jamais ils n'avaient entendu parler de ce cadavre supplémentaire.

– La police de l'État et les autorités n'ont aucunement été averties, reprit Patricia. En fait, personne, hormis notre équipe du FBI, ne sait l'existence de ce dernier corps.

Elle fit un signe au médecin qui reprit ses éclaircissements.

– À l'époque, nous avons d'abord établi que ce garçon était notre dernière victime. Sans doute avait-il réussi à échapper à la mise en scène du massacre. Des preuves matérielles dans la forêt, comme des traces de chaussures et un peu de sang, nous ont confirmé qu'il avait été traqué pendant plus d'une heure, avant d'être tué. Il a échoué neuf kilomètres à l'est du chantier de l'autoroute 393.

Sheridan examina le torse glabre du cadavre.

– Mais pas de balle dans le ventricule gauche, constata-t-il.

– Non, en effet. Le jeune homme a été étranglé à l'aide d'un lacet, mais cela n'a pas suffi à le tuer, peut-être à le rendre inconscient tout au mieux. Son assaillant l'a ensuite longuement heurté avec une grosse branche de bois mort. Il s'est tout simplement acharné sur lui.

Le visage pétrifié de l'homme était couvert de contusions.

– La colère suite à la traque, suggéra Melanchthon. La nuit, la neige, les arbres, cela n'a pas dû être évident de le rattraper dans de telles conditions et d'en venir à bout. Le tueur s'est vengé de son temps et de son énergie perdus.

Le docteur hocha le front de haut en bas.

– On peut raisonnablement penser que la scène s'est terminée de la sorte. Aussi, avec ces éléments, nous en sommes demeurés à la théorie de l'ultime victime retrouvée du groupe. De fait, en dépit de nos recherches, il n'y en a pas eu d'autres.

Il laissa flotter un silence, retourna la feuille de sa tablette en bois. Puis il dit :

– Mais des points se sont mis à clocher. En premier lieu, ce jeune homme ne portait pas de vêtements neufs et très bon marché comme ses congénères. Il était habillé d'un blouson de cuir de prix, d'un blue-jean siglé et de bottes en cuir très usées. Pas de papiers d'identité, bien entendu, comme pour les autres. En second lieu, nous nous sommes aperçus que ses prélèvements digestifs ne corroboraient pas les résultats antérieurs, en particulier ceux diligentés par le légiste en chef de l'hôpital de Concord, Basile King, avant que les vingt-quatre corps ne nous soient remis.

Sheridan et Franklin n'avaient pas oublié que les cadavres retrouvés sur le chantier présentaient tous le même profil quant aux aliments digérés ou restés dans la poche de l'estomac. Ils souffraient de carences identiques.

– Mais lui... dit le légiste.

Il montra le cadavre nu.

– ... pas du tout. Il suivait une alimentation plus équilibrée et variée. Seul le dernier repas semble avoir été identique à celui des victimes. C'est l'unique point qui le liait manifestement à eux tous.

Melanchthon regarda ses deux invités.

– Il est probable que nous ne nous trouvons plus devant une victime... mais devant un *complice*. Difficile d'imaginer quelqu'un kidnappé quelques heures seulement avant le massacre... Cet homme peut être un complice qui aurait craqué le soir même et qu'*il* aurait abattu, après l'avoir rattrapé dans la forêt.

Il y eut un long temps de silence. Dans la pièce, tout devenait aussi froid et figé que le corps étendu et le sexe racorni.

– Un complice... murmura Franklin.

– Vous savez son identité ? demanda Sheridan.

Le docteur Mildred inspecta sa fiche.

– Patrick Turd. Né à Providence, dans le Rhode Island, le 25 août 1982. Il était représentant en librairie pour le réseau de distribution Barfink & Reznik.

Patricia dit :

– Représentant en librairie... Cela pourrait très bien convenir avec le romancier.

– Patrick Turd portait des bottes, ajouta le légiste. Nous avons retrouvé des résidus de sable issu du trou de pilier sur ses semelles. Mais pas seulement du sable. Sous la couture se trouvaient aussi d'infimes particules d'un sol cimenté.

Il montra une photo qui représentait la salle de contrôle de la centrale de Tuftonboro, celle avec les écrans et les magnétoscopes.

– Elles provenaient de cette pièce. Ce sol n'est pas tout à fait le même que celui des cellules de cobayes. Patrick Turd avait clairement accès au poste de contrôle.

Patricia se tourna vers les deux hommes.

– Cela le range définitivement dans le rang des complices. Le seul point qui ne tient pas, c'est que, s'il s'avère que ce type est bien ce que nous pensons, son corps aurait dû disparaître ! Jamais Boz n'aurait commis l'erreur de le laisser derrière lui. Cela ne lui ressemble pas. Et puis ces marques !...

La femme passa sa main sur le corps.

– Patrick Turd a été tué par quelqu'un qui ne s'y connaissait pas. Cet acharnement confus, cette débauche d'énergie pour rien, c'est assez inexplicable. Turd peut être un complice, en effet, avoir voulu s'échapper devant l'énormité du massacre... mais sa mort ne cadre pas.

Elle se tourna vers Frank et Sheridan.

– De toute façon, si l'on saisit un lien, même ténu, entre ce cadavre et *lui*, ce serait suffisant pour l'impliquer. J'aurais enfin de quoi inculper Ben O. Boz. Un levier. Le premier en douze ans !

– Depuis trois mois, vous n'avez toujours pas déniché de lien entre Boz et lui ?

La femme fit non.

– Turd travaillait dans le monde de l'édition. A priori, cela semblait devoir être facile. Mais rien. Pas une réunion de travail, pas une photo, pas une rencontre dans une tournée de dédicace ou une conférence... Rien qui nous permette de dire qu'ils se connaissaient.

– Et la famille de Turd ? demanda Franklin.

– Elle ne parle pas. C'est tout le problème. Pour l'instant, leur fils est seulement disparu. Ils sont persuadés qu'il a migré en Californie et qu'il ne veut rien leur dire.

– Ils ignorent que leur enfant est mort ?

– C'est exact.

Il y eut un long silence.

– Combien avez-vous de corps ici ? demanda Sheridan.

– Dix-sept, dit Mildred.

– Où sont les autres ?

Melanchthon leur expliqua qu'une procédure de restitution des corps était en cours depuis trois semaines. La hiérarchie ne voulait plus couvrir cette réquisition exceptionnelle. Ordre d'Ike Granwood : les cadavres du 3 février étaient rendus au compte-gouttes à leurs familles, mais chaque fois nantis d'un scénario spécifique qui permettait de maquiller et d'ancrer les faits hors du chantier du New Hampshire, et de masquer ainsi la détention secrète du FBI.

Franklin s'approcha du cadavre.

– Mettez Turd sur la liste pour la prochaine sortie, dit-il. Allez cuisiner ses proches. Qu'importe si rien n'en découle, je vous garantis, moi, que je vais me servir de ce type !

– Et réussir à coincer Boz ? dit Melanchthon.

Frank haussa les sourcils.

– Pourquoi pas ? Nous allons permuter les rôles. Après tout, nous connaissons les règles de son jeu. Appliquons-les à rebours ! Il se peut que vous vous fichiez le doigt dans l'œil en essayant de tendre un appât à Boz, que ce soit à travers Sheridan ou à travers moi. Vous avez affaire à un romancier avant d'avoir affaire à un tueur. Il ne cherche pas des victimes, comme un psychopathe, mais des sujets ! Ce qu'il lui faut, c'est une *idée* ! Un auteur ne résiste jamais devant un bon départ de roman, même s'il ne vient pas de lui.

Franklin regarda Melanchthon et Sheridan.

– C'est la seule chose qui puisse marcher. Lui instiller un sujet de livre qu'il ne pourra pas refuser... une idée à laquelle il n'a pas encore songé !

***

Alors qu'ils s'apprêtaient à se séparer, de retour à Concord, Patricia dit un dernier mot au jeune homme :

– Soit, nous vous avons dissimulé des éléments. Disons que c'était cavalier, et que cela n'arrivera plus. Mais vous comprenez nos raisons.

Après avoir dit oui, il voulut partir mais elle ajouta :

– Au fait ! En ce qui vous regarde, corrigez-moi mais vous ne nous avez jamais mentionné le Sig Sauer P220 et le Kel-Tec P32 achetés à Manchester et que vous trimbalez tout le temps chez Boz ?

Franklin se contenta de sourire.

– D'accord. Un partout.

***

Le lundi suivant, au matin, il donnait son premier cours de la semaine. En fin de classe, il demanda à Ross Kellermann de l'attendre.

Lorsque tous les élèves eurent vidé les lieux, le professeur lui dit :

– Je veux rencontrer les membres du Scribe Club.

L'élève fit de grands yeux.

– Mais je ne les connais pas, professeur Franklin. Vous savez bien, c'est le principe. Même la direction de l'université est incapable de les nommer.

– Je sais cela. Mais je sais aussi qu'ils se sont servis de toi pour me faire croire à l'assassinat de Doyle, à mon arrivée ici. Tu n'en es pas un membre, soit. Mais tu peux leur faire savoir que j'ai besoin de leur parler. Tu m'entends ? Insiste là-dessus. J'ai besoin d'eux... maintenant !

18

Frank Franklin avait convenu avec Boz de le rencontrer deux samedis sur trois, le professeur ne pouvant se déplacer jusqu'à Dovington que durant les week-ends.

Quatre entrevues suivirent celle de l'incinération de Jackson Pounds.

La relation entre les hommes s'améliorait. Boz plaisantait même sur ses propres lubies créatrices, il répondait aux questions de Franklin, sans hésitation, ayant certainement réfléchi à tous les sujets susceptibles d'être abordés. Boz était la prudence même. Ils ne parlèrent que de littérature. Aucune incursion dans la vie privée de l'écrivain. Le jeune homme lui apportait au compte-gouttes des noms d'auteurs qui devaient participer au même ouvrage. Le FBI faisait son possible pour ne lâcher aucun nom qui puisse être une connaissance du romancier.

Frank ne visita rien d'autre du manoir que le petit salon, la bibliothèque, le bureau et la cuisine. Il ne rencontra aucun ami de Boz, hormis le shérif qui apparaissait quelquefois pour siffler un verre.

Le sixième rendez-vous se passa assez mal. Manifestement, le dialogue s'enlisait. Franklin était à bout de questions censées nourrir son futur essai. Il courait le risque de lasser Boz et de le perdre.

***

Au septième rendez-vous, il décida de ne pas se présenter chez l'écrivain. Pour communiquer, Boz lui avait concédé un numéro de téléphone unique auquel répondait systématiquement une boîte vocale. Frank laissait des messages et Boz le rappelait à sa convenance, toujours depuis un téléphone public.

Le lundi suivant son faux bond, Frank laissa un nouveau message à Boz : *Des problèmes d'examens et de corrections en retard... Des leçons particulières... N'a pu appeler plus tôt... Désolé... Et cetera.*

– Mais, au demeurant, avança-t-il en fin de message, pourquoi ne viendriez-vous pas à Durrisdeer ?

Franklin l'invitait à visiter le château de Iacobs et les installations de l'université.

– Vous pourriez y dormir une nuit, tout à votre aise, de somptueuses chambres servent pour les rares hôtes.

Évidemment, ce n'était pas une invitation officielle avec accueil de la direction, présentation aux élèves, discours et tout... Néanmoins, si Boz le souhaitait, Frank avait quelques étudiants de sa classe de littérature qui pourraient l'intéresser et qui connaissaient certains de ses romans.

– Une discussion avec ces jeunes pourrait aider à l'avancée de nos travaux. Une sorte de confrontation entre générations... Je vous laisse y réfléchir.

Si Boz refusait, Franklin viendrait chez lui, comme d'habitude, le samedi qui suivait.

***

Le romancier rentra chez lui. Il marchait chaque après-midi le long du chemin de gravillon qui séparait sa maison du grand portail et de la boîte aux lettres. S'il ne pleuvait pas, c'était sa sortie et celle de ses rottweilers.

De retour à son bureau, il entendit le message de Franklin. Il déposa sur sa table de travail son courrier du jour puis chercha un cahier dans un tiroir. Il feuilleta ses pages noircies de notes avant de tomber sur un tableau tracé sur deux pages. Plus d'une trentaine de noms avec des adresses et des numéros de téléphone, de fax, de pager, et des adresses e-mail. Plus des détails personnels et des commentaires de la main de Boz.

Le maire de Concord
Le shérif de Deerfield
~~Des responsables du chantier d'autoroute~~
Des patrouilleurs des comtés voisins
Milton Rook
~~Steven Amstel~~
Toubiana et Larsen
Melanchthon
O'Rourke et Colby
~~Capitaine Harvex~~
Joseph Atchue
Doyen Mud
Stu Sheridan
Amos Garcia
~~Docteur Bitter~~
~~Basile King~~
~~Michael McEntire~~
Eva Pascuito

~~Chargé de Mission Andrew Drewberry~~

`Scott Lavender`

Ben O. Boz se munit d'un crayon et ajouta avec une règle, au bas du tableau, une ligne supplémentaire. Puis il réfléchit en s'enfonçant dans son fauteuil. Il regarda ses chiens, ses machines à écrire de collection, il alluma une cigarette et fit rouler son filtre d'un doigt à l'autre. Il s'aperçut que le crayon de papier appartenait au professeur. Il avait dû l'oublier lors de sa dernière visite.

Il se redressa et inscrivit le nom de Frank Franklin dans son tableau. Avec toutes les coordonnées téléphoniques et Internet qu'il lui connaissait.

Satisfait, il quitta son bureau et alla dans la cuisine s'ouvrir une bouteille de champagne glacé et une boîte de caviar. Il les savoura à sa table, l'esprit ailleurs mais heureux. La musique ambiante chantait la première courante de la *Suite anglaise* n° 1 de Bach.

Ensuite, il éteignit les lumières, se vêtit d'un manteau léger et sortit.

Une fois de plus, à la barbe du FBI qui encerclait son domaine, Boz disparut et quitta Dovington.

19

Franklin était chez lui à Durrisdeer, à attendre le romancier avec Stu Sheridan. Boz avait accepté son offre de venir passer deux jours à l'université. Il avait annoncé son arrivée pour le matin. Mais il faisait presque nuit. Et toujours pas de Boz.

– Il s'est peut-être égaré, répéta pour la énième fois Sheridan. Au reste, on ignore comment il se déplace. Il n'a pas de voiture, pas de permis de conduire. Il ne viendra plus.

Il se leva pour partir.

– On réessayera une autre fois. Plus tard. Soyons patients. Il se fatiguera avant nous.

Il quittait Franklin lorsque la sonnerie du téléphone de la maison retentit. Le colonel s'immobilisa. Frank lui fit signe, après avoir lu l'identifiant de numéro, que c'était un appel interne à l'université.

– Norris Higgins à l'appareil, professeur, entendit-il dans le combiné. Votre visiteur est arrivé.

***

Frank Franklin accueillit Ben O. Boz au pied du château de Durrisdeer.

Norris l'avait conduit dans son pick-up depuis le portail sud du domaine. Boz était apparu seul, avec une valise minuscule. Aucune voiture, pas de taxi, ni de bus, rien. Norris fut très frappé de découvrir cette silhouette de géant, au couchant, dans la pénombre, immobile derrière la grille.

– Je suis confus pour ce retard, dit le romancier, j'ai été retenu pour affaire.

– Cela n'est rien, fit Franklin. Bienvenue dans notre université et merci d'avoir accepté mon invitation.

Boz avait toujours cette poignée de main de cosaque. Franklin eut un frisson : était-il seulement convaincu que son traquenard pouvait fonctionner ? Après tout, il faisait entrer la bête auprès de ses étudiants.

Higgins leur souhaita une bonne soirée et retourna chez lui. Boz resta sur le parvis à estimer du regard la façade du château. À cette heure, aucune fenêtre n'était éclairée. Les seules lumières tombaient des lampadaires qui encerclaient l'esplanade.

– C'est d'un goût fantaisiste, jugea-t-il.

– Attendez de connaître la personnalité de Ian E. Iacobs, le fondateur de Durrisdeer, vous comprendrez mieux.

Les deux hommes gravirent les marches du perron et Frank ouvrit la porte de chêne. Le hall immense apparut, avec son escalier en fer à cheval et le portrait en pied de Iacobs, au beau milieu, devant sa charte. À force d'y vivre, Franklin avait oublié ses premières impressions, le baroque et la démesure des lieux. Boz fit un gracieux sourire.

– C'est trop beau pour être vrai. On voudrait s'imaginer une université tricentenaire, perdue dans les campagnes anglaises d'autrefois, hantée par des générations de fantômes de rejetons de la Couronne, on n'atteindrait pas une telle réussite. Un comte de Leicester en habit de revue ne déparerait pas sous ces ors.

Boz pointa le tableau.

– Et lui ? C'est votre Iacobs ?

– Oui, répondit le professeur. Tout un personnage.

– Pour oser se faire dresser le portrait avec un œil si impertinent, cela augure bien de l'homme !

Il était vrai que Iacobs arborait un air « déplacé » sur ses tableaux. Ses voisins de mur, d'anciens professeurs, affichaient tous une mine de... cadavres. Ce qu'ils étaient depuis belle lurette. Mais Iacobs, lui, se montrait l'allure toujours vivace.

Frank se proposa de porter le sac de voyage de son invité.

– Je vais vous conduire à votre appartement, lui dit-il en consultant sa montre. Il est déjà tard. Nous pourrons dîner chez moi, si vous le souhaitez.

– Bien entendu. Et nous reprendrons le travail. Je vous ai apporté des manuscrits. Des livres que j'ai renoncé à publier. Vous serez le seul à les avoir jamais lus.

Franklin se montra très flatté. Ils montèrent les marches et traversèrent la salle de bal, puis empruntèrent un escalier intérieur en colimaçon dans une des tours d'angle.

Franklin meubla de son mieux le silence qui s'était installé entre eux.

– La majorité des chambres du château ont été converties en bureaux pour les professeurs, mais les quartiers de Iacobs sont restés à l'identique. Comme sa bibliothèque, son bureau et certaines dépendances.

Boz observa les chandeliers et les tentures, les tableaux, les appliques, les encadrements de porte marquetés, les tapis interminables des couloirs.

– C'est un cadre magnifique pour enseigner.

– Les élèves adorent. Mais les professeurs beaucoup moins : tout est éloigné, en hiver le château est glacé, l'installation électrique est déplorable, il n'y a pas d'ascenseur pour ceux qui sont dans les étages...

Il ouvrit une double porte.

– Voilà.

Les appartements de l'ancien maître des lieux. D'abord, un salon à la moquette et aux rideaux ocre, des murs de bois très sombre, des canapés profonds et même un clavecin en acajou. Puis la chambre, vaste lit à baldaquin, des buffets et des penderies à ranger des cadavres. Enfin, la salle d'eau, avec baignoire sur pieds, carrelage d'antan et tuyauterie apparente.

Frank posa la valise, Boz alla se laver les mains.

– C'est presque un décor de théâtre, dit-il depuis la salle de bains. On espérerait des fantômes, des passages secrets, des oubliettes pour achever le tout.

– C'est tout à fait dans l'esprit de Iacobs.

Comme convenu, ils redescendirent pour rejoindre la maison de Franklin. Le professeur conduisit Boz à bord de sa vieille Coccinelle.

– Il se passe sans doute des choses par ici ? demanda le romancier qui regardait autour de lui. Des aventures, des disparitions, des assassinats, que sais-je ? Dans un cadre comme celui-là, avec des jeunes gens pleins de feu, tout doit pouvoir arriver.

Frank secoua la tête.

– Pas à ma connaissance. Hormis le suicide d'une jeune fille en 1959, retrouvée pendue dans le théâtre. Mais je ne suis là que depuis trois mois. Il y a sans doute des histoires que l'on me cache encore.

– Je la trouve assez inquiétante, cette forêt. Presque toutes le sont, d'ailleurs c'est un élément qui devient formidablement hostile à la nuit tombée. Je m'en sers souvent dans mes livres.

– Comme pour *Le Cercle des suicidés*. Je viens de me le procurer.

– En effet.

Ils arrivèrent devant l'ancienne maison de Mycroft Doyle. Boz y entra avec ses manuscrits inédits sous le bras.

***

À quelques dizaines de mètres de là, dans une unité mobile du FBI, Sheridan, Melanchthon, Colby et O'Rourke étaient devant une table d'écoute et une bardée de haut-parleurs qui rendaient les moindres paroles échangées entre Franklin et Boz.

Vous êtes confortablement installé ici... Et là, vous écrivez votre essai... C'est idéal... Vous vivez seul ?... Vraiment ? Je ne l'aurais pas cru.

Les agents de l'équipe « Dernier Mot » avaient dissimulé des micros dans tous les lieux où devrait se rendre le romancier pendant son séjour à Durrisdeer.

Mais la conversation du soir, le dîner y compris, se passa presque exclusivement à discuter de la vie et de la personnalité de Frank Franklin. Boz ne tarissait pas de questions sur sa mère retraitée en Arizona, ses études, ses amours, sa rencontre avec son éditeur, ses liens avec ses élèves, etc. Franklin dut énumérer ensuite la vie et les élucubrations de Ian E. Iacobs.

– C'est un lieu formidable qu'il s'est bâti là, dit Boz en parlant de l'université.

Trois heures plus tard, le romancier était raccompagné au château par le professeur. Ses nouveaux textes restèrent dans le salon de Franklin.

– Ne le quittez jamais ! ordonna Melanchthon à ses équipiers dans le van.

Elle était demeurée toute la journée avec eux à attendre Boz. Elle se préparait maintenant à rentrer.

– Je ne serai pas avec vous demain. Tenez-moi au courant en temps réel ! Vous me trouverez joignable en permanence.

Elle allait partir lorsque Franklin surgit devant le van.

– Il est dans sa chambre, dit-il en parlant très vite. Ses manuscrits, ceux qu'il n'a pas publiés, je les ai parcourus pendant que nous discutions. Ils traitent tous de la mort d'un membre du FBI. Il m'en a apporté sept. Ou comment ces agents ont été pris dans des accidents criminels.

Melanchthon, O'Rourke et Colby blêmirent.

– S'il se doute que nous sommes ici à Durrisdeer... c'est une provocation, gronda Patricia. Faites-m'en vite des copies. Je dois m'en aller. Un hélicoptère m'attend à la base militaire.

– Où allez-vous ?

– Au Rhode Island. La suite de l'enquête...

20

Le lendemain, ce fut le doyen qui conduisit Boz jusqu'à la salle de classe de Franklin ; la maisonnette de Mycroft Doyle dans la forêt allait servir à la rencontre du romancier et de quelques étudiants triés sur le volet par Frank.

Emerson s'était montré coopératif avec son jeune professeur. D'ordinaire, Durrisdeer ne recevait jamais de personnalités. Mais si, depuis la découverte de la liaison que Frank entretenait avec Mary, Agatha Emerson, folle de rage, complotait pour le faire renvoyer, Lewis, lui, était plutôt heureux de cette nouvelle ; il trouvait Franklin doué et intelligent. Son autorisation de laisser Ben O. Boz entrer à l'université était une faveur, une façon de lui montrer qu'il était secrètement de son côté.

Le doyen se fit tout cérémonies et flatteries académiques à l'égard de Boz, alors que, deux jours auparavant, il ignorait l'existence même de cet auteur de polars. Franklin trouva son empressement pathétique et ses sorties sur la noblesse de la littérature policière, creuses. Plus Emerson débitait son jargon et plus l'agacement gagnait le visage de Boz.

En entrant dans la classe, le romancier compta une douzaine d'élèves. Franklin le présenta et tous applaudirent. Le doyen accapara la parole dès la première occasion :

– Montrez-vous dignes de l'honneur qui vous est fait. Durrisdeer ne reçoit jamais d'invités, vous le savez. L'exception d'aujourd'hui, vous la devez à votre professeur. M. Franklin travaille avec M. Boz sur son prochain essai. Par vos questions, vous allez participer à cet échange entre ces hommes et je m'en réjouis.

Emerson n'était en rien au courant des menées de son professeur au profit du FBI. Il quitta les lieux, satisfait, pour laisser la conférence se tenir. Franklin prodigua alors des formules de bienvenue mieux senties que celles d'Emerson. Il présenta aussi les étudiants un par un.

Les élèves étaient ébahis par l'allure géante de l'auteur, son regard grave sous le crâne chauve, la barbe dense... Il émanait de sa personne une présence intimidante. Ben O. Boz ressemblait davantage à un héros de roman qu'à un romancier.

– Pour débuter, dit-il, je dois d'abord rendre grâce à l'un de vous. Lequel est David Pullman ? Puisque c'est par lui que Franklin a appris où j'habitais à Dovington et a donc pu me proposer de travailler sur son essai. Je lui suis redevable d'être parmi vous.

Silence. Franklin blêmit. Pullman. C'était le nom mensonger qu'il avait laissé tomber le jour de leur première entrevue. Pour justifier la découverte de son adresse. Boz ne l'avait pas oublié !

« Souvenez-vous, Franklin, il va chercher à vous tester, l'avait maintes fois prévenu l'agent Melanchthon. *Méfiez-vous. »*

Il avait complètement oublié ce détail. David Pullman n'existait pas.

Après un instant gêné et des regards dubitatifs de la part des élèves, Franklin partit dans une explication qui traitait d'un autre pensionnaire de la classe scientifique de miss Pot et qui ne pouvait assister à la rencontre d'aujourd'hui.

Cela sonnait creux. Boz devait s'en être rendu compte mais il ne releva pas et enchaîna avec un discours préliminaire : quelques mots sur l'inutilité de l'expérience des autres, particulièrement dans le domaine de l'écriture.

– Tous les conseils et les exemples de tel ou tel auteur ne valent souvent qu'une seule fois et dans un contexte très précis.

Il raconta ensuite ses premières années professionnelles.

Frank tomba des nues. Pas un mot sur l'éditeur Simon Abelberg, ni sur sa mère correctrice, ni sur ses années passées à écrire pour le compte d'autres noms, sur les échecs successifs. Rien de ce qu'avait expliqué le FBI. Boz s'inventait une vie.

Mais en revanche, comme Franklin s'y attendait, il insista longuement sur son obsession de la précision dans la narration, dans les développements de ses intrigues, dans l'authenticité de ses sujets. Il mentionna le célèbre peintre Ingres dont Baudelaire vantait la « rigueur de chirurgien ».

– Tout est là, dit-il. La rigueur du chirurgien. Cependant, je ne cherche à convaincre personne d'embrasser cette méthode. C'est la mienne, voilà tout. J'entends bien qu'elle puisse être discutée.

Franklin présenta quelques particularités de l'art de Boz avec des extraits. Puis vinrent les questions des étudiants. Principalement des interrogations tirées des bouquins de Boz.

– Vous dites vouloir être exact en tout, commença une jeune femme prénommée Laura.

Dans votre livre, *Faux et usage de faux*, un détraqué décapite de pauvres gens à l'aide d'une faux puis les découpe à la scie pour les faire disparaître. Il y a deux pages pleines de descriptions des empreintes particulières laissées par les dents de la scie sur les os. Jusqu'où poussez-vous votre perfectionnisme ? Vous avez vraiment *scié* des ossements humains ?

Rires.

– Presque, répondit Boz. Pour ce livre, j'ai utilisé des os de cochon et des os de cerf. Ils ont une densité similaire à celle des hommes.

– Mais si vous aviez pu expérimenter avec des os humains, l'auriez-vous fait ?

Il y eut un flottement dans la salle.

– Sans hésitation.

Silence.

– Une autre question ?

– Cette méthode tient-elle lorsque vous insufflez du fantastique dans vos récits ? Dans *La Destination des espèces*, publiée en 1997, vous évoquez un loup-garou. Un homme retrouvé assassiné à New York, complètement imberbe. Au cours de l'autopsie, on découvre ses poils rentrés sous la peau. C'est de la fantaisie !

– Croyez-vous ? C'est que vous concluez vite. Figurez-vous que j'ai écrit ce roman après un séjour à Paris.

– Ah ! Et l'on rencontre des loups-garous en France ?

La classe rit.

– Quelque chose d'approchant en tout cas, dit Boz.

Il était sérieux. Tous se turent.

– En fait, il existe un département secret dans les coulisses du musée de l'Homme, strictement interdit au public, où sont conservés des échantillons physiologiques d'humains « hors du commun ». Je parle d'enfants à deux têtes, de femmes à triple rangée de dents, ou de pauvres individus avec un moignon poussé en plein ventre, de véritables cyclopes, d'œil dans les narines d'un nourrisson. Toutes les déformations imaginables, mais surtout inimaginables, produites par la nature et récoltées depuis plus de deux siècles. Le loup-garou de mon livre s'y trouve lui aussi. Et, croyez-moi, la vision de ces minuscules bulbes à poils sous la partie intérieure de l'épiderme n'a rien de très impressionnant en comparaison du reste de cette foire aux horreurs...

La salle était sous le choc. Boz reprit :

– Mais dans *La Destination des espèces*, vous ratez ce qu'il y a de vraiment étonnant, à mon avis : la victime du livre est le conservateur d'un musée imaginaire très semblable à ceux de Paris et de Chicago. Il est retrouvé mort dans son laboratoire. De profondes entailles de morsure sur tout le corps. Après études et moulages des empreintes dentaires, l'on s'aperçoit qu'elles appartiennent toutes à ces têtes de monstres baignées dans les bocaux de solution formique. Certaines collections datent de la Révolution. Le pauvre conservateur a été dévoré par plus d'une vingtaine de mâchoires différentes... Aucune n'était humaine, au sens où on l'entend communément. Pas de salive. Rien.

Personne n'osa demander à l'auteur comment il s'y était pris pour rendre cet épisode authentique. Et chacun s'imaginait des choses répugnantes.

Boz souriait. À l'évidence, il savourait de présenter ainsi ses exploits devant un parterre de futurs romanciers.

Le frêle Liebermann posa une question qui relança le sujet.

– Dans votre roman, *L'Apiculteur*, vous ouvrez l'histoire avec une scène spectaculaire où un cadavre est retrouvé à l'intérieur d'une gigantesque ruche d'abeilles. Vous insinuez qu'elles se sont ruées sur lui et ont utilisé son corps comme structure pour bâtir leur nid.

– Oui.

Liebermann leva les mains au ciel.

– Voulez-vous nous expliquer *cela* ?

– Le docteur Kevin McGretten de l'université d'Édimbourg a isolé en 1997 la séquence ADN de l'abeille et les trois gènes qui président à l'agencement de leur habitat naturel, dont cet incroyable réseau d'alvéoles symétriques que tout le monde connaît. Mon personnage principal, un entomologiste un peu dément, se pique de corrompre cette séquence. Le résultat est que les abeilles mutent et développent désormais le besoin d'un corps vivant comme socle pour bâtir leurs ruches, qui sont désormais beaucoup plus vastes.

– Mais c'est de la science-fiction !

– Sans doute. Mais c'est que vous ne regardez pas là où l'auteur se doit d'être crédible !

– Et cela est ?

Boz fit un sourire à peine rentré.

– L'état du cadavre à l'intérieur de la colonie. À quoi ressemble un homme retenu depuis des mois dans une telle quantité de sucre et de cire ? En quoi le processus de décomposition est-il altéré ?

Un étudiant qui avait lu le roman répondit :

– Il ne pourrit pas.

– Exact ! lâcha Boz. Il gonfle même. Il enfle. L'élasticité des tissus est formidablement accrue.

Le sucre épaissit la peau et l'empêche de se rompre.

Liebermann reprit la parole :

– Et qu'avez-vous fait pour l'apprendre avec tant de certitude ? Vous avez immergé un malheureux dans une cuve de miel pendant des semaines ?

Les étudiants rirent de nouveau.

Pas Franklin.

Boz n'esquissa qu'un sourire.

– C'eût été une idée, dit-il. Encore fallait-il trouver... le miel en suffisance ! Non, plus sérieusement, un malheureux est décédé après un accident dans une distillerie d'alcool au Canada, il y a quelques années. Le pauvre a roulé dans un bassin de saccharification. J'ai étudié les photos du cadavre retrouvé au bout de six jours. Cela m'a amplement suffi.

Boz avait le chic pour scier ses auditeurs.

– Je vous trouve extraordinaire !

C'était un garçon du fond de la salle qui s'était levé et avait parlé ainsi. Oscar Stapleton.

– C'est vrai, vous avez choisi un parti original et très risqué. J'ai d'abord été rebuté par la longueur de vos descriptions, mais à présent je ne les vois plus du même œil. C'est prodigieux !

– Merci, mon garçon.

Il n'existait pas de mots plus doux à ses oreilles. Quelqu'un d'autre argua pourtant :

– Mais chez vous, monsieur Boz, les méchants ont la fâcheuse manie de s'en sortir, d'échapper à la sanction des lois... Vous qui vous prévalez d'être juste en tout, vous n'avez pas l'impression de rabaisser les inspecteurs de ce pays à plus bas qu'ils ne le sont réellement ?

Boz fit un non catégorique de la tête.

– Pour une arrestation spectaculaire et bien menée de bout en bout, combien de pistes se perdent par amateurisme, fainéantise, ou simplement à cause d'une déplorable organisation générale ? Si l'on ôtait des statistiques annuelles les cas résolus avec la seule grâce du « coup de bol » et qu'on publiait ce chiffre, les foules de ce pays céderaient à la panique !

Franklin revoyait Boz s'emporter un peu, comme la dernière fois à Dovington : sa voix avait forci, ses traits s'étaient crispés.

– Je soigne tant mon travail, les détails dans mes assassinats sont si irréprochables que j'ai dû subir des visites du FBI ! Ces zozos étaient convaincus que j'avais quelque chose à voir avec certains meurtres décrits dans les livres, sous prétexte qu'ils avaient de vagues rapports avec des cas réels. Pour eux, je devais y avoir participé pour pouvoir les décrire aussi justement. Voilà où en sont nos forces de police !

Franklin tressaillit. Boz jouait avec le feu. Redoutablement. Mais les élèves étaient pendus à ses lèvres.

– J'espère pour vous que vous aviez de bons alibis à leur présenter ! plaisanta Oscar Stapleton à la cantonade, pour détendre l'atmosphère.

Boz aussi se dérida :

– Grâce à Dieu, j'en avais, sinon nous ne serions pas en train d'échanger nos vues aujourd'hui. Dieu sait comment cela aurait fini ! Mais, jeune homme... ?

– Oscar.

– Oscar, sachez que des alibis ne valent pas grand-chose au final. Dans notre système judiciaire, un redoutable avocat est toujours plus précieux qu'un alibi en béton. On peut toujours démonter un alibi devant un tribunal. Un témoignage, corrompu s'il le faut par l'accusation, et il est à l'eau. Pour une bonne défense, si l'on devait imaginer le seul alibi parfait, la seule excuse valable... eh bien, ce serait d'être mort le jour où est commis le crime !

Rires.

– Autrement, il y aura toujours quelqu'un pour vous suspecter. Tant que vous n'êtes pas six pieds sous terre, vous courez un risque !...

La conversation allait en s'allégeant. Franklin avait lancé une sorte de jeu entre les élèves et Boz. Les premiers décrivaient un sujet de roman qui leur tenait à cœur et le second les aidait à imaginer des pistes de prospection pour arriver à connaître le sujet. Maîtriser le cadre. Ne rien laisser au hasard.

En gros, le don macabre de Ben O. Boz.

Au sortir du cours, professeur, élèves et invité partagèrent une collation dans le jardin autour de la maisonnette. C'est là qu'Oscar Stapleton trouva un instant pour s'entretenir seul avec Boz.

– J'aimerais vous parler, lui dit-il.

– Je t'en prie, Oscar. Je t'écoute.

– C'est un peu particulier... Nous sommes quelques-uns seulement dans la confidence.

– La confidence ? Diable ! La confidence de quoi ?

– Avant tout, je tiens à vous dire que je suis parfaitement en accord avec vous : un auteur se doit de faire feu de tout bois, de ce qu'il vit, de ce qu'il rencontre. Il est le propre matériau de son œuvre. Tout peut être rendu par la littérature, pas vrai ?

– On peut dire cela, oui. Mais où veux-tu en venir ?

Oscar approuva et reprit, nerveux :

– À l'évidence, vous n'êtes pas le genre d'homme à laisser échapper une bonne occasion. Aussi, vous pouvez nous donner de précieux conseils !

– Je ne sais pas encore.... Dis-moi.

Oscar Stapleton s'assura que personne ne pouvait les entendre.

– Nous sommes sur un projet.

– Oui.

– Voilà. Dans la forêt, l'hiver dernier... Nous avons trouvé un cadavre...

21

La voiture du FBI dans laquelle se tenait Patricia Melanchthon faisait le tour du pâté de maisons où se dressait le 7408, East Magdalena Drive, à Pawtucket dans le Rhode Island. C'était là que vivaient les parents de Patrick Turd. Le cadavre n° 25. Le probable complice de Boz retrouvé à Farthview Woods, près de Durrisdeer.

– Les voilà, patron !

Patricia était avec deux nouveaux éléments du Bureau. O'Rourke et Colby étaient retenus à Durrisdeer pour surveiller Boz.

Elle releva la tête. En effet, une Ford Taurus de 1989 beige et bleue s'arrêta sur le *front yard* des Turd.

– Ils reviennent de l'hôpital, ajouta le conducteur.

Le mari sortit en premier, ouvrit le coffre de la voiture, en dégagea un fauteuil roulant qu'il déplia puis soutint sa femme Adélie pour qu'elle s'y installe. Elle n'avait plus l'usage de ses jambes depuis trente-cinq ans. Tous les deux étaient vêtus de noir. Adélie ne cessait de pleurer, la figure enfouie dans un mouchoir. Ils rentraient d'une visite au Providence River Grand Hospital. Pour l'identification du corps de leur fils, remis la veille par le FBI à la morgue. Comme à chaque « restitution » des 24, les dates, les lieux, les circonstances de la découverte du corps avaient été maquillés par le Bureau pour ne pas interférer avec l'enquête sur les morts du 3 février.

Le couple, abattu, rentra lentement dans la maison.

Patricia soupira et dit :

– Allons-y.

Patrick Turd était né à Providence, le 25 août 1982. Son père David tenait une librairie de livres d'occasion héritée de sa mère, à Plat Place, près d'un centre commercial pharaonique en périphérie de Pawtucket. La mère de Patrick, Adélie, ne travaillait pas. Elle était handicapée des suites d'une poliomyélite antérieure aiguë à l'adolescence. David et elle étaient déjà ensemble à cette époque. Ils ne s'étaient jamais quittés. Leur vie avait été rude ; hormis cette modeste maison de Magdalena Drive, cédée par les parents d'Adélie, ils ne possédaient rien. Les revenus dérisoires de la librairie suffisaient à peine à nourrir la famille, payer l'essence et régler les assurances. Aussi n'avait-il jamais été question pour Patrick de suivre des études supérieures. Pas assez bon élève pour profiter des fondations boursières. À 17 ans, il entra en apprentissage dans une imprimerie. Puis le jeune Patrick rejoignit les équipes commerciales. Il devint représentant pour toute la Nouvelle-Angleterre. À bord d'une auto minable, il occupait le « petit cercle », c'est-à-dire qu'il allait présenter les nouveautés à toutes les librairies des petites villes, voire de véritables patelins paumés. Partout des établissements aussi branlants que celui de son père. Aussi savait-il comment leur parler et quoi leur vendre.

Où et quand était-il tombé sous la coupe de Ben O. Boz ? C'est ce que voulait découvrir Patricia.

Ce fut le père, David Turd, qui lui ouvrit la porte.

– Agent Patricia Melanchthon du FBI, dit la femme en brandissant son badge. Ce n'est certainement pas le moment, j'en conviens, mais nous aurions des questions à vous poser sur la disparition de votre fils. Des questions importantes. Afin d'accélérer l'enquête et de découvrir qui est derrière cette tragédie.

Les yeux rougis, la mine usée par le manque de sommeil, le père fit un pénible oui du front, résigné à tout, et élargit l'ouverture pour laisser entrer les trois agents.

Adélie Turd les vit apparaître, sans marquer une seule expression sur son visage, l'œil égaré dans le vide. Elle paraissait toute menue dans sa chaise à roulettes en fer. Presque une enfant.

Les Turd ne s'étaient pas montrés coopérants lors des précédents entretiens avec les agents de l'antenne du Rhode Island. Ils avaient déclaré la disparition et l'avis de recherche de leur fils un mois et demi après sa mort. Les deux parents étaient convaincus que Patrick pouvait avoir migré quelque part sur la côte Ouest et omis de les avertir. Il allait reparaître. La mort n'était pas une option pour eux. Dès que les policiers glissaient vers cette hypothèse, les Turd se renfermaient et ne lâchaient plus un mot.

Aujourd'hui, ce serait assurément différent, et Melanchthon voulait bénéficier du choc.

– Votre fils a été étranglé et battu à mort, dit-elle. Nous sommes très pauvres en indices, en détails sur sa vie quotidienne... Nous n'en savons pas assez pour établir des connexions... Si vous voulez que nous trouvions la vérité, il va falloir nous parler.

David secoua la tête.

– Que voulez-vous qu'on vous dise ? Patrick peut être tombé sur un maniaque, un déséquilibré. C'était un garçon adorable. Il n'a pas eu de chance.

– Voyait-il des amis ?

David soupira.

– Mon fils travaillait sans cesse. Vous n'imaginez pas ce que c'est... en voiture, toute la journée pour fourguer ses bouquins ! Cent vingt mille kilomètres par an au minimum. Quand se serait-il fait des amis ? Où ? Dans les stations essence ? Dans les motels minables ?

– Il détenait un studio à Providence. Venait-il vous voir ?

– Plus trop, non.

– Le travail toujours ?

– Pas seulement cela... Disons qu'il y a deux ans, nous nous sommes froissés... pour une broutille.

L'homme haussa les sourcils, et regarda sa femme avec beaucoup de tendresse. On ne pouvait savoir si cette dernière écoutait, suivait la conversation ou si son esprit vagabondait à des années-lumière d'ici.

Autour d'eux, la pièce était remplie de vieux meubles, de canapés usés montrant la corde, de lampes branlantes et de croûtes encadrées aux murs.

– Patrick s'était mis à écrire, reprit le père. La fréquentation des éditeurs, des libraires, tous ces livres sans doute... Il s'est senti, soudain, la vocation d'un romancier.

– Ah ! bien. Et que s'est-il passé ?

David rabaissa ses sourcils, au point de les froncer terriblement.

– Il m'a fait lire des fragments.

– Et ?

Il hésita.

– Et... je lui ai dit ce que j'en pensais. En toute franchise. Je vis dans les livres depuis plus longtemps que lui, je suis connu pour être un grand lecteur, ce qu'il n'a jamais été. Enfin bref, ces pages ne valaient rien et je lui ai déclaré qu'il devrait davantage les travailler avant de les présenter à ses patrons.

– Il l'a mal pris, je suppose ?

– C'est peu de le dire. Il m'a insulté, il a crié que je n'en savais rien, il a conclu que j'étais jaloux. Un raté de père, je faisais. J'ai trouvé qu'il allait loin, alors moi aussi, je me suis mis à vociférer.

Le père faisait un effort pour retenir ses larmes.

– C'est la dernière fois que vous avez parlé ensemble ?

– Non, non, heureusement... Patrick revenait pour les anniversaires de sa mère.

Melanchthon resta silencieuse un moment. Puis elle prit dans sa sacoche un dossier et dans ce dossier une photo. Celle de Ben O. Boz.

– Savez-vous si votre fils connaissait cet homme ?

David Turd essuya ses yeux avec un mouchoir et tira une paire de demi-lunes. Il examina Boz, attentivement.

– Non, fit-il. Jamais vu de ma vie. Désolé. Qui est-ce ?

Patricia se leva et, sans répondre, se dirigea vers la mère.

– Ma femme n'est pas en état, vous savez, protesta-t-il. Elle n'a pas dit un mot depuis la nouvelle, hier au soir.

Melanchthon se pencha vers la pauvre femme, la photo à la main.

– Madame, avez-vous déjà vu cette personne ? Votre fils la connaissait-il ? C'est important pour notre...

Adélie Turd avait pâli. Elle en lâcha son mouchoir qui finit à ses pieds. Patricia sentit comme un coup de fouet.

– Oui ? demanda-t-elle. Vous le connaissez ?

Les yeux de la femme élargis par les larmes prirent une intensité supplémentaire. Et soudain, sans dire un mot, elle fit oui de la tête.

« Nom de Dieu, pensa l'agent, on le tient ! »

– Mais de quoi s'agit-il ? demanda le père inquiet.

Le téléphone du salon retentit. Au bout de la sixième sonnerie, David Turd alla répondre. Melanchthon restait avec sa photo, habitée par un sentiment de puissance libérateur.

Le jeune Patrick, romancier apprenti, pouvait en toute logique avoir présenté ses travaux à Boz, avant de se laisser piéger. Cela se tenait très bien !

– Oui, ma chérie, disait le père à voix basse au téléphone. C'est bien lui. C'est son corps. On revient tout juste de l'hôpital.

Patricia regarda autour d'elle. Elle reconnut Patrick Turd sur une photo posée près du bras du fauteuil à roulettes. Il enlaçait tendrement une jeune blonde. Une fiancée peut-être ? Elle se prit à rêver à nouveau : la fille devait savoir beaucoup de choses sur le complice. Elle aussi pourrait être utile.

– La police est là, poursuivait le père. Oui, ils ont des questions au sujet de Patrick. La police... Hein ? Non, le FBI. Mais je n'ai pas retenu... Attends.

Il posa une main sur le combiné et demanda :

– Quel est votre nom, madame ?

– Mon nom ? fit Patricia.

– C'est ma fille. Elle voudrait avoir votre nom.

C'était inhabituel comme question.

– Agent spécial Patricia Melanchthon.

Le père répéta. Puis :

– Oui, ma chérie. On se rappelle. Je te rappelle dès qu'ils sont partis. Moi aussi.

Il raccrocha et revint vers Patricia.

– C'était ma fille.

Patricia tiqua. Elle vérifia son dossier sur Turd. La mention d'une sœur n'avait été posée nulle part.

– Votre fille vit-elle au Rhode Island ?

– Non, elle a trouvé un job, dans un autre État, il y a un an... Après son divorce.

Curieuse, Patricia attrapa la photo sur la table.

– Sa petite amie, peut-être ?

– Non. Non, justement, c'est notre fille. Abigaïl.

Là, Melanchthon bondit. Abigaïl !

– Abigaïl Burroughs ? lança-t-elle au père.

– Oui. C'est le nom de son mari. Comment le savez-vous ?

L'informaticienne de Stuart Sheridan. La fille des Archives ! La police d'État du New Hampshire. Patricia se précipita à nouveau vers la mère, photo de Boz à la main. Elle s'était enflammée.

– C'est votre fille, n'est-ce pas ? dit-elle. C'est par votre fille que vous connaissez ce type et non par Patrick !

Le visage blême, le regard hagard, Mme Turd répondit de la tête un second oui sans équivoque.

– Allons, que se passe-t-il ? répétait le père. Qui est ce type ?

Sans la moindre considération pour la détresse de ces gens, Patricia se rua hors de leur maison. Pas une explication, pas un au revoir.

« Nom de Dieu ! maugréait-elle. On se fait balader depuis le début. Le massacre des 24, c'était pour inclure la police du New Hampshire. Et Abigaïl Burroughs en experte des Archives, c'était pour inclure Stu Sheridan ! Et l'amener à Boz. Mince, c'est lui la cible ! »

22

Pendant ce temps, sur le campus de Durrisdeer, le romancier visitait le parc et les bâtiments en compagnie d'Oscar Stapleton et de ses deux amis, Jonathan Marlowe et Daniel Liebermann. Ces trois garçons composaient le triumvirat du Scribe Club.

Ils connaissaient, par l'entremise de Franklin et de Sheridan, la personnalité potentiellement meurtrière de Boz et les risques qu'ils encouraient à fomenter un « piège » contre lui. Mais ils avaient aussi été tranquillisés : le FBI était partout dans la forêt pour les surveiller et ils étaient couverts les uns et les autres de micros miniatures.

Grâce à eux, Ben O. Boz découvrit le théâtre à l'italienne de trois cents places, l'observatoire astronomique et la bibliothèque ultramoderne de l'université. Stapleton insistait sur l'aspect unique et très renfermé de Durrisdeer, il mentionna la charte laissée par Iacobs et le poids des traditions.

Oscar en vint à parler du fameux club littéraire qui perdurait de génération en génération, totalement indépendant. Le Scribe Club. Il raconta les simulations, les bizutages, les traquenards, les reconstitutions de telle ou telle œuvre, le cran et le degré d'organisation de ses membres depuis plus d'un siècle. Boz trouvait cela charmant. Les trois garçons lui firent la visite, en pleine forêt, des jardins allégoriques : l'Échiquier, le jardin des Roses et le labyrinthe de Thésée.

Le plateau de l'Échiquier faisait huit mètres par huit. Les pièces étaient de taille humaine.

– C'est notre ancien professeur de lettres Mycroft Doyle qui a mis cet échiquier au point, dit Oscar. Les pièces représentent des écrivains célèbres.

Boz reconnut le roi des blancs pour Platon et le roi des noirs pour Aristote. Il identifia Eschyle à son crâne chauve et fêlé, Cervantès à son bras en moins, Homère à ses prunelles aveugles, le jeune Goethe à ses patins à glace, et Shakespeare... à Shakespeare. Les reines sont de grandes inspiratrices, Aspasie de Milet et Aliénor d'Aquitaine.

Après l'échiquier vint le jardin des Roses.

– Encore une idée de Doyle, dit Oscar. Un hommage à l'œuvre du Moyen Âge de Meung et de Lorris, le *Roman de la Rose*.

Le jardin se composait d'un ensemble de treillages de roses qui se croisaient pour dessiner au sol une gigantesque rosace.

Vint enfin le labyrinthe. Il était constitué de haies de deux mètres et demi de haut, denses, impénétrables. Culs-de-sac, pistes circulaires, chemins parallèles, le dédale était réussi. À certains embranchements, des statues en plâtre de Thésée, de Minos et du Minotaure lançaient des regards furieux à ceux qui s'aventuraient jusqu'à eux. Mais les trois étudiants filaient, sans hésitation. Ils connaissaient la solution par cœur. Boz arriva au centre du labyrinthe : une espèce de cour circulaire gazonnée, avec un bassin d'eau en son milieu.

Il remarqua un cercle de pierres et les restes carbonisés d'un feu de camp.

– J'imagine que c'est ici que vous vous réunissez pour préparer vos exploits. Et, bien sûr, vous connaissez un moyen infaillible de fuir l'endroit en cas de mauvaise surprise.

Les garçons sourirent. Laborieusement pour Liebermann et Marlowe, qui se montraient davantage affectés par la présence du géant qu'Oscar, leur chef.

– Bien entendu !

Mais ils se gardèrent bien de lui dévoiler leur passage secret.

Un quatrième garçon arriva peu après. Macaulay Hornbill. Le garçon roux qui avait passé deux nuits perdu dans les souterrains. Sa fidélité au Club avait fait de lui un membre immédiat de la direction. Il se présenta puis Boz s'assit sur un banc.

– Heureusement que votre professeur Doyle ne s'est pas trop pris d'affection pour Dante, dit-il, vous auriez eu un théâtre d'eau saumâtre pour figurer le Styx ou des épouvantails de morts et de fantômes suspendus dans les arbres !

La plaisanterie tomba à plat.

– Justement, c'est du mort dont nous voulons vous entretenir maintenant, dit Oscar Stapleton.

Ah ! le mort.

C'était aussi ce dont voulait entendre parler Boz depuis la révélation du garçon.

Il remarqua que le chef du Club le regardait droit dans les yeux, alors que les trois autres hésitaient, se montraient plus gênés. Impressionnés par l'invité, ou par autre chose...

En fait, tous espéraient que les agents du FBI étaient parés à intervenir.

– Expliquez-moi. Quel cadavre ? lâcha le romancier.

Comme d'habitude, Oscar reprit la parole, au nom de tous les autres.

– Il y a un peu plus de quatre mois, un événement étrange s'est déroulé à une dizaine de kilomètres d'ici, sur un chantier d'extension d'autoroute. Nous avons entendu l'hélicoptère de la police d'État au cours de la nuit et, le lendemain, nous sommes allés inspecter près du site.

– Eh bien ?

– À ce qu'on a vu : des flics partout. Mais, ni à ce moment, ni plus tard, jamais un mot dans la presse, pas de rumeur dans la région pour expliquer ce qui s'était passé. On a fini par rebrousser chemin dans la forêt. C'est sur le retour que nous sommes tombés sur un indice laissé par Patrick Turd.

Là, Boz tressaillit. L'effet, le trait de Stapleton avait été parfaitement préparé avec Frank Franklin. Dire le nom. Dire le nom du complice. L'audace ne manqua pas.

– Quel indice ?

– Une carte de visite. Avec le nom de Turd, perforée sur une branche, à hauteur d'yeux. Il y avait un peu de sang dessus.

Boz resta silencieux. En apparence impassible, il tenait son poing gauche recroquevillé dans sa main droite. Les mâchoires bloquées, il rivait son regard sur le jeune Oscar, comme si les autres, le monde entier n'existaient plus, dénués d'importance face à ce qu'était en train de révéler le garçon.

– Continue, lui dit-il.

– Il y avait des traces de pas précipités dans la forêt, une course sans doute. Visiblement, le gars tentait de fuir quelque chose ou quelqu'un. Et il voulait qu'on le sache, ou qu'on le retrouve... Au cas où cela tourne mal. Cela explique la carte abandonnée.

Boz se mordit l'intérieur des joues.

– Vous avez présenté cet élément à la police ? demanda-t-il.

Oscar rit fort et regarda ses amis. Comme pour les motiver et leur rendre un air plus actif et concerné.

– Pas du tout ! C'était trop beau. Imaginez-vous ? Nous tenions un article formidable, un scoop pour le journal de Durrisdeer ! De quoi faire parler de nous dans toute la Nouvelle-Angleterre. Peut-être même le pays. Non, on ne dévoilerait rien à personne sans en savoir plus.

Boz ne commenta pas. Il questionna :

– Et après ?

– Et après, rien. Pendant trois semaines. Jusqu'à ce que Liebermann, ici...

Il désigna son ami qui fit un sourire pincé.

– ... jusqu'à ce qu'il trouve le corps. Pas très loin d'ici. Gelé. À moitié recouvert de feuilles.

– Cela s'est fait par hasard, crut devoir ajouter Liebermann très vite, mais il parut comme surpris d'entendre sa voix s'élever.

Boz l'examina droit dans les yeux. Oscar reprit, toujours en parfaite maîtrise de ses nerfs.

– Inutile d'être un légiste pour deviner qu'il avait été rudement étranglé, Patrick Turd.

Instinctivement, Boz desserra ses poings.

– Vous êtes certains que c'est bien le même homme ?

– Affirmatif. Sa carte de visite avait été glissée dans la poche arrière de son blue-jean avant qu'il ne l'abandonne dans les arbres. Des bouts de fibres concordent parfaitement. En revanche, le gars n'avait rien sur lui pour l'identifier, pas de papiers, même pas de clés ou de téléphone, ni d'argent. Rien. Pas même une autre carte de visite.

Boz prit alors le parti de sourire et écarta ses bras gigantesques.

– C'est stupéfiant comme histoire ! fit-il. J'en connais beaucoup qui rêveraient de se retrouver comme vous en plein dans un drame de cette envergure ! Un corps ? Un étrangleur ? J'imagine que le FBI vous a remis une médaille ?

– Le FBI n'en sait rien, monsieur Boz. Nous n'avons pas rendu le corps. *Il est toujours à nous.*

Il y eut un long silence après cette remarque pleine de morgue du chef du Scribe Club.

Subitement, le romancier manifesta un tic nerveux : un de ses pouces se mit à s'agiter.

– Vous plaisantez ? protesta-t-il. Vous savez ce que vous encourez ? Séquestration de corps ? Obstruction à une enquête criminelle ?

Oscar se dit que, s'il jouait bien son rôle, Boz allait certainement maintenant accomplir des merveilles.

– Où se trouve le cadavre ? demanda-t-il.

Les quatre membres du Club s'entre-regardèrent.

– Nous l'avions en premier lieu confiné dans la chambre froide des cuisines de l'école, dit Oscar. Bien planqué, je vous rassure, on ne risquait rien. Maintenant, pour encore plus de sûreté, il est retourné dans la forêt, hermétiquement empaqueté, et introuvable.

– Qu'est-ce que vous recherchez au juste ?

– La vérité.

Oscar debout et Boz assis, l'étudiant le dominait. Le romancier haussa les épaules.

– La quoi ?

– Nous sommes à présent quatre dirigeants et quatre membres actifs au Club. Nous allons travailler pour remonter sur cette affaire. Comme des détectives privés.

– Et dans quel but ?

– Le même que vous. Écrire un bon bouquin !

Nouveau silence. Boz fit glisser un regard appuyé sur chacun des garçons. Autour d'eux, le labyrinthe était si dense qu'ils semblaient coupés du monde.

– Et vous êtes les seuls au courant ?

– Oui. Secret et pacte du Club. Vous devenez et serez le seul informé.

– Pourquoi moi ?

Oscar se pencha vers le géant pour répondre.

– Nous aimerions que vous nous aidiez.

Boz eut un rictus réprimé.

– Comme ça ?

– Nous l'avons décidé à l'instant même où vous avez commencé à parler ce matin. Vous êtes sordide et curieux, jusqu'au-boutiste, pour que vos romans le soient eux aussi. C'est ce que nous recherchons. Nous vivons tous maintenant dans un roman à écrire : celui du meurtre de Patrick Turd.

L'étudiant se redressa, très sûr de lui. Il dit :

– Si vous refusiez notre proposition ou vouliez nous dénoncer aux autorités, nous nierions tout en bloc et vous serez sans aucune preuve, ni pièce à conviction, et devant quatre garçons déterminés. Nous détenons chacun un alibi en béton pour la nuit du 3 février !

Boz secoua la tête.

– Qu'attendez-vous de moi au final ?

Oscar sourit.

– Que vous nous secondiez dans l'enquête sur Patrick Turd ! Depuis Durrisdeer, nous ne pouvons pas tout. Nous disposons déjà de quelques informations sur le mort. Mais elles restent à vérifier. Et puis l'écriture. La rédaction de l'œuvre. Peut-être nous aideriez-vous à trouver un éditeur ? Ou à écrire une préface ? Bien entendu, nous ferons à la lettre comme vous nous l'avez expliqué tout à l'heure : lorsqu'on travaille sur du réel, il faut maquiller les noms, les lieux, les circonstances... Personne ne doit jamais remonter jusqu'à nous !

Oscar se campa devant Boz et croisa les bras, comme un type qui sait qu'il dépasse les bornes mais qui s'en fout éperdument. Mieux : qui en jouit.

– Qu'en dites-vous, monsieur Boz ? En sus, nous avons là, sous les yeux, un parfait sujet d'étude : la décomposition d'un corps dans les conditions du printemps du New Hampshire, en pleine forêt... Vous disiez en classe qu'un romancier se doit d'être précis et juste lorsqu'il écrit... Avez-vous déjà commis mieux que ça ?

Boz se leva, face à Oscar. Maintenant, il le dépassait de près de deux têtes. Un colosse.

– C'est risqué, fit-il.

– Mais le roman, au final, pourrait en valoir la chandelle !

Boz posa sa poigne droite sur l'épaule du garçon et dit, gravement mais avec un demi-sourire :

– Je dois réfléchir... Trouver une idée surtout. Comment, éventuellement, nous pourrions nous y prendre ensemble. Moi et vous quatre.

Un peu plus tard, lorsque les membres du Club firent leur compte rendu à Franklin et au FBI, ils dirent tous qu'à cet instant de la scène, ils avaient eu le désagréable sentiment, en considérant l'œil de Boz, que ce n'était plus eux qui le piégeaient, mais lui qui venait de trouver le moyen de les coincer...

Boz revint saluer Emerson et Franklin avant de quitter Durrisdeer. Il leur soumit une proposition :

– Je possède une collection particulière de véritables preuves matérielles de la police... issues d'anciennes enquêtes criminelles. Toutes authentiques.

Il se disait heureusement surpris du niveau des étudiants de ce matin, et voulait revenir et organiser une sorte de conférence, dans le théâtre de l'université, avec tous les élèves, pour conduire, aux côtés de Franklin, une démonstration des éléments classiques d'un roman policier ; en gros, la réalité peut-elle se fondre dans la fiction ? Il apporterait des exemples, des photographies de sa collection, et il se proposait aussi de faire une histoire de la médecine légale depuis le XVIIIe siècle : ainsi, les scientifiques et les historiens de l'école seraient concernés.

– Excellente idée ! s'exclama Emerson.

Un grand rassemblement de tous les étudiants dans le théâtre ? Des preuves matérielles ? Une histoire de la médecine légale ?

Franklin était inquiet.

– Disons dans deux ou trois semaines ? lui proposa Boz.

Là aussi, lorsque Franklin se retrouva avec les fédéraux, il avoua qu'à cet instant, il sentit que la situation lui échappait...

23

Au Hayes Building, dans le bureau du chef de la police, le colonel Sheridan, le lieutenant Garcia et l'agent spécial Melanchthon discutaient âprement du cas d'Abigaïl Burroughs.

– J'ai eu le temps de faire des recherches complémentaires sur son passé, dit Sheridan. J'ai là son dossier de candidature au poste de stagiaire pour nos archives. Il a été repassé plusieurs fois par le Centre et le Département de justice pour validation et certification avant son engagement chez nous l'an dernier !

Amos Garcia insista :

– La numérisation des archives de police, même très anciennes, reste un sujet sensible. Pour cette raison, il n'y a eu que des contrats passés avec des experts informatiques qui n'étaient pas issus de notre État, afin de ne risquer aucun conflit d'intérêt, qu'ils ne puissent surtout pas connaître les familles impliquées dans nos affaires. Abigaïl avait un dossier de candidature idéal : boursière à Seattle dans une université de programmation informatique, puis mariée à un type dans les logiciels lui aussi. Pas de casier.

Melanchthon visa une des pages de son dossier.

– Hormis cette fugue à 15 ans.

Sheridan parut surpris.

– Une banale escapade de trois ou quatre semaines ? C'est un classique chez les minettes de cet âge en pleine crise.

Melanchthon sortit une fiche de son dossier qu'elle tendit aux flics.

– Pourtant, le collège où elle étudiait a déposé une déclaration d'enlèvement ! Il y aurait eu des témoins expliquant que la fille avait été emportée de force dans un minivan noir immatriculé dans le Nouveau-Mexique.

Sheridan fit signe qu'il connaissait cet élément.

– C'est exact, mais Abigaïl Turd est reparue comme une fleur un mois plus tard, certifiant d'elle-même l'hypothèse de la fugue... Elle aurait voyagé dans d'autres États avec une amie. L'affaire a été classée. Pas de quoi fouetter un chat. Une fugue d'adolescente n'est plus de nos jours un cas qui pousse au litige. On n'allait pas la refuser dans nos services pour si peu !

– Pourtant... Personne ne s'est fatigué à pousser plus loin les investigations.

– Puisque l'affaire était classée !

Melanchthon secoua la tête, insatisfaite.

– On ignore qui était cette amie qui l'aurait accompagnée.

– Abigaïl n'a pas voulu donner son nom. Sororité estudiantine oblige.

– On ne sait pas plus où elle est allée et comment elle a vécu pendant tous ces jours, sans argent. Plus d'un mois, c'est long.

Elle marqua une pause.

– À quoi pensez-vous ? demanda Garcia.

Melanchthon se leva et alla observer la forêt noire par la fenêtre du bureau.

– Si l'on y repense aujourd'hui, dit-elle. Une disparition en août 1987. Dans le Rhode Island. Boz était déjà très actif à cette époque. Il pourrait bien l'avoir enlevée comme d'autres cobayes puis... chose unique : l'avoir relâchée ?

Sheridan et Garcia la regardèrent incrédules.

– La relâcher ?

– Oui. Abigaïl serait tombée amoureuse du romancier ? devenue sa maîtresse ? Il faut bien que cela arrive. Même avec Boz. Une liaison n'est pas inenvisageable. En raison de cela, à son retour, elle le protège grâce à son histoire de fugue. Plus tard, lorsque son frère cadet se met à écrire, avec qui croyez-vous qu'elle le met en contact ? Avec Boz. Leur entente aura mal tourné. Depuis le début, partout, c'est elle le lien dans notre enquête !

C'était Abigaïl Burroughs qui avait conduit les statistiques *via* ordinateur sur les vingt-quatre cadavres... les identités... et Ben O. Boz qui apparaissait à chacune de ses recherches !

Et ensuite, l'étude des romans. C'était encore elle qui, grâce au livre favori d'Amy Austen, avait atteint Boz.

Ses découvertes multiples ? Toutes liées à l'écrivain. Les dossiers policiers qui rejoignaient les fictions du romancier ? Encore elle.

– Et moi qui m'étonnais de la mémoire de cette jeune fille et de la puissance de recherche de ses logiciels !...

– Ajoutez à cela les fax d'identité que Boz a envoyés à Basile King au début, dit Melanchthon. Avec Abigaïl Burroughs, il tenait un espion au cœur du système policier. C'est pour cela que les 24 ont échoué là et non ailleurs. Grâce à cette fille, il savait tout ce que vous faisiez, Sheridan, mieux : il choisissait lui-même ce que vous deviez apprendre sur les 24 et sur lui ! D'une manière ou d'une autre, Boz est en train de faire son beurre sur notre dos. Il trafique. Et il vous pilote, colonel.

Sheridan secoua la tête.

– Mais... je ne comprends pas... il était hier même à Durrisdeer, s'il est en plein dans un complot contre moi, pourquoi perdrait-il son temps avec Frank Franklin ?

– Une digression. Une diversion. Un divertissement, allez savoir. En tout cas, maintenant vient la question à un million : avez-vous jamais mentionné l'existence de Frank Franklin devant Abigaïl ? Si oui, cela veut dire que Boz est au courant de tout et que le professeur n'a sans doute plus que quelques jours à vivre !

– Non, répondit tout de suite le colonel d'une voix forte. Je suis catégorique. Personne, hormis Garcia ici, n'est au courant de mon rapprochement avec le professeur de Durrisdeer. Et Abigaïl ne peut l'avoir deviné.

– Sûr ?

– Formel, je vous dis.

– Dans ce cas, je la fais arrêter sur-le-champ pour interrogatoire, en rapport avec son frère retrouvé étranglé dans la forêt ; elle finira par nous cracher le nom de Boz. Nous le tenons, notre auteur va se retrouver sous les barreaux à attendre la première chaise électrique disponible. Fin du roman.

Sheridan et Garcia se regardèrent, pas si convaincus.

– Vous avez dit qu'Abigaïl a appelé chez ses parents et demandé votre nom lorsque vous étiez chez eux ? reprit Stu. Si elle est telle que vous l'imaginez, complice du romancier, il y a fort à parier que Boz, à cette heure, est déjà au courant de votre passage chez les Turd et de l'étau qui se resserre sur lui.

– Où se trouve Abigaïl aujourd'hui ?...

Nulle part. Disparue depuis la veille. Ni chez elle ni chez ses parents. Ses amis n'ont plus aucune nouvelle depuis deux jours. Abigaïl s'est évanouie.

Un nouvel avis de personne disparue et d'appel à témoins fut lancé par la police.

24

Les trois cents étudiants de Durrisdeer étaient regroupés près du théâtre de Durrisdeer. La conférence avec Ben O. Boz devait commencer à 15 heures. La journée était magnifique, la foule joyeuse et détendue. On avait dressé des buffets dans le parc. Au loin, le château dominait la forêt en plein soleil.

– Apparemment, il n'est toujours pas sorti de chez lui !

Melanchthon venait d'avoir en ligne un de ses agents qui surveillait la maison du romancier. Franklin s'inquiéta.

– Il devrait être là au plus tard dans vingt minutes. S'il est encore à Dovington, il ne présentera jamais la conférence. Qu'est-ce qu'il fabrique ? Il sait pourtant que tout le monde l'attend !

Melanchthon fit un signe éperdu. Le professeur et elle se tenaient dans un sous-bois non loin du théâtre. Ils avaient vue sur tous les étudiants. Le FBI restait à l'abri des regards. Si un élève devinait sa présence, cela risquait de tout compromettre ; Boz pouvait être averti par une simple rumeur. Tout devait rester discret. Sheridan et quelques hommes à lui étaient là aussi, mais en dehors de l'enceinte de l'université, prêts à servir de renfort.

Franklin, Sheridan et Melanchthon étaient convaincus que le romancier allait tenter quelque chose aujourd'hui.

– Que décide-t-on ? insista le professeur. Et comment le toucher ? J'ai essayé de le joindre au téléphone mais je tombe sur sa boîte vocale.

Patricia avait intrigué afin qu'une dizaine d'agents supplémentaires lui soient affectés pour la journée. Elle ne voulait risquer aucun dérapage dans l'université. Mais s'il ne se passait rien, une fois encore, si Boz ne se montrait pas, l'inspection du budget du Bureau allait lui tomber dessus, arguant que les dépenses de l'équipe « Dernier Mot » étaient ruineuses et sans jamais aucun résultat.

Le doyen Lewis Emerson, inquiet lui aussi, décida de faire entrer tout le monde dans le théâtre. Il avait prévu de monter sur scène pour un discours liminaire de présentation de Ben O. Boz et de son œuvre à ceux de ses étudiants qui l'ignoraient. Le doyen avait demandé un texte de la main de Franklin qu'il apprit par cœur afin de s'avancer comme un champion de la littérature policière contemporaine. Si Boz ne venait pas au rendez-vous, Emerson en profiterait pour énoncer quelques vues sur l'université, dresser un bilan de l'année et dispenser ses recommandations pour les examens qui approchaient.

À 14 h 55, la salle était comble. D'une architecture très semblable aux théâtres en rond dits « italiens » du XVIIIe siècle, elle était pourvue d'un orchestre et d'une corbeille aux fauteuils tapissés de rouge ; le cadre d'Arlequin et les rambardes étaient couverts d'ors et de volumes baroques, la scène en bois foncé s'inclinait franchement vers le public. Trois cents places. Toute l'école. Vœu de Ian E. Iacobs.

Frank Franklin entra parmi les derniers, accompagné de Mary Emerson. L'humeur dans la salle était enjouée et chacun s'attendait à ce que le « barjot de romancier », comme l'appelaient certains des élèves de Franklin, fasse des révélations sur des affaires criminelles ou des procédures de la police. Certains disaient qu'il apporterait un couteau ensanglanté ; d'autres, une tête coupée.

Frank préféra demeurer avec Mary près de la porte de sortie. Il ne voulait pas s'éloigner au cas où Boz apparaîtrait. Il était calme. Un peu déçu, naturellement. Boz leur glissait entre les doigts. Il se dit que...

– Oui, au fait ?

Il fronça les sourcils et s'élança entre les rangs des spectateurs.

– Qu'y a-t-il ? lui demanda Mary.

Précipitamment, Frank gravit l'escalier du théâtre pour inspecter la corbeille. Là encore, il observa les personnes assises et redescendit, la mine encore plus contrariée.

– Les membres du Scribe Club, murmura-t-il. Oscar, Jonathan, Daniel, Macaulay ! Ils ne sont pas dans le théâtre. Aucun d'eux !

Mary était au courant de ce qui se tramait autour de Boz avec le concours du Club.

– Ce n'est rien sans doute, dit-elle. Ils peuvent être dans les coulisses.

Franklin se passa la main sur le bas du visage, tentant de trouver une raison plausible à leur absence.

– Ne t'inquiète pas, dit Mary. Ils savent les risques qu'ils courent.

– Ils n'ont pas de micro. Ils ne...

Au même moment, on agrippa le bras de Franklin pour le faire se retourner.

C'était Patricia.

– Venez !

Il sortit, suivi des yeux par la jeune Emerson qui n'approchait jamais de Melanchthon.

Ils restèrent dans le foyer, face aux portes grandes ouvertes sur le parc.

– Je viens à l'instant de recevoir un coup de fil d'Ike Granwood, dit Melanchthon.

– Pourquoi ?

– On abandonne *tout*. Ordre du grand boss. L'équipe « Dernier Mot » est dissoute, dissolution effective immédiatement...

– QUOI ?

Franklin cria presque.

– Expliquez-vous !

– Ce matin, une quinzaine de rédactions de journaux et de télévisions à travers le pays ont reçu une enveloppe pleine de documents. Des photos du massacre du 3 février ! Les noms des cadavres ! Les dates de leurs disparitions ! Plus les détournements circonstanciés du FBI pour conserver les corps sans prévenir les familles ! En sus, tous nos mensonges sur les premiers comptes rendus que nous avons effectués. Granwood me dit que les articles vont tomber dès demain. C'est un scandale catastrophique pour nous !

– Boz ?

– Qui d'autre ? Le fumier a même eu l'astuce de ne pas mettre les mêmes données dans les enveloppes. Chaque journal va avoir son petit bout d'exclusivité rien que pour lui ! Cela va faire toutes les unes ! Et le FBI n'a aucune explication prête, encore moins d'affaire criminelle qui se tienne et qui justifierait ses silences. « Dernier Mot » était une cellule officieuse, bordel ! La liste noire où figure Boz ne peut pas être dévoilée au public ! Ils s'apprêtent tous à valser à la direction. Déjà trois têtes sont tombées à Quantico, et Granwood prévient que ce ne sont que les premières ! En gros, demain, j'aurai rendu mon badge...

Franklin regarda le parc et le théâtre. Il était 15 heures pile.

– Mais pourquoi aujourd'hui ? Pourquoi maintenant ? Où sont vos hommes ?

– Dans le bus. Granwood a lancé l'ordre de repli. Il n'y a pas d'affaire Boz, il n'y a donc pas de surveillance de Boz. Manquerait plus qu'un élève de l'école nous voit et nous dénonce aux journaleux.

– Qui reste-t-il ?

– Moi, et Colby et O'Rourke qui me sont fidèles.

Frank soupira.

– Nom de Dieu. Au fond, si Boz ne se présente pas, ce sera pour le mieux.

Ils restèrent silencieux. Dans la salle, Emerson avait entamé son discours.

– Cela va être difficile de poursuivre les entretiens, dit le professeur. Il va encore vous échapper !

– Il faut tout arrêter. Surtout ici, nous jouons avec la vie des membres du Club.

– Vous ne voulez plus qu'on lui remette un corps et qu'on le confonde avec Turd ?

Melanchthon secoua la tête.

– Non. Le piège pourrait se retourner contre nous.

Un coup de feu retentit dans la forêt. Clair et net. L'agent et le professeur se figèrent. Personne ne l'avait entendu dans le théâtre.

Cela venait des jardins allégoriques.

Frank songea tout de suite aux absents du Club. Il perçut le danger et partit en trombe dans cette direction.

– Franklin, non !

Le professeur courut à toute vitesse, dévalant la pente de gazon vers le bord de la forêt. Il traversa l'Échiquier et le jardin des Roses, déserts, avant d'atteindre l'entrée du labyrinthe de Thésée. Des mouvements ! Il devinait des pas précipités derrière les haies. De même qu'une impression de lutte et de cris étouffés.

– Merde, merde, merde, murmura-t-il. Tout cela est de ma faute.

Il pénétra dans le labyrinthe.

Un horrible méandre. Frank ignorait complètement où il allait, il butait contre les culs-de-sac et les retours au point d'origine ; il essaya d'éventrer les haies pour voir au travers, mais elles étaient trop denses. Il recherchait des marques au sol, tendait l'oreille. D'autres bruits lui parvinrent. Des gémissements peut-être. Il redoutait de trouver un de ses étudiants blessé. C'était une certitude, il n'était pas seul et le coup de feu venait d'ici.

C'est à ce moment qu'il entendit des sifflements. Répétés. D'abord difficiles à identifier. Puis, tout près de lui, des feuilles et des brindilles volèrent en éclats. Il se jeta au sol.

On lui tirait dessus. Pistolet avec réducteur de son. Les tirs balayaient en tous sens, les balles perforant plusieurs haies d'affilée.

L'une d'elles le frôla. Des feuilles lui tombèrent sur la tête. Devait-il crier ? Mais qui appeler ? Il serra les poings et attendit que cela cesse. Des pas approchaient. Derrière lui ? Tout proches, en tout cas. Le cœur de Franklin s'emballa. Il rampa jusqu'au virage suivant, mais, là encore, il était pris dans une voie sans issue.

Les pas derrière lui étaient accompagnés d'une respiration haletante. Quelqu'un de perdu ? Franklin se rua vers la statue de plâtre d'une Phèdre piquant des feuilles de myrte. Il lui arracha un bras et s'élança pour le fracasser sur la tête de son poursuivant.

C'était Mary.

Elle allait hurler mais il plaqua sa main sur ses lèvres.

– Je connais la solution du labyrinthe, lui dit-elle à voix basse après qu'il l'eut libérée.

Il n'y avait plus aucun tir, et plus de bruit.

– Allons-y doucement.

Frank glissa à sa suite entre les haies. À chaque virage, il craignait de tomber sur un cadavre ; à chaque statue, il pensait voir leur adversaire arme au poing.

Ils arrivèrent au cœur du jardin secret. Le cercle dégagé, le plan d'eau, et une haie entièrement ouverte en deux. Derrière se trouvaient une grille entrebâillée, trois petites marches, et l'entrée d'un tunnel.

– C'est un des passages vers les souterrains qui mènent au château, dit Mary.

– Des souterrains ? Mais quels souterrains, bon sang ?

– Certains datent de Iacobs. Ils entourent le bâtiment. Celui-là est un des plus anciens.

Frank tombait des nues.

– Mais comment Boz peut-il connaître une chose pareille ? Il n'est venu qu'une fois et...

– S'il tient un des membres du Club à sa merci, il n'a rien besoin de savoir. Les souterrains de Durrisdeer, c'est le territoire du Scribe Club. Ils les connaissent comme personne !

Franklin trouva un pistolet abandonné sur une marche. Vide. Sans silencieux.

– Celui du premier tir, sans doute.

Il allait se précipiter dans le tunnel, mais Mary l'en empêcha.

– Attends. Je sais où ça mène au château, lui dit-elle. On arrivera plus vite en passant par le parc.

Frank approuva. Il regrettait de ne pas avoir ses deux armes avec lui.

Ils coururent vers la sortie du labyrinthe.

Que faire maintenant ? Se ruer dans le souterrain et surprendre Boz à l'autre bout du tunnel ? L'arrêter à mains nues ? Il ignorait quoi décider. Il ne faisait qu'obéir à sa colère. La colère de se retrouver face à lui, le FBI évanoui.

À la sortie du jardin, ils tombèrent sur Patricia au téléphone.

– Il nous faut des renforts ! lui lança Franklin. Rappelez tout le monde.

– Vous avez aperçu Boz ?

Frank fit signe que non ; il saisit sans ménagement l'arme qu'elle tenait à la main et courut vers le château avec Mary.

– Franklin, non ! cria de nouveau l'agent.

Mais il était déjà loin avec Mary.

– J'ai grandi ici, dit essoufflée la fille d'Emerson. J'en sais presque autant qu'Oscar et les autres sur les souterrains.

Ils passèrent loin du théâtre où Lewis Emerson récitait son portrait élogieux de Ben O. Boz.

Ils entrèrent dans le hall du château. Mary se précipita au centre de l'escalier en fer à cheval, elle renversa le livre de la charte posé sur son lutrin et agrippa le grand tableau de Ian E. Iacobs.

– Aide-moi ! dit-elle. C'est lourd.

À deux, ils saisirent le cadre en bois massif et le tirèrent. Il roula lentement, crissant un peu, comme une porte de sanctuaire.

– Arrête ! dit soudain Franklin à mi-ouverture. Fais attention !

Sur le panneau intérieur de la porte, ils découvrirent l'étudiant Oscar Stapleton atrocement crucifié, ses vêtements imbibés de sang, la tête penchée, sans vie. Le chef du Scribe Club avait trois impacts de balles au thorax.

De nouveau, Frank se précipita pour étouffer le hurlement de Mary qui se laissa glisser à terre.

– Je ne veux pas y aller... gémit-elle. Je ne veux plus... qu'est-ce qui se passe ?

– Tu dois me conduire, Mary. Relève-toi. Je ne peux rien faire sans toi. Il faut agir, je t'en prie ! Il peut en tuer d'autres. Emmène-moi au souterrain.

La fille finit par se redresser, plus automate que décidée. Elle manqua de vomir en effleurant le cadavre de Stapleton.

Franklin, l'arme de Melanchthon au poing, toucha le sang du jeune homme, il était tiède.

Il faisait nuit noire. Mary tâtonna de la main sur la paroi et trouva un interrupteur. Des ampoules s'illuminèrent. Nues au bout d'un fil. La porte ouverte produisait un puissant courant d'air. Les sources de lumière se mirent à osciller.

Frank et Mary descendirent une trentaine de marches. Ils étaient essoufflés, leurs chemises en eau. Ils arrivèrent dans une salle tapissée de moquette aux motifs indiens.

D'autres alcôves d'inspiration coloniale anglaise ou même médiévale se succédèrent. Puis l'humidité, la pénombre s'intensifièrent. Les vieilles pierres moussues reprenaient leurs droits. Et toujours de petites ampoules nues qui se balançaient sous la voûte comme des pendus.

Il y avait par endroits, dans les parois, des niches naturelles, ouvertes par de très anciens éboulements de terre. C'est dans l'une d'elles que Franklin retrouva le corps pelotonné et mort de Liebermann. Une balle à la tempe droite. Tassé comme un chiffon dans le peu d'espace. Le pauvre garçon ressemblait à un fœtus.

Frank prit soudain conscience de l'absolue catastrophe. Durrisdeer, les élèves, les parents, le scandale, le retournement imprévu contre le FBI...

« On a laissé Boz en arriver là... se dit-il. Finalement, on lui a tout offert sur un plateau... »

Frank n'avait jamais senti battre son cœur si brutalement. Le flingue dans sa main tremblait. C'était ses élèves qu'il égrenait sous ses yeux, ses élèves assassinés.

Mary aperçut à son tour Liebermann. Cette fois, elle bascula en avant et vomit.

– Continuons, je t'en prie, dit Frank. Il nous reste une chance d'en sauver deux.

À un croisement de tunnel, elle montra une porte en fer entrouverte.

– C'était le coffre de Iacobs, chuchota-t-elle. Après sa mort, on y a retrouvé plus de cinq cent mille dollars de l'époque. En or. Une fortune.

Franklin dégagea l'entrée. Au sol, dans le coffre en béton : un tout nouveau membre du Scribe Club, Macaulay Hornbill. Lui aussi froid comme ses frères de jeu.

Mary commença d'avoir des palpitations. Elle peinait pour respirer.

– Je ne peux plus, dit-elle.

Elle glissa de tout son long, le dos contre un mur.

– Je ne ferai plus un pas.

Elle montra le chemin de droite.

– C'est par là. Plus très loin. Je remonte. Je remonte, pardon...

Elle se remit sur pied et partit en sens opposé. Elle avançait comme une ivrogne, rebondissant contre les parois du tunnel, à bout de forces.

– Fais attention !

Franklin dit cela avec une terrible appréhension. La laisser seule ? Sans savoir où rôdait Boz ?

Il décida de foncer. Droit dans l'obscurité. Les ampoules étaient de plus en plus espacées. Elles finirent par disparaître complètement. Remplacées par de petites ouvertures en hauteur d'où entraient un peu d'air et le rayon bleu du jour.

Dans le halo d'un de ses éclats, Franklin trouva une combinaison. Une combinaison d'homme en PVC noir. Elle était trempée. Du sang. Lui aussi encore tiède.

Plus loin, un tranchet de boucher. Ensanglanté. Et puis, une main. Sectionnée net. Franklin avait beau respirer à pleins poumons, il se sentait lui aussi manquer d'air...

Il heurta du pied la tête de Jonathan Marlowe. Décapitée. Le restant du corps avait été jeté en travers du tunnel.

Un point lumineux apparut au loin. Fixe. Franklin était au bout du souterrain. C'était la grille du labyrinthe de Thésée. Et pas de Boz...

Pas de Ben O. Boz. Nulle part. Les yeux de Franklin s'embuèrent, à la fois de peur, de colère et de haine.

Il reprit la route à l'envers pour rejoindre Mary et l'aider à atteindre la sortie. Il la retrouva en haut de l'escalier à observer médusée le corps sans vie d'Oscar Stapleton, cloué à la porte de bois comme un martyr.

***

En le revoyant apparaître, Melanchthon trouva Franklin en sueur, les mains couvertes de terre, le bas de pantalon maculé de boue et d'un peu de sang.

– Ils sont morts, dit-il d'une voix blanche.

Franklin regarda l'immense parc vert qui se présentait au pied du château. Sheridan et ses gars de renfort arrivaient. Seulement maintenant ! À part eux, tout était vide. L'université était regroupée dans la salle de spectacle.

Le professeur tressaillit.

– Mon Dieu, il faut les prévenir. Vite. Que personne ne sorte ! Boz est toujours dans les parages.

Ils coururent jusqu'au théâtre. En poussant la porte d'entrée, Franklin eut un horrible coup au cœur. Il entendit la voix de Boz.

« Ce n'est pas vrai !... »

Le romancier était bien là. En scène. Devant tous les étudiants silencieux. Il avait posé sur une table une valise dont il tirait les accessoires de sa démonstration sur la médecine légale. Il portait un costume deux-pièces beige. Très estival.

Franklin, lui, ressemblait à un homme réchappé d'un glissement de terrain. À ses côtés, Melanchthon était aussi interdite.

– Il s'est servi du labyrinthe pour nous faire entrer dans les souterrains, lui dit Frank. Un vieux truc de rabatteur. Et l'on est tombé en plein dedans. Je vous parie que ce fumier avait à peine quelques minutes de retard pour son discours...

À ce moment, Boz l'aperçut depuis l'estrade.

– Ah ! Voici notre professeur Franklin, cria-t-il. Vous êtes en retard, mon ami. J'espère pour vous que vous avez un bon alibi !

Toute la salle gloussa.

25

Trois jours avaient passé et les conséquences du massacre de Durrisdeer et des révélations anonymes de Boz sur les pratiques du FBI ébranlèrent le pays et précipitèrent la chute des différents protagonistes de l'affaire.

Le FBI, en premier. La cellule « Dernier Mot » fut démontée, à l'abri des regards du public. Il n'existait aucun document officiel à Quantico ou au QG de Washington sur son existence, aussi les perquisitions diligentées par le Sénat, suite aux plaintes des familles, ne donnèrent-elles rien. La révolte des proches des victimes devant les manipulations du Bureau mit le feu aux poudres. Le FBI tenta de justifier ses actions par la théorie fumeuse d'une secte, puis d'un lien terroriste. Des sujets d'enquêtes qui ne convainquirent personne. Un embrouillamini dans la communication ne fit que sceller le destin des dirigeants du Bureau. Un procès sans précédent se préparait. Ike Granwood fut démis de ses fonctions et envoyé en retraite anticipée. Quarante cadres se trouvèrent mis à pied.

Nulle part Ben O. Boz ne fut mentionné. Nulle part le lien avec les sept pertes d'agents ne put être mis au jour. Le FBI craignait la réaction de la presse en apprenant cette affaire de suspicion envers un seul et même homme, un romancier, qui échappait aux enquêteurs depuis plus de dix ans.

L'université de Durrisdeer fut fermée le lendemain du massacre. Les étudiants dispersés vers d'autres universités pour passer leurs examens finaux.

Stu Sheridan, Frank Franklin et Patricia Melanchthon étaient aujourd'hui réunis dans le bureau du colonel au Hayes Building, énumérant les éléments de leur défaite.

La police d'État du New Hampshire s'en sortit plutôt bien. Il fut très vite mis au clair que la direction du FBI avait volontairement pris le dessus sur les enquêtes locales des vingt-quatre morts du 3 février. Dédouanant ainsi Sheridan et ses hommes. Seuls les habitants de Concord furent émus qu'on leur cache un massacre d'une telle ampleur à quelques kilomètres de chez eux. Les parents des victimes envoyèrent aux flics de véritables lettres d'insultes pour leur avoir dissimulé la découverte du corps de leur parent. Comme prévu, Sheridan reçut un appel de la vieille tante d'Amy Austen. Elle le maudissait.

Pour Frank Franklin, il ne fut suspecté en rien. Et pour cause. Aucun lien avec Boz, donc aucun lien avec Franklin. Sa conscience seule était en miettes. Il avait fait périr quatre de ses élèves. À Durrisdeer, il avait dû recevoir en personne les parents des victimes, et tâcher de trouver les paroles adéquates. Bien qu'il sache qui se cachait certainement derrière la tragédie, il ne pouvait rien en dire, faute de preuves. Il ne pouvait même pas mentionner son implication dans ce qui avait fini par arriver. Ce grief le rongeait de l'intérieur. Il n'en dormait plus.

– Je ne peux concevoir comment Boz s'y est pris pour s'être aussi bien couvert ! pesta alors Sheridan dans le bureau. Cela semble un jeu d'enfant pour lui.

L'enquête sur la mort des quatre étudiants ne donnait rien. Aucune trace du tueur. Boz fut interrogé comme tout le monde, mais en vain. Et il avait deux alibis :

– L'enregistrement de la caméra de surveillance du portail est formel, dit Melanchthon, il est arrivé en taxi à Durrisdeer, à 14 h 15. Norris Higgins est venu le prendre avec son pick-up. Ensuite, ils sont allés chez le régisseur pour boire un verre et papoter. Higgins jure ses grands dieux que Boz ne l'a pas quitté un instant. Ils ont parlé bouquins et gestion du domaine. Puis Higgins l'a amené au théâtre pour la conférence. Alibi numéro un.

– Alors Boz est passé à Durrisdeer plus tôt pour piéger les membres du Scribe Club ! dit Franklin.

L'autopsie des cadavres évalua une fourchette de moins de trois heures pour dater leur mort, mais l'air humide et vicié des souterrains avait déjà corrompu le processus de décomposition et imposé un flou scientifique qui tombait mal.

– Sans doute, répondit Melanchthon. Mais il faudrait le démontrer. Pour l'instant, il peut dormir sur ses deux oreilles, le maniaque ! Il a Higgins et trois cents étudiants dans un théâtre. Alibi numéro deux. Et de notre côté, plus personne n'enquête sur lui ! Je crois même qu'on détruit les dossiers le concernant.

Franklin secoua la tête.

– Le seul point tangible, c'est le premier coup de feu ! Celui qui nous a attirés jusqu'au labyrinthe. Il doit l'avoir effectué ! Et il n'était pas encore au théâtre.

– Oui, nous le savons, dit Melanchthon. Encore une fois, cela ne suffit pas. Comme toujours. Pas de traces, pas d'empreintes, son costume ne présente aucune marque de poudre. On a un pistolet, oui. Mais, de surcroît, ce n'est pas celui qui a servi à tuer ! Et la combinaison PVC ne donne rien de plus.

Il y eut un silence. Le bilan était calamiteux.

– Notre plus lourde erreur, dit enfin Sheridan, c'est d'avoir mis de côté ces vingt-quatre cadavres. On s'est obnubilé sur Boz, sur ses faits et gestes, sur nos moyens de le coincer. Et tout le début de cette affaire, on l'a passé sous silence. On ne lui a jamais trouvé de sens, à ce massacre ; on s'en est accommodé.

Melanchthon haussa les épaules.

– Il paraissait évident, pour tous, qu'en liquidant ainsi ses cobayes, en laissant découvrir son bunker et ses vidéos, Boz se débarrassait à peu de frais d'une vieille histoire.

– Mais il ne terminait rien ! insista le colonel. C'était un début, ces 24... C'était son grand début, et l'on n'a rien vu...

Nouveau silence.

Ce fut Franklin qui reprit la parole.

– C'était même son appât.

– Quoi ?

– Je ne suis pas un spécialiste, mais pour coincer des *serial killers*, agent Melanchthon, c'est généralement par l'orgueil qu'on s'y prend, n'est-ce pas ? On le pousse à la faute. Pas vrai ?

– Oui, répondit-elle. On contrecarre ses plans, on le rend fébrile, on le pique dans sa fierté jusqu'à ce qu'il craque. Dans la précipitation, il finit toujours par commettre l'erreur qui nous le livre.

– Eh bien, si l'on y réfléchit, c'est exactement ce que Boz a fait avec vous ! fit Franklin. Il vous a éblouis, vingt-quatre morts, pensez donc ! Il a fait mine de vouloir communiquer, il a lâché de faux indices derrière lui, histoire de trahir de prétendues faiblesses, et vous, vous avez couru ventre à terre, persuadés d'avoir les cartes en main. Vous décrétez l'embargo général, vous faites l'inverse de ce qu'il semblait souhaiter ! Vous avez cru le coincer par votre méthode habituelle et c'est lui qui vous a eus, au même péché d'orgueil. Comme un *serial* l'aurait fait sous une pression identique, vous avez commis une erreur. Sans doute celle qu'il attendait !... Quelque chose d'outrancier... Planquer les corps ? Faire disparaître les 24, ne rien avouer aux familles ! Vous voilà pris à votre propre méthode, et tombés sous vos propres armes. L'orgueil.

Il sourit tristement.

– Et où est Boz aujourd'hui ? demanda-t-il.

– Sitôt libéré des interrogatoires à Durrisdeer, il s'est envolé vers les îles Turquoises, pour une dizaine de jours, dit Patricia. J'ai vérifié, il n'a pas encore de nouveau livre annoncé chez ses éditeurs.

– Cela ne va pas tarder.

Franklin sortit son téléphone portable, ainsi que deux feuillets.

– Hier, j'ai reçu, au même moment, un e-mail, un SMS et un fax. De sa part. Ils disent qu'il revient sur son adhésion à mon projet d'essai.

Sheridan leva les bras au ciel.

– C'est évident ! Il sait tout maintenant. En supprimant ces quatre gamins, il ne leur a sans doute pas fait juste cracher les entrées et les astuces des souterrains de Ian E. Iacobs ! Il sait ce qu'on a essayé de monter avec Frank Franklin. Il sait que le Club ne possédait pas le corps de Turd. Il sait que nous avons voulu le piéger.

– Oui...

Melanchthon se tourna vers le jeune homme.

– Qu'allez-vous faire, Franklin ?

– Je l'ignore... Je ne dois plus compter sur une protection du FBI, n'est-ce pas ?

Nouveau silence.

Patricia dit :

– La première fois que vous l'avez rencontré chez lui, Boz vous a laissé entendre qu'il préparait son triomphe. Son chef-d'œuvre. Le FBI, son ennemi juré, est aujourd'hui à genoux, moi, je vais aller pointer pour un poste dans un commissariat de province, il nous a bernés une dernière fois à Durrisdeer, et avec ça, il sirote maintenant un cocktail sur une plage des Caraïbes ! Il n'avait pas menti ! Il triomphe bien. Nous ? Nous voilà avec nos ronds de flan, sans témoins, sans indices, sans pièces à conviction. Toujours le même brelan de cartes nulles...

– Alors quoi ? demanda Franklin. La partie est jouée ?

Personne ne répondit.

TROISIÈME PARTIE

1

Le 29 août suivant, trois mois et demi après le quadruple meurtre de Durrisdeer, la patrouille du secteur B de la police de Concord fut alertée par deux garçons qui disaient avoir repéré une silhouette dans les eaux du Merrimack River.

Sur place, le duo de sergents découvrit un cadavre d'homme retenu sur un haut-fond de galets. Le mort était gonflé, la peau atrocement bleuie, les vêtements en lambeaux, les plaies et les orifices noircis et mangés par les poissons ; il était hors de doute que ce corps avait été renversé plusieurs kilomètres en amont et qu'il baignait depuis des jours. Le flot était puissant, sa dépouille montrait les marques de ses impacts violents contre des rochers et des troncs couchés sur le rivage.

Le corps fut transféré à la morgue de l'hôpital général de Concord.

Basile King se chargea de l'autopsie. L'incision mento-pubienne, très soignée, fit jaillir des litres de flotte et inonda le laboratoire.

Le constat de décès par noyade resta prudent : l'état des organes était trop corrompu pour tabler sur une cause antérieure de la mort, type empoisonnement ou même étranglement.

King avait expédié des échantillons ADN et un moulage dentaire pour les services d'identification. Le nom mit cinq jours à tomber.

Ce cadavre repêché des eaux du fleuve était celui de Clark Doornik, 60 ans, né dans l'Iowa; *alias* Ben O. Boz.

***

Quatre jours plus tard, une équipe de patrouilleurs de la police relevant du secteur E de la ville de Nashua, à cinquante-cinq kilomètres au sud-est de Concord, enregistra une plainte des habitants du quartier résidentiel de Mountmary : une Chevrolet Sedan avec une plaque canadienne semblait abandonnée sur un parking d'école élémentaire. Une odeur pestilentielle indisposait tous ceux qui en approchaient.

Le coffre fut forcé par les officiers.

Un cadavre de jeune femme s'y décomposait à grande vitesse, la putréfaction décuplée par la chaleur de four qui régnait dans la voiture.

Le corps fut porté au centre médical de Nashua. L'autopsie conclut à un étouffement criminel.

Le Département de justice identifia Mlle Abigaïl Burroughs, née Turd, portée disparue depuis quatre mois...

***

Frank Franklin habitait toujours à Durrisdeer. L'université était fermée depuis les événements du printemps. Le campus était désert. Beaucoup d'étudiants avaient quitté l'établissement sans projeter d'y revenir à l'automne. Le nombre de dossiers de candidature pour la nouvelle année avait chuté de soixante-dix pour cent. Le doyen Emerson ne s'en émut pas, ni le board de direction. Les caisses de Durrisdeer étaient pleines et la vente de quelques lots de terre suffirait à maintenir l'université à flot, jusqu'à ce que les effectifs redeviennent normaux.

Depuis l'interruption des cours, Franklin s'était adonné sans relâche à la rédaction de son roman. Celui promis à son éditeur et qui retraçait son « épisode » auprès de la police et du FBI. C'était une manière pour lui d'évacuer le drame et sa culpabilité. Ayant travesti avec soin l'apparence et les caractéristiques de Ben O. Boz et de tous les protagonistes, en cette fin d'été, *Le Romancier* commençait de prendre forme. Frank avait songé à l'intituler *La Liste noire*, en référence au document secret du FBI.

Pour ce qui était de Boz, aucun titre nouveau n'était annoncé de la part de l'écrivain tueur.

Et pour cause.

Un appel de Sheridan l'avertit du repêchage de son corps dans le Merrimack.

– Assassiné ? demanda Frank.

– Aucune idée. Mais pas impossible. Il y a une enquête en cours.

Franklin cherchait qui pouvait avoir commis cela.

– Quelqu'un du Bureau, proposa-t-il, un ancien de l'équipe du « Dernier Mot » qui aura décidé de rendre justice par lui-même ?

– Possible. Quelqu'un ou quelqu'une.

Ben O. Boz n'avait pas de famille. Ses dernières volontés furent rendues publiques par un notaire de Montpelier. Il demandait à être incinéré et que ses cendres soient dispersées sur une plage des îles de la Madeleine, au Canada. Comme il l'avait fait autrefois pour répondre au vœu de sa mère.

Étonnement, à la cérémonie, il n'y avait, hormis le notaire, que des flics ! Patricia Melanchthon et Ike Granwood n'auraient pas manqué cet instant pour un trésor, pas plus que des membres des familles des sept agents du Bureau théoriquement refroidis par le romancier. Ni le shérif fan, ni les pompiers, ni le libraire de Dovington n'avaient pu faire le déplacement.

Franklin avait été bouleversé par cette cérémonie : personne ne prit la parole. Pas un prêtre, pas un pasteur, pas un parent, pas un ami. Aucun mot de consolation ou d'apaisement pour l'âme de Boz. Lorsqu'il s'agit de répandre les cendres de l'urne, personne ne voulut s'y atteler. Franklin s'avança, davantage pour rompre l'embarras du moment que par devoir envers le défunt. Ses restes tourbillonnèrent un instant dans le vent puis se dissipèrent entre le sable et l'eau.

À Dovington, sa maison fut entièrement investie par le FBI et par les policiers qui enquêtaient sur sa mort par noyade. Hormis l'abri souterrain de l'ancien propriétaire, ils ne découvrirent rien. S'il existait des documents pouvant impliquer Boz dans les dizaines de meurtres qu'on lui attribuait, ils avaient disparu.

La mort de Boz ne réglait rien.

Bien au contraire.

2

Franklin était assis à son bureau, il épluchait les derniers dossiers d'inscription livrés cette semaine. La prose qu'il lisait était médiocre. Impossible de tabler sur ces candidats-là, même en deux années de cours acharnés. Il glissa ses courriers de refus préécrits dans les enveloppes timbrées et tamponnées aux armes de Durrisdeer. Jusque-là, il n'avait admis que neuf étudiants pour la rentrée d'octobre. Sa première classe.

Lassé, le professeur se renversa dans son fauteuil. Les fenêtres étaient ouvertes, une odeur de forêt en plein soleil flottait dans la pièce. Il faisait chaud. Les murs du bureau étaient tapissés des dessins et des croquis de mode de Mary. Des silhouettes sylphides, très stylées, mains sur les hanches, sous des coloris pastel. Son cadre de romancier avait nettement changé.

Après ce qu'ils avaient traversé, Mary et lui étaient plus proches que jamais. Les tensions familiales, côté Emerson, s'étaient estompées, surtout après le massacre qui avait pour longtemps changé les sujets de conversation et de querelle.

Mary avait déniché un stage dans une maison de couture new-yorkaise. Ils ne se voyaient que les week-ends ; soit elle revenait à Durrisdeer, soit il la rejoignait dans l'appartement rose de son amie.

Il respirait depuis la disparition de Boz. Le romancier savait que Franklin l'avait trahi. Une vengeance proportionnée n'était sans doute qu'une affaire de temps. Frank avait craint pour Mary ou pour sa mère.

Au retour de la cérémonie des cendres au Canada, il avait enfin pu ranger ses pistolets et tous les documents qu'il avait conservés dans une mallette planquée dans les combles de la maison.

Il voulait maintenant mettre ce drame loin derrière lui. Aussi vite que possible.

L'enquête autour du FBI ne l'atteignit jamais. L'homme qui remplaça Ike Granwood le convoqua début juillet. Il lui fit renouveler son serment de silence. « Dernier Mot » n'était plus un secret fédéral, mais un véritable secret d'État. Frank n'eut pas besoin du long discours du super agent pour savoir ce qu'il encourait à ouvrir la bouche.

Le téléphone sonna.

Frank regarda sa montre, 15 h 20. On était jeudi. Ce devait être Mary qui confirmait ou non son billet de train pour le lendemain soir.

Il alla répondre dans sa chambre.

Dans l'intervalle, son téléphone portable émit deux bips. Il le portait à la ceinture. Il y jeta un œil, c'était un texto qui disait juste : « Bonjour. »

Mary...

Frank décrocha son combiné fixe.

« Mince ! »

Il entendit la tonalité d'un envoi de fax, redescendit précipitamment dans son living où se tenait la machine et poussa le bouton *Réception*.

Alors que la barre d'impression crépitait, il consulta à nouveau son portable.

Le « Bonjour » était issu d'un numéro inconnu dans son carnet d'adresses. Il lança le rappel automatique mais tomba sur une communication préenregistrée : « Ce message vous a été expédié grâce au centre de messagerie gratuite de AOL... » Etc. Suivaient des arguments publicitaires sur fond de musique pop.

Frank blêmit. Sur la page du fax imprimée, il lut le même mot : « Bonjour. » Écrit en caractères d'imprimerie. En haut de page, un numéro 0800 suivi de l'intitulé d'un *provider* Internet. Une plate-forme de messagerie anonyme.

À l'étage, les haut-parleurs de son ordinateur émirent le signal d'arrivée d'un e-mail. Frank resta immobile. Il savait déjà qu'il tomberait sur un troisième « Bonjour ». Sans signature.

C'était de cette manière exactement que Ben O. Boz lui avait signifié la fin de leur collaboration juste après les meurtres de Durrisdeer : un SMS, un fax, un e-mail simultanés.

« Nom de Dieu... »

Le téléphone de la maison sonna à nouveau, il se précipita pour décrocher ; mais ne proféra pas un mot. Il attendait.

– Allô ? Allô, Franklin ?

C'était Stuart Sheridan.

Les deux hommes se parlaient de moins en moins. Ils s'étaient croisés aux îles de la Madeleine, mais le flic avait manifestement montré qu'il voulait oublier cette histoire et aller de l'avant.

Frank répondit qu'il était là.

– Ah ! Sheridan à l'appareil. Vous êtes assis ?

– Pourquoi ?

– Parce que j'ai quelque chose pour vous. Je reviens de Dovington.

Là, Franklin sentit l'angoisse le reprendre. Une angoisse qu'il n'avait pas connue depuis de longues semaines.

– J'avais demandé au shérif du coin de me tenir au courant d'éventuels développements concernant la disparition de Boz, reprit le chef de la police.

– Eh bien ?

– Il m'a appelé mardi.

C'était deux jours plus tôt.

– Il s'agissait de m'entretenir d'un certain William Charlier.

Frank plissa le front.

– Connais pas.

– C'est un des voisins du romancier. Il possède depuis quarante ans une gentilhommière dont le terrain de neuf hectares jouxte celui de Boz. Au nord.

– Bon. Ils se fréquentaient ?

– Pas aux dires des gens du coin. Ni des gars du FBI qui surveillaient l'écrivain. Charlier est un type d'une soixante-dizaine d'années, assez misanthrope, qui sort rarement, et qu'on ne visite jamais. Un ancien cadre d'IBM qui s'est fait virer à 47 ans et n'a jamais recherché un autre boulot depuis.

– Je vois. Devenu religieux peut-être ?

– Même pas. Mais là n'est pas le problème. Ces derniers temps, les services de la municipalité et du comté ont commencé à s'inquiéter. Charlier ne répond plus aux courriers de sa banque, n'encaisse plus les chèques de sa retraite, et, après renseignements, ne règle pas non plus ses factures d'eau, de gaz et de téléphone. Ni l'assurance de sa voiture.

– D'accord. Et depuis quand ?

– Trois mois...

Franklin se passa la main sur la nuque. Une nouvelle fois, il se demandait ce que cherchait Sheridan.

– Je suis retourné à Dovington pour visiter la baraque de ce Charlier, fit le colonel. En effet, personne. Mais surtout, et cela saute aux yeux, pas la moindre trace tangible de vie quotidienne. Pas de nourriture nulle part. Pas d'habits. Le shérif a essayé de contacter des connaissances du bonhomme, des proches, de chercher un carnet de numéros de téléphone. Là aussi, rien. Charlier n'a même plus un membre de sa famille en vie.

– O.K., il vit seul. Il s'est peut-être absenté ? Parti faire un tour en Floride ou aux Bahamas ? Il a l'âge. Quarante ans à Dovington, ça peut donner des envies subites d'évasion !

– Un tour ? Ça oui. Pour faire un tour, il a fait un tour ! Le shérif Donahue a eu la pertinente idée de faire amener des chiens policiers sur la propriété. Ils ont retrouvé William Charlier enterré près de ses massifs de troènes ! Aux dires du légiste de Montpelier, le cadavre n'avait pas trois mois, mais plus de six ans.

Soudain, tout devint évident pour Franklin. Sheridan ne fit que mettre ses mots sur la même explication.

– Reprenons : Boz s'est installé à Dovington il y a neuf ans. Il a eu deux années pour étudier l'existence de son voisin, s'apercevoir qu'il vivait en reclus, puis l'éliminer, enterrer le corps et se charger de tout reprendre avec soin comme s'il était encore en vie. Il payait les factures mensuelles, encaissait les chèques à sa place. Il répondait au courrier en singeant l'écriture et la signature de Charlier. Tout un simulacre de vie parfaitement rodé. Leurs terrains communiquaient par une porte dissimulée sur une portion du mur de Boz qu'on ne peut voir depuis la route. L'écrivain empruntait son souterrain antiatomique qu'on a découvert la dernière fois, sortait dans la nuit, en forêt, et gambadait chez Charlier ; puis, de là, il prenait sa voiture, dissimulait son visage et allait faire sa vie comme il l'entendait.

– Comment se fait-il que le FBI n'y a jamais rien vu ? C'était sous leurs yeux !

– Ils n'ont jamais souhaité se faire trop remarquer dans le coin, pour ne pas risquer d'alerter Boz ou les autorités. Même le shérif Donahue n'a jamais su que Boz était sous la surveillance du Bureau depuis des années. Du coup, ils faisaient dans l'économie. Le FBI s'inquiétait au minimum de Charlier. Boz pouvait aller et venir tranquillement. Et il s'arrangeait toujours pour faire accroire sa présence dans le manoir pendant ses sorties.

– Et les habitants de Dovington ?

– Ils prenaient Charlier pour un détraqué. Il se disait notamment que le vieux allait faire ses courses dans une autre ville. Crime de lèse-majesté dans ces patelins-là !... Un traître ! Vous voyez le genre...

Il y eut un long silence. Frank tenait toujours son fax entre les mains.

Bonjour.

– Voilà donc comme il s'y prenait pour glisser entre les doigts de tout le monde, murmura-t-il.

– Oui. Un kilomètre et demi à pinces dans les bois, une porte métallique, et il changeait de nom. Apparemment, tout ce temps, il n'a jamais été contrôlé au volant de la bagnole de Charlier. Ou alors, il s'en est sorti sans un papillon.

Impeccable.

– Voilà, dit Sheridan. Je voulais juste vous raconter cela. Ça va, vous ?

Frank resta silencieux, avant de répondre par la positive et d'éluder l'histoire du triple envoi mystérieux qui venait de lui tomber dessus.

Ils raccrochèrent, sans se promettre de se revoir ni de se rappeler.

« Rien ne dit que c'est Boz qui a planifié ces messages », songea le professeur.

Le jour même de la dissolution de l'équipe « Dernier Mot », Melanchthon lui avait fait parvenir une liste avec l'emplacement exact de tous les mouchards qui maillaient sa maison. Il ne lui restait qu'à les détruire lui-même pour retrouver la paix. Toutefois, avec Mary, ils s'étaient toujours demandé si un ou deux des micros n'auraient pas été omis du compte. Au cas où.

Mary en était tellement persuadée qu'ils avaient résolu de déménager. Ils trouvèrent un trois pièces convenable à Concord, libre en novembre.

Franklin monta à son bureau pour vérifier sa messagerie e-mail. L'envoi « Bonjour » était bien là, sur le moniteur, et il provenait d'un compte gratuit sans possibilité de réponse.

Il nota sur un papier les quelques informations qui identifiaient le site d'envoi anonyme et sortit de chez lui. Il prit sa voiture et remonta au château.

Là, il bondit vers la salle des professeurs. Les couloirs et les pièces étaient déserts. Frank saisit le téléphone mural et requit la ligne externe pour composer un numéro avec l'indicatif du Nebraska.

Patricia Melanchthon, l'ancienne âme damnée de Boz, ex-super agent, vivait désormais comme troisième officier d'une cellule locale du Bureau dépendant d'Omaha. C'est-à-dire plus personne. Une misère.

– Calmez-vous, Franklin !

Le professeur racontait ce qui était en train de lui arriver. Elle vociféra dans l'appareil pour le faire taire. Frank savait qu'en dépit de sa chute astronomique de grade, cette femme n'avait certainement pas perdu son tempérament et sa morgue nourrie. Les collègues mâles du Nebraska qui avaient sans doute caqueté en découvrant une agente si gironde débarquer dans leur trou avaient dû en être pour leurs frais à la première remarque déplacée.

– Rien ne dit que c'est lui qui communique, prévint-elle.

– Il n'y a aucun moyen de remonter à la source de ces envois ?

– Non. Surtout lorsqu'ils ont été écrits longtemps à l'avance. Les fax reçus par Basile King à la morgue en février, Boz les avait expédiés depuis un Internet café dans le Connecticut. Certains de ces établissements sont munis de caméras de surveillance. Pour traquer des trafiquants ou des *hackers*. Mais les bandes enregistreuses ne courent jamais que sur quelques semaines. Ensuite, elles sont écrasées. Boz le savait. Le jour de son passage avait été effacé depuis longtemps.

– Alors, il pourrait avoir planifié des messages pour des mois après sa mort ? C'est jouable ?

– Techniquement, oui. Un an ou deux même... peut-être plus. Si la plate-forme n'est pas désactivée, cela fonctionnera. Le fait qu'il triple ses envois prouve qu'il voulait se couvrir. On n'a peut-être pas fini d'entendre parler de lui !

Franklin réfléchit. Il trouva le procédé incroyable : des défunts pourraient désormais communiquer avec leurs proches après leur décès. C'était fou.

Melanchthon resta silencieuse à l'autre bout du fil, et du pays.

– Attendons d'autres messages, finit-elle par lancer. N'en discutez avec personne. On ne sait jamais. Le messager veut faire parler de lui. Patientons.

Franklin sourit.

– Vous ne me donnez plus l'air d'être très inquiète ! Je vous ai connue davantage sur le qui-vive !

– Inquiète ? Depuis que j'ai vu ce salopard s'évanouir en particules de poussière dans la flotte, en effet, je dors beaucoup mieux. Et vous savez quoi ? Ici, mon plus gros dossier, c'est une histoire d'import illégal de poignées de porte venues d'Asie. Ils m'ont tout coupé au Bureau. Alors, Ben O. Boz, les *serial killers*, vous imaginez mal où je me les suis mis...

Elle raccrocha.

***

La nuit suivante, seul dans sa chambre, Frank songeait encore et toujours à ce « Bonjour » d'outre-tombe.

Dans son demi-sommeil, il repensait à la mère du romancier qui avait tué son mari dans un accident de voiture, à Patrick Turd et à sa sœur Abigaïl... À William Charlier qui allait sans doute entrer dans son roman mais sous un autre nom... Comment le nommer d'ailleurs, ce personnage ?...

Et puis tout sonna.

En même temps.

Téléphone portable, appareil de fax, ensuite l'ordinateur du bureau. Un coup de clairon numérique annonça la réception d'un e-mail.

Il était pile 3 heures du matin. Frank bondit hors du lit, vers son bureau en premier. Le message s'ouvrit sur l'écran. Même expéditeur anonyme que cette après-midi. Un code énigmatique : *QFL-ISBN-2845632908*.

Mais cette fois, signé Boz.

« Ça y est, c'est reparti », se dit le jeune homme.

Une pièce jointe était attachée au message. Une photo. Un cliché de Ben O. Boz plus jeune, en veston et en chapeau mou, très « reporter » à l'ancienne, entouré d'une flopée de flics à peine majeurs. Tous souriaient. La photo portait une date et un lieu : *Avril 1987, académie de police de Pennsylvanie, Center Township, Monaca.*

– Qu'est-ce que c'est que ça ? murmura Franklin.

Le fax et le texto image du téléphone cellulaire portaient le même contenu.

Tout en bas de la photo, une dernière attention :

« Bonne nuit. »

3

Les heures suivantes, Frank les passa à chercher à déchiffrer sur Internet la séquence transmise par Boz :

QFL-ISBN-2845632908.

Franklin savait que les codes débutant par l'acronyme ISBN devaient presque immanquablement appartenir à des ouvrages publiés et référencés dans des bibliothèques nationales. Mais alors, de quel ordre et dans quel pays ? Ce *QFL* perturbait ses recherches.

Pour ce qui était de la photo et de la mention de l'académie de police, Frank isola facilement cette unité de formation de flics située à Monaca, Pennsylvanie, dans les locaux de l'université du comté de Beaver. Dès le lendemain, il contacterait le service des archives pour savoir s'il était possible de remonter jusqu'aux bulletins trimestriels de l'établissement ou aux livres de photos officielles de la promotion 1987.

Le professeur, rincé de fatigue, finit par s'endormir au petit matin.

À son réveil, Frank descendit la tête lourde prendre son petit déjeuner. Il était midi. Le temps s'était nettement couvert. Des trombes d'eau n'allaient pas tarder à secouer la forêt. Mary n'avait pas téléphoné. Elle travaillait beaucoup, la réussite de son stage devait influer sur le choix du professeur qu'on lui assignerait en janvier à la Hutchinson Fashion & Design School. Ce matin, il ignorait quels étaient ses plans pour le week-end.

Mais, parti de là, grâce à une succession de pensées tout à fait fortuites, Frank en vint à se ressouvenir du dossier du FBI qu'il avait refusé de lire au sujet de Mary, puis du gros classeur concernant Boz.

Ce fut une révélation.

Il gravit l'escalier puis libéra la trappe et l'échelle qui menaient aux combles de la maison. Là, il fondit sur la malle où il avait tout rangé.

Trois mois plus tôt, dans la précipitation de la chute de l'équipe du « Dernier Mot », personne n'avait songé à lui réclamer les preuves sur papier qu'il détenait ; sans doute parce que c'était illusoire et que les agents savaient qu'il aurait pu s'établir des copies depuis longtemps.

Frank rouvrit le classeur noir. Les différentes parties concernant l'enquête sur Boz étaient toutes titrées et numérotées.

C'est de cela dont il se souvenait : la biographie du romancier avait pour référence *QFL-OFF087*.

Le compte rendu de l'interrogatoire du premier éditeur Simon Abelberg : *QFL-OFF112*.

La copie du procès-verbal de l'accident de voiture de la femme de Boz : *QFL-OFF043*.

Et ainsi de suite...

QFL.

Des documents appartenant au FBI.

Issus, répertoriés, inventoriés par le FBI. Cela ne faisait aucun doute.

Vers quel dossier le fantôme de Boz voulait-il le conduire ? L'ajout de l'article ISBN laissait entendre qu'il devait plus sûrement s'agir d'un ouvrage rendu public que d'un dossier confidentiel.

Mais là encore, le professeur enfilait des idées sans savoir ; la référence éditoriale *ISBN-2845632908* n'avait rien donné sur les moteurs de recherche Internet.

C'était l'impasse.

***

Peu après, Franklin finit par toucher, à l'académie de police pennsylvanienne, une certaine miss Tit, responsable du bureau des anciens élèves.

Il l'interrogea sur l'année 1987. Il avoua détenir un fragment de photographie d'étudiants de cette promotion. Probablement du mois d'avril. Il était romancier. Il faisait des recherches pour un livre. Miss Tit pouvait-elle l'aider à retrouver le calendrier des activités de ce mois ?

– Nous remisons les publications de l'académie depuis sa création en 1974, dit la femme. Les bulletins sont aux archives, ainsi que le double feuillet qui est distribué chaque début de semaine pour faire le point sur l'agenda.

– C'est parfait. Pourriez-vous me faire parvenir ceux du mois d'avril 1987 ?...

– Cela ne tombera pas en une minute, mais je vous mets sur la liste. Votre adresse, s'il vous plaît ?

– On ne peut pas résoudre cela par fax ?

– Certainement pas. Votre adresse ?

Il devrait attendre. À Chicago, le nouveau suppléant qu'il était avait dû patienter plus d'un mois avant qu'on ne daigne lui imprimer les sujets d'examens en classe de littérature des quatre dernières années. Il espérait que l'administration policière de Monaca se révélerait plus efficace.

Avril 1987...

Franklin visa une nouvelle fois la photo. Le Boz, quarantenaire, y était avec des policiers en formation. Que foutait-il là ?

Il consulta sa montre. Même avec le décalage horaire, il pouvait rappeler Patricia Melanchthon.

– J'ai conservé votre classeur sur Boz, lui dit-il après être retourné au château et dans la salle des professeurs. La mention de classement *QFL* au bas de chaque section, cela rime à quoi ?

Elle parut surprise.

– Qu'est-ce que vous cherchez, Franklin ? Vous voulez vous servir de nos papiers, c'est ça ? Les rendre publics ? Les citer dans votre bouquin ? Nous enfoncer un peu plus ? Je vous avertis tout de suite que toutes les références qui vous ont été fournies ont d'abord été falsifiées ; s'il vous prenait l'idée de les révéler à des tiers, le Bureau les ferait instantanément passer pour des faux. Vous pouvez aussi noter qu'aucun nom d'agent n'est cité nulle part et que les rapports ne sont pas signés. Dans ces conditions, ce n'est plus que du papier et des affabulations. Vous tenez un pétard mouillé entre les doigts, Frank.

– Attendez. Ce n'est pas du tout ce que je recherche. Mais ce *QFL* alors ? C'est du flan ?

– Non. Cela veut juste dire que les documents sont enregistrés à la bibliothèque fédérale à Quantico, en Virginie.

Franklin frissonna. Il avançait.

– Qui en a l'accès ?

– Seulement les fédéraux. Et encore faut-il qu'ils justifient d'une enquête certifiée par leur chef de division pour libérer un document. Ça vous va comme réponse ? Vous m'expliquez votre cirque à présent ?

Il l'expliqua. L'e-mail. La photo. Le code. Signés Boz. Puis :

– Le message donne en plus des trois lettres un ISBN à chiffres. Qu'est-ce que cela signifie ?

– Qu'il peut s'agir d'un livre ou même d'un manuscrit rédigé par un membre du Bureau. Et pas nécessairement destiné au grand public. Dans ce cas, ce n'est plus à la bibliothèque des archives, mais à celle de l'Académie qu'il faut se rendre. Vous savez qu'à Quantico, en plus des laboratoires scientifiques, c'est aussi là que l'on forme les nouveaux agents.

– Des manuscrits, dites-vous ? Quel type de manuscrits ?

– Il arrive que des agents retraités écrivent leurs mémoires ou bien détaillent certaines affaires de leur carrière et les méthodes employées. On en voit de plus en plus sur les têtes de gondole des librairies. C'est à la mode. Certains de ces officiers, sortis du rang, n'hésitent plus à se montrer sur les plateaux de télévision ou à servir de consultants grassement payés par des productions de séries policières. Les patrons du Bureau n'aiment pas du tout ça. Mine de rien, cela trahit pas mal de nos protocoles et de nos façons de raisonner sur un crime. Heureusement, certains agents sont plus scrupuleux ; ils rédigent leurs textes mais les laissent exclusivement à la portée des agents et des nouvelles recrues. Ce QFL avec ISBN peut en être.

– Alors, il faut m'aider à identifier cet écrit.

Melanchthon poussa un soupir dans l'écouteur.

– Ce n'est pas si simple, dit-elle. Je n'ai plus de levier à ma disposition. Pour tout vous dire, depuis mon arrivée au Nebraska, je suis en sursis, en évaluation. Si je transgresse ma parole, si je remue un petit doigt en direction de cette affaire désormais enterrée, je suis cramée.

– Mais vous avez entendu ce que Boz m'a expédié cette nuit...

– Ce qu'un prétendu Boz vous a expédié, Franklin ! Ce peut être n'importe quel crétin qui a eu accès à l'affaire dans nos services depuis douze ans ! Je ne marche pas. Ce n'est pas assez tangible pour prendre encore des risques.

– Tangible, cela peut le devenir si l'on arrive à serrer ce texte à Quantico.

– Désolé, je suis coincée. Laissez tomber, professeur.

– Quoi ? Vous ne me suivez pas ?

– Non.

Il en resta bête de déception.

– Rappelez-moi lorsque vous aurez déniché une nouvelle fulgurante sur cette histoire de photo, dit-elle. Moi, je retourne à mes dossiers.

– Attendez, ne raccrochez pas !

Il décida d'abattre sa dernière carte. Son seul atout, en réalité.

– Détrompez-moi, mais il a bien existé plusieurs équipes au Bureau sur Boz avant la vôtre ?

– C'est exact. Quatre.

– Et toutes ont été démantelées par la hiérarchie parce qu'on soupçonnait le romancier de profiter d'une taupe dans la division. Votre équipe du « Dernier Mot » a même été spécialement constituée avec cette idée en tête.

– Et après ? C'est de l'histoire ancienne maintenant.

– Cela ne vous paraît pas troublant que Boz mort nous mette comme cela sur la piste d'une école de police et d'un dossier spécifique dans la fourmilière fédérale que représente Quantico ?

Silence.

Franklin enfonça le clou.

– Si vous alliez parler de cela à vos nouveaux patrons, de cet angle de l'enquête, je vous garantis qu'ils vous écouteraient.

Il attendit la réponse de Melanchthon. Elle ne pouvait rester insensible à cette piste de la taupe. Et pourtant :

– Professeur, je n'irai rien dire à mes nouveaux patrons, comme vous dites ! Je crains que vous ne mesuriez mal ce que le Bureau a enduré avec toute cette histoire. Il faudra des années pour qu'il s'en remette. Je ne débarquerai certainement pas comme une débile avec un e-mail, un fax et un SMS anonymes dont je sais que nous ne remonterons jamais l'origine ! À ce petit jeu, faites attention, Franklin, c'est vous qu'ils vont commencer à suspecter !

– Alors, vous ne ferez rien pour...

– Non, rien. Je ne bougerai pas du Nebraska. Mais... *(Pause.)* Je peux passer un coup de fil. Et voir ce que cela rend. Donnez-moi une heure. Je vous rappelle.

Elle raccrocha.

Franklin respira. Il fit trembler le combiné sur son reposoir, avec un « Quand même ! » victorieux.

***

Rentré chez lui, il prit conscience qu'il était le dernier et le seul à reprendre pour l'heure la traque de Ben O. Boz, jarre de poussière rendue aux sables des îles de la Madeleine.

Un message de Mary l'attendait sur son répondeur. Elle y disait se sentir trop fatiguée et lui demandait de la rejoindre en ville pour la seconde fois consécutive. Il résolut de la rappeler aussitôt après avoir reçu l'appel promis par Melanchthon.

Il réfléchit à cette académie de police et à la photo de Boz. En avril 1987, il avait déjà commencé ses enlèvements de cobayes. C'était aussi l'époque de la fuite de la jeune Abigaïl. Boz cherchait partout des informations, des détails pour nourrir ses livres. Pourquoi pas dans une école de flics ?

– Écoutez-moi, Franklin, dit Patricia.

Toujours soupçonneux d'être sur écoute chez lui, Franklin l'avait rappelée d'une ligne plus sûre.

– Vous allez devoir vous déplacer, prévint-elle. Jusqu'à l'académie de Quantico. J'ai une connaissance qui peut s'arranger pour vous faire entrer dans la bibliothèque des nouvelles recrues.

Une nouvelle fois, Franklin allait devoir monter seul au créneau.

– Si vous vous faites pincer, ce sera votre affaire, entendu ? Lundi prochain, vous pouvez vous y rendre ?

Frank hésita.

– Il n'est pas question d'emporter le document, insista l'agent. Vous visez seulement de quoi il s'agit et vous vous barrez. On ne peut pas faire mieux pour l'instant. Pas le choix.

– D'accord, dit-il. Je m'arrangerai pour lundi. Comment cela doit-il se passer ?

***

Le soir même, il avait rejoint Mary à New York. Il lui expliqua qu'il se rendrait en Virginie le lundi matin.

Mary protesta durant les deux jours qu'ils passèrent ensemble.

– Restes-en à ton roman ! C'est suffisant. Tu ne dois rien à personne au sujet de ce Boz. C'est eux qui t'ont plongé dans ce cauchemar !

Franklin lui relata la première réunion qu'il avait eue avec Patricia Melanchthon, là où elle lui avait expliqué que le FBI avait perdu sept agents à cause de Boz, et que cette enquête était devenue une sorte d'affaire personnelle propre au Bureau.

– Moi aussi, j'ai perdu, dit Franklin à Mary. Quatre étudiants. Des assassinats dont sans doute personne n'arrivera jamais à mettre un nom ou un visage sur le coupable. Je ne peux pas vivre comme si j'ignorais que c'était Boz. Maintenant, de la même manière, moi aussi, j'ai un compte à régler avec ce type.

Il était sincère. Sa réponse à ce qu'il avait vécu ne pouvait se limiter à l'écriture d'un roman qui masquerait les faits derrière une fiction et ne satisferait aucun des proches des victimes. Ce n'était pas une manière de faire connaître la vérité.

Le lundi matin, il débarqua au Ronald Reagan Airport de Washington, loua une voiture et avala les cinquante kilomètres qui le séparaient du comté de Prince William en Virginie et de la ville de Quantico.

4

Melanchthon lui avait demandé de se tenir à 13 heures au bar de l'hôtel Ramada. C'était là que son contact le rejoindrait. Qu'il ne s'inquiète pas, il saurait à quoi il ressemblait.

Mais en fait, ce *il* était une *elle*.

Grande femme, stricte dans son tailleur de bonne coupe, et foncé comme le veut l'étiquette du FBI, elle avait de très longs cheveux auburn et un visage grave et tendu, un peu comme celui de Patricia.

Elle lui tendit un badge.

– C'est celui d'une recrue, dit-elle. Il est hors du centre jusqu'à 16 h 30. Vous rentrerez pendant son absence.

Elle lui donna un plan du campus fédéral.

– Allez directement à la bibliothèque de l'école, n'ayez jamais l'air de chercher votre chemin.

Elle le jaugea des pieds à la tête.

– Les cheveux sont un peu longs mais la tenue, ça ira, décréta-t-elle.

Melanchthon l'avait averti de s'habiller avec un costume sombre pour mieux se fondre dans la masse. Il avait obéi et acheté cet ensemble dans une boutique de New York. Elle ne lui avait pas mentionné la coupe réglementaire.

– Vous travaillez à Quantico ? demanda-t-il à la femme. Pourquoi n'êtes-vous pas allée relever vous-même la référence du texte que nous cherchons ? C'était bien moins risqué.

La femme fit non de la tête.

– Je travaille à la division des affaires publiques, fit-elle. Je n'ai aucune raison de traîner du côté de l'académie. Et puis l'inspection interne sait que je suis proche de Melanchthon ; on ne peut rejeter l'idée qu'ils m'aient aussi à l'œil. Au fait, avec ce badge, vous entrez, vous lisez en quelques minutes et vous décampez. Pour conserver le texte, vous devriez l'enregistrer sur le compte électronique du type qui nous aide. Ne lui faites pas cela.

– Entendu.

Patricia avait sans doute aussi refusé que le gars qui prêtait son badge aille lire le titre du livre ou du manuscrit en question : moins il en savait, moins il se montrerait curieux. Tant qu'on ignorait le titre impliqué par Boz, on restait à l'abri de tout.

– Merci, dit Franklin. Vous êtes une ancienne collègue de Melanchthon, vous avez travaillé sur son dossier ?

– Non. Je suis sa femme.

Le professeur fit des yeux tout ronds.

– Ne vous excitez pas trop, vilain. Tirez-vous. Je vous retrouverai ici à 16 heures exactes.

***

L'académie comportait une dizaine de gigantesques bâtiments : unités d'entraînement pour les agents en formation, aux sciences comportementales et forensiques, aux opérations de terrain, à la spécialisation des contextes internationaux et de la cybercriminalité, etc.

Aucune visite publique n'était autorisée dans ce lieu sensible qui jouxtait les labos médico-légaux de tout le FBI.

Franklin franchit les sas de sécurité sans éveiller de soupçon : le badge magnétique était un vrai sésame. Il conservait le plan du campus en tête et marcha d'un pas déterminé, sans regarder personne. La bibliothèque des étudiants se situait à côté du grand auditorium. Les couloirs, les salles de lecture, les salles d'ordinateurs, tout était sous la surveillance de caméras.

Frank voulait agir sans requérir le conseil de personne. Il inspecta les rayons de livres pour comprendre la méthode de classification.

QFL.

Pas un ouvrage n'omettait ce préfixe à trois lettres.

La difficulté surgit avec l'ordre général des étalages, traités par thème puis par nom alphabétique d'auteur. Il y avait des milliers et des milliers d'entrées dans cette bibliothèque, et Frank ne détenait qu'une séquence de chiffres.

Il n'avait plus le choix : il s'approcha d'une jeune fille attablée devant un laptop qui semblait appartenir à l'établissement. Il s'en trouvait d'identiques à chaque place, même inoccupée.

– Excuse-moi, lui dit-il à voix basse. Je dois retrouver un titre d'après une référence. Peux-tu m'aider ?

La jeune étudiante lui fit un drôle de regard. Elle montra les computers libres à côté d'elle.

Franklin se doutait de ce qu'elle allait répondre, il la devança :

– C'est juste un titre. Je suis pressé. Je n'ai pas le temps de me connecter sur le système.

Il ne voulait surtout pas utiliser le compte du type au badge. Il montra à la fille son bout de papier avec

QFL-ISBN-2845632908 et la gratifia d'un sourire de craie qu'il espérait efficace. La fille pianota sur son clavier. Comme le professeur s'en doutait, elle avait accès à la base de données des ouvrages depuis le laptop.

– Ça se trouve dans la section des cas résolus, dit-elle. Et l'auteur s'appelle Sheridan. Voilà.

Franklin se figea. La fille le regarda comme s'il était un benêt.

– Les cas résolus, c'est dans la salle 3, lâcha-t-elle, pensant répondre à sa confusion.

Franklin se ressaisit.

– Merci beaucoup.

Sheridan ?

« Bon sang... se dit Frank. Qu'est-ce que c'est que cette histoire ? »

Avec une ironie qui n'échappait à aucun des étudiants de l'académie, la pièce des cas résolus était la plus petite de toutes. Les affaires présentées ici devaient être closes sur tous les tableaux ; la plupart avaient été médiatisées lorsqu'il s'était agi de crimes de sang ou de brigandages en col blanc.

Franklin se précipita à la section S.

Il déchiffra plusieurs Sheridan en rang ; des John-Patrick, des Ben, des Stanley, des Michael... mais heureusement aucun Stu ou Stuart. Le professeur respirait. Une seconde ou deux, il avait eu chaud.

Le numéro de Boz portait le nom d'auteur d'un certain docteur Gordon Sheridan. C'était un document d'une petite centaine de pages qui traitaient de Larry Gene Bell, meurtrier ayant sévi dans les années 1980 en Caroline-du-Sud. Inculpé en 1985 pour le double assassinat de Shari Faye Smith et de Debra May Helmick. Dans le dossier, le docteur Sheridan reprenait tous les éléments de l'enquête et les entretiens exceptionnels qu'il avait réussi à conduire en prison avec le tueur. Tout ce travail afin d'établir un profil type à présenter aux recrues, en vue d'apprendre à casser les personnalités multiples de certains forcenés. Décoder les tueurs.

Larry Gene Bell.

Le document était dense, technique, très lié aux protocoles du Bureau de cette époque. Plusieurs paragraphes avaient été caviardés. La lecture était rendue ardue pour le prof de littérature par de perpétuels renvois à des alinéas de textes officiels auxquels il n'entendait rien.

Un tueur des années 1980.

Frank prit quelques notes, bien décidé à en découvrir plus sur ce Bell.

Il quitta Quantico.

Au bar du Ramada, la femme de Melanchthon était là, avec ses longues jambes, ses longs cheveux, et ses longs ongles en pointe.

– Tout s'est bien passé ?

– Je le crois.

– Vous avez trouvé ce que vous cherchiez ?

– Oui. Dois-je vous dire de quoi il s'agit ?

– Non. C'est Patricia que ça concerne. Le badge ?

Il le lui rendit.

– Parfait. Ravie d'avoir fait ta connaissance, petit. Pat n'avait pas menti pour une fois.

Et elle disparut sur cette phrase restée en l'air.

***

Franklin retourna à Durrisdeer.

Immobile devant son moniteur d'ordinateur, il réfléchissait au cas de Larry Gene Bell ; l'homme avait kidnappé Shari Faye Smith, une lycéenne de Lexington, le 31 mai 1985. Il était du genre bavard,

Larry. Il harcela à plusieurs reprises la famille par téléphone, puis la police pour décrire l'endroit où le FBI pourrait retrouver le corps. Il rappela ensuite pour donner l'emplacement d'un second cadavre de jeune fille. Peu après, il se fit prendre. Dès lors, il ne parla plus jamais et fut exécuté en 1996.

« Quel rapport avec Boz ? Se connaissaient-ils ? Bell était un malade, sans méthode exceptionnelle, sans les dons célébrés par Boz... »

Les documents trouvés sur le Net à propos de Bell disaient qu'il avait certainement tué bien plus de deux fois. Mais maintenant qu'il s'était enfermé dans son mutisme, personne n'en saurait plus rien. D'une certaine manière, Bell avait peut-être été arrêté trop tôt. Il aurait fallu le laisser parler, tout en le surveillant. Était-ce cela, le message de Boz ? *Vous n'avez pas encore tout vu* ?

Franklin mentionna le cas de Bell à Patricia Melanchthon. Elle s'en souvenait.

– Ce type n'a rien à voir avec Boz.

– C'est bien ce qui pose problème.

– Toute son affaire s'est déroulée en Caroline-du-Sud... Il faudrait voir ce qu'on peut tenir sur Boz concernant cet État. Votre académie de police, elle se trouve où déjà ?

– Pennsylvanie.

– Manqué.

Franklin tâcha de se renseigner sur les noms des policiers qui avaient suivi l'affaire de Bell. Il trouva le sherif Jim Metts et le sous-shérif Lewis McCarty ainsi que les agents du Bureau Jim Wright et Ron Walker. Il espérait pouvoir recroiser une de ces personnes dans les paperasses qu'il recevrait autour de la photo d'août 1987.

Il devait y avoir un lien quelque part. Un personnage, un indice matériel, une idée peut-être.

Les jours suivants, Boz n'envoya plus aucun message.

Une semaine après son retour de Virginie, Frank reçut un courrier de miss Tit de l'académie de police avec les bulletins demandés.

La réponse aux questions de ces derniers jours lui sauta alors aux yeux.

Agenda des activités d'avril 1987 :

Le 6, conférence du capitaine à la retraite, Alan Ceaser, entraîneur d'unités K9.

Le 11, rencontre base-ball avec l'équipe de l'académie de Portland comptant pour le championnat inter-police.

Le 12, remise d'une médaille au lieutenant Doug Cisporeno, invalide, ancien élève, promotion 1954.

Le 16, visite des locaux par l'administration (possible présence du maire ou du maire adjoint de Monaca + photographes et journalistes).

Le 24, sortie des bataillons VI et IX pour simulations en zone urbaine. Retour des bataillons II et IV.

Le 27, déclaration du chef d'établissement pour le mi-terme du semestre.

Le 30, conférence du docteur de criminologie de Columbia NY, M. Gordon Sheridan. Suivie d'un débat et d'une collation offerte à la maison des anciens.

Gordon Sheridan ?

Patricia resta un moment silencieuse à l'autre bout du fil lorsqu'il évoqua son nom. Franklin ne le lui avait pas mentionné la première fois, il s'était concentré sur le tueur Bell.

– Bien sûr que je le connais, ce type, finit-elle par dire.

– Ça a un rapport avec le colonel ?

– Et comment !

5

Trois jours plus tard, Patricia Melanchthon débarqua à Durrisdeer.

– Vous prenez des risques, lui dit Franklin en l'accueillant. Surtout si vous êtes surveillée. Ma maison est peut-être encore sur table d'écoute.

– Plus rien n'a d'importance, désormais. Voyez plutôt.

Ils s'assirent dans le salon. Elle avait apporté avec elle des documents et des livres.

– Remontons un peu dans le temps : vous n'avez pas oublié qu'en février dernier, après que Stuart Sheridan s'est mis à poursuivre tout seul l'enquête des 24, sans la moindre autorisation de sa hiérarchie, nous l'avons fait suivre pendant deux mois, songeant qu'il pouvait servir d'appât ou même être une victime désignée par Boz.

– Je m'en souviens.

– À cette époque, nous nous sommes beaucoup renseignés sur le colonel et sur ses proches. Dont son père Gordon Sheridan.

Son père ?

– Un personnage intéressant.

Les livres qu'elle posa sur la table basse étaient tous de lui :

Le Tueur sans ombre, édité en 1983.

La Fin du serial killer, édité en 1984.

Méthodes et contre-méthodes, édité en 1987.

– Le docteur Gordon Sheridan fait partie des spécialistes du crime qui ont défini au début des années 1960 le profil type du *serial killer*. À cette époque, on parlait de *chain killer*; en 1966, le terme *serial mass murderer* a fait son apparition, mais ce n'est qu'en 1974 que l'agent du FBI Robert Ressler prononça pour la postérité le terme désormais courant de *serial killer*. Ressler était un élève du docteur Sheridan.

– Je vois.

Le père de Stuart Sheridan !

– Mais soudain, à l'aube des années 1980, reprit Patricia, Gordon vieillissant a voulu perfectionner son modèle. Le *serial* était considéré par tous, flics et public, comme le plus dangereux des tueurs; pourtant, Sheridan s'est mis en tête de modéliser un nouvel archétype qui pourrait le surpasser en horreur et en habileté. Le « tueur parfait ».

– Plus parfait qu'un *serial killer* ?

– Oui. Ce n'est pas idiot. En dépit de l'idée reçue, le *serial killer* est un tueur plutôt facile à coincer, névrosé, qui se copie systématiquement afin que la répétition lui procure un sentiment de sécurité, de maîtrise sur les événements et sur ses victimes; à mesure qu'il opère, ses meurtres se rapprochent dans le temps et gagnent en férocité; la formule seule ne suffit plus à sa satisfaction morbide. Avec les médias vient le jeu mental dirigé contre la police et les journalistes; bref, trop de paramètres entrent en compte dans ses agissements, il s'empiège et commet tôt ou tard la faute qui le perd. Le *serial killer* est un monstre à petits moyens. On se concentre sur des cas spectaculaires mais qui se font presque toujours prendre. Sheridan voulait imaginer au-delà.

Le téléphone de salon de Franklin sonna.

C'était Norris Higgins.

– J'ai quelqu'un pour moi à l'entrée ? Mais je n'attends personne, dit Franklin, surpris.

Patricia lui fit un grand signe de la main.

– C'est pour moi. Javier Simoniño. Je lui ai demandé de me rejoindre chez vous.

Frank autorisa Higgins à le laisser entrer.

– Qui est-ce ?

– Un informaticien. Je veux qu'il jette un coup d'œil à votre ordinateur.

– Pour quoi faire ?

– Remonter les deux e-mails que vous avez reçus de Boz. Je veux être certaine qu'ils n'ont pas été expédiés après la mort du romancier. S'assurer que nous ne sommes pas en présence de quelqu'un qui voudrait « se couler » dans le personnage de Boz. Un copieur.

– Riche idée.

La femme reprit sur Gordon Sheridan :

– Le tueur parfait, selon lui, est plus maîtrisé que le *serial*, très lucide sur ses déviances et – c'est le principal – refuse de se répéter, par orgueil ou par habileté. Il se perfectionne au point de devenir apte, pour chaque meurtre, recréer intégralement son mode opératoire, ne répondant à aucune obsession aliénante susceptible d'être démasquée par ses poursuivants. Ce tueur ne « signe » plus ses assassinats car rien ne les relie les uns aux autres.

Franklin fronça les sourcils.

– C'est assez le portrait de Boz que vous me dressez là. Il ne commettait jamais les mêmes crimes pour ne jamais écrire les mêmes livres.

– Tout à fait. Vous comprenez maintenant pourquoi l'on s'est tant intéressé à Sheridan au début.

Ben O. Boz pouvait très bien avoir connu le travail de son père, s'en être inspiré pour façonner ses méthodes. Et vouloir s'en prendre au fils d'un de ses maîtres en théorie lui ressemblait assez !

Le professeur ne pouvait qu'acquiescer.

– Mais alors, pourquoi nous mettre sur cette piste aujourd'hui, après sa mort ? demanda-t-il. Le père de Sheridan, est-il toujours vivant ?

– Non. Décédé en 1988.

– Alors ?

La voiture de l'informaticien arriva devant la maison de Franklin. Melanchthon alla ouvrir la porte. Tous montèrent dans le bureau du professeur où se trouvait l'ordinateur. L'informaticien appartenait à une équipe du FBI ; il rendait service à Melanchthon.

– Peut-il retrouver l'origine des e-mails d'ici ? interrogea Franklin.

– Oui.

Le gars commença à taper des séquences de chiffres en lieu et place des adresses web.

– Mais j'y pense ! fit Franklin pour Patricia. En quittant Washington pour le Nebraska, avez-vous changé tous vos numéros de téléphone et vos comptes e-mails ?

– Oui. Pourquoi ?

– Je peux ne pas être le seul destinataire des messages de Boz ! Il n'est pas impensable qu'il ait aussi tenté de vous contacter ?

Melanchthon plissa le front et dit :

– Mais il ne pouvait pas détenir mes coordonnées comme pour vous...

– Il a bien réussi à faire parvenir ses bandes vidéo sur votre bureau à Quantico ! la coupa Frank. Il vous connaissait. Il devait à tout le moins posséder votre adresse. Renseignez-vous.

Patricia resta sombre un moment puis sourit et dit :

– Riche idée.

Elle appela son « amie » pour qu'elle passe à son ancien appartement voir avec la concierge s'il n'y avait pas de courrier pour elle récemment arrivé par erreur.

Ensuite, ils redescendirent tous les deux dans le salon afin de laisser l'informaticien travailler. Il ignorait le temps que ses recherches allaient lui prendre.

– Poursuivons sur Sheridan, dit Franklin. Je veux comprendre.

– C'est assez simple : le docteur Gordon a travaillé toutes ses dernières années à parfaire cette idée du tueur intouchable. À la sortie de son premier livre sur le sujet, il a été tourné en dérision par ses collègues, les mêmes qui avaient applaudi ses précédents travaux. Tous disaient que le vénérable professeur avait déserté le cadre scientifique pour se laisser aller au charme d'un mythe. Mais Gordon Sheridan persista. Il n'œuvrait plus que sur ce « tueur parfait », il réfléchissait à tout, précisait le moindre détail, les aptitudes nécessaires, les ruses, les habiletés indispensables à son assassin d'étude.

– En somme, il rédigeait un véritable mode d'emploi !

– Oui. Et qui n'attendait que de tomber entre la bonne paire de mains ! À l'époque où nous étudiions Stuart Sheridan, nous n'avions aucun élément à notre disposition pour rapprocher les travaux de son père et les meurtres de Boz. On ne pouvait prouver qu'ils se connaissaient, ou même que Boz avait lu les ouvrages de Gordon. Peu à peu la piste de Stuart est morte d'elle-même. Surtout lorsqu'il vous a inclus dans l'histoire. Mais c'était avant que Boz ne vous expédie cette référence et ce cliché de l'académie de Pennsylvanie. Le lien avec Gordon Sheridan est désormais établi ! Et ça, cela change tout.

Franklin repensa à la photo de Boz et des jeunes flics. Sûr qu'il avait entendu parler des théories de Gordon Sheridan. Il avait dû assister à la conférence du docteur à l'académie. Sûr que, ayant déjà entamé son processus d'élimination et de cobayes, il ne pouvait trouver meilleur maître, meilleur guide pour orienter sa route de maniaque.

– Quelle est votre théorie à présent ? demanda-t-il à Melanchthon.

– Le complice. La taupe. Celui qu'on cherchait depuis toujours.

– Eh bien ?

– D'après moi ? Aujourd'hui ? Ce serait Stuart Sheridan.

– COMMENT ?

Franklin écarquilla les yeux.

– Réfléchissez : son père Gordon est mort en janvier 1988, à 72 ans. Très affecté par le rejet en bloc de ses idées. Ces offenses peuvent avoir précipité sa fin. Et pousser son fils à venger son honneur.

– Le venger ?

– Précisément en créant ce tueur parfait ! En secondant Boz dans ses crimes afin qu'il devienne le prototype exact de son père et qu'il lui rende enfin justice. C'est le meilleur moyen de casser les critiques.

Franklin blêmit.

L'informaticien redescendit avec ses résultats.

– Ça y est, dit-il, j'ai accédé au serveur des sites de messagerie qui ont servi aux envois. Les deux mails ont été écrits précisément le 17 juin dernier.

Plus de deux mois avant la mort de Boz.

– Pouvez-vous savoir s'il y en a d'autres ? interrogea Frank. Si le serveur doit me délivrer des e-mails dans les prochains jours ?

– D'ordinaire, il faut un mandat pour cela, dit Javier Simoniño. Mais j'ai tout de même jeté un œil rapide. La réponse est non. Votre adresse e-mail n'a plus jamais été saisie sur ce site.

– S'il y a d'autres messages, prévint Melanchthon, ils viendront d'une autre plate-forme.

Peu après, l'agent et l'informaticien s'apprêtèrent à partir.

– Qu'allez-vous faire maintenant ? demanda Frank. On ne peut pas rester sans agir !

– Agir ? Non, en effet. Je retourne de ce pas à Quantico. Je vais essayer de me faire entendre et de rouvrir une enquête. Mais je ne vous garantis rien. Ce ne sont que des messages électroniques. Je vous tiens au courant.

Elle sortit avec Javier Simoniño. Ils se saluèrent et lui reprit sa voiture.

De son côté, Patricia monta dans sa Honda Civic. Franklin n'était plus sur le seuil. Elle décrocha son téléphone portable et composa un numéro.

– Patron, dit-elle, je sors tout juste de la maison de Frank Franklin.

– Alors ?

– Alors... Il est vraiment très fort. Ce n'est pas impossible qu'il arrive à nous coincer une nouvelle fois.

6

Franklin voulait en avoir le cœur net. Il prit rendez-vous avec Stu Sheridan. Il cherchait à connaître son sentiment sur son père, à percer une attitude, une inflexion dans la voix qui étayerait un tant soit peu la théorie de Melanchthon.

Le rendez-vous eut lieu un mercredi soir, au Hayes Building. À son grand étonnement, un sentiment de déjà-vu l'étreignit ce jour-là. La Coccinelle garée sur le parking du complexe de police, l'entrée dans le hall, l'ascenseur, le couloir qui menait au bureau, tout cela le remettait dans le même état d'anxiété que... sa Coccinelle garée sur le petit espace devant le manoir de Boz, la marche à pied sur les gravillons, l'arrivée devant la maison et puis...

La poignée de main.

– Ça va, Franklin ? Je n'entends plus parler de vous. Tout se déroule comme vous le voulez à Durrisdeer ?

Sheridan l'invita à s'asseoir.

Il était tard, la lumière commençait à décliner, le colonel rangeait des dossiers sur son bureau, avec l'intention nette de ne pas s'éterniser.

Franklin avait l'impression de le voir pour la première fois : cette taille, ces épaules gigantesques, ces petites cicatrices sur le visage.

– Tout va bien, merci, répondit-il, tranquillisé de se voir reprendre son rôle de menteur sans trop de difficulté.

– Vous savez, dit Sheridan, le gouverneur me parle encore de cette affaire. Le chantier et tout. Le FBI a fermé son antenne locale à Concord pour en ouvrir une nouvelle à Manchester ; mais cette fois, ils y ont mis les moyens. Finis les bras cassés d'autrefois : l'équipe en place compte huit agents surentraînés.

– C'est bien.

– Et vos élèves ?

– J'en suis aux dernière candidatures. Je n'ai pour octobre qu'une dizaine d'éléments, mais du sang neuf ! Les étudiants de l'an dernier ne rempilent pas.

– Bah, c'est aussi bien, allez... Il faut oublier tout cela.

Franklin fit signe que oui.

– Vous vouliez me voir ? releva le colonel. Qu'y a-t-il ? Rien de grave ?

– Non. Juste quelque chose qui nous ramène à Ben O. Boz, une dernière fois.

– Ah ! bien.

Sheridan suspendit son rangement de papiers et s'assit pour entendre le professeur. Celui-ci dit :

– J'ai lu récemment les travaux de votre père, le docteur Gordon. Par curiosité.

Stuart fronça les sourcils.

– Comment en avez-vous entendu parler ?

– Eh bien, j'étudie l'histoire des grands meurtriers pour mon roman. Je me suis évidemment tourné vers les spécialistes de la discipline. Et votre père est entré sur le haut de ma liste.

– Je vois.

Sheridan alla brusquement se servir un verre dans son petit bar, sans rien proposer au professeur. De son côté, Franklin avait comme des fulgurances, en observant Sheridan face à lui.

Il se souvenait de son insistance sur Boz en avril, au tout début de leur relation. Le colonel voulait absolument faire émerger ce personnage dans l'enquête. Quoi qu'en dise Franklin, il voulait le convaincre que Boz était suspect !

Il s'appuyait alors sur les découvertes d'Abigaïl Burroughs tirées des romans de l'écrivain. Abigaïl œuvrait pour Boz. Mais qui avait engagé cette fille aux archives de la police sinon *lui* ?

Même l'emplacement de la découverte des 24 sur le chantier était sujet à caution. Il avait été étudié de manière à ce que seule la police d'État puisse s'en charger avant le FBI. Pour que Stuart Sheridan soit aux commandes.

Et lorsque le grand flic avait été écarté de l'enquête du Bureau par Melanchthon au commencement des rencontres de Frank avec Boz, Sheridan était revenu à la charge avec ses révélations sur les communications du tueur au FBI. Mais les avait-il vraiment eus comme il le prétendait ? Il voulait surtout rentrer dans le jeu par tous les moyens !

Enfin, s'il était le complice, comme le disait Melanchthon, la taupe de Boz depuis des années, lequel de ces deux hommes avait décidé d'inclure un professeur de littérature dans leur aventure ?

– Eh bien, Franklin, vous êtes dans la lune ? s'exclama Sheridan. Que voulez-vous savoir au sujet de mon père ?

– Je dois vous avouer que ses dernières théories sont assez fascinantes, et, comme je travaille toujours sur le personnage de Boz, mais de manière purement romanesque, j'aimerais savoir si vous avez d'autres ouvrages de votre père à me prêter. Des textes indisponibles ou inédits peut-être ?

– À quel usage ?

– Eh bien... Je vous l'ai dit, je ne suis pas contre l'idée de faire un rapprochement entre les thèses du docteur et la personnalité de Boz. Il y a une familiarité évidente entre ce qu'imaginait votre père et ce qu'a accompli le romancier. Vous ne pouvez pas ne pas l'avoir remarqué, même si vous n'en avez jamais rien dit.

Sheridan hocha la tête, accompagné d'un mouvement des mains vers le bas qui disait : « N'exagérons pas. »

– Vous savez, je ne crois pas avoir envie que mon père soit mêlé à cette histoire, dit-il ensuite avec aplomb.

– Vous avez peut-être tort, ce serait un point formidable pour appuyer sa théorie et...

– Oui, peut-être... mais ne le citez pas, voulez-vous ?

Son ton de voix avait forci. Il but son verre et reprit le rangement de sa sacoche.

– Puis-je au moins le mentionner comme référence dans mon livre, en dire juste quelques mots ?

– Non.

– Mais...

– J'ai dit non !

Il serra les mains sur sa vieille sacoche.

– Vous n'imaginez pas ce qu'a été sa vie à la suite des quolibets qui ont été colportés sur ses dernières publications. Je ne veux pas que cela se reproduise. Surtout avec le cas de Ben O. Boz qui est voué, dorénavant, à rester théorique. Et puis, si quelqu'un doit un jour s'exprimer sur les travaux de mon père, professeur, ce quelqu'un, ce sera *moi* ! Veuillez vous tenir en dehors de cela.

Nouveau coup de voix. Frank était stupéfait.

– Vous avez noté que je n'ai jamais mentionné mon père au cours de notre enquête commune, insista Sheridan. Jamais. Je suis persuadé que vous comprenez pourquoi. Ma famille et moi sommes convaincus que les critiques qu'il a essuyées ont altéré sa santé et écourté ses jours.

Frank prit son air le moins comminatoire qui soit.

– Oui, colonel Sheridan, je vous comprends parfaitement.

7

Dans les jours qui suivirent, Patricia contacta Franklin pour le tenir au courant de ses avancées avec la direction du Bureau.

– Ce n'est pas encore gagné, expliquait-elle. Je tâche de convaincre. Il est probable que vous soyez appelé à témoigner dans les jours prochains. Pour soutenir mon dossier.

– Comptez sur moi.

Melanchthon ajouta qu'elle n'avait reçu aucune communication de Boz chez elle à Washington.

De son côté, Franklin usait de toutes ses capacités d'invention pour réfléchir sur le cas de Sheridan et développer des pistes. Il lui paraissait plausible que le flic puisse avoir décidé d'éliminer lui-même Boz en le jetant dans le Merrimack. Les 24 et le Bureau mis à genoux constituaient leur apothéose. Quelles étaient désormais les intentions du romancier ? Dévoiler la vérité ? Sheridan avait des raisons d'en terminer avec son comparse.

Ensemble, ils avaient tué Patrick et Abigaïl aussitôt que ces derniers s'étaient rendus inutiles ou compromettants. En immergeant Boz dans le fleuve, Stuart Sheridan se réservait de triompher en paix et sans être jamais inquiété.

Mais c'était compter sans les messages post mortem de Ben O. Boz. Que le romancier ait été assassiné ou qu'il se soit suicidé, une chose était certaine : il savait sa mort imminente. Les dates choisies pour les messages l'attestaient.

C'en était trop pour Franklin, il ne pouvait attendre que les huiles du Bureau se réveillent et s'accordent. Il loua une voiture, se munit de ses deux armes et résolut de planquer la nuit près du 55, Auburn Street, l'adresse du domicile de Stuart Sheridan.

Le professeur n'avait aucune compétence en matière de surveillance policière. La première nuit, il s'aperçut qu'il lui manquait une paire de jumelles avec visibilité nocturne; il s'était posté trop loin pour limiter les risques.

Le lendemain, il dénicha dans un bazar de pseudo-espions à Concord l'instrument qu'il recherchait. Dans la vitrine du bric-à-brac, il aperçut aussi un gadget qui pourrait lui servir : une puce de localisation. Il suffisait de la glisser dans la poche d'une veste ou de la fixer sous une carrosserie de voiture pour détecter son positionnement à distance sur un petit écran portable.

La seconde nuit, il se glissa discrètement jusqu'au patio de la maison de Sheridan et encastra sa puce entre des rivets qui soutenaient le pot d'échappement. Il retourna à sa position de planque, mort de trouille, mais assez satisfait de lui.

Franklin s'imaginait avoir pensé à tout et être tenu à l'abri de Sheridan, pourtant, si méticuleux qu'il ait été, il ne remarqua jamais une voiture noire postée à neuf places de stationnement de lui. Elle ne le quittait plus depuis trois jours.

Le professeur qui surveillait était lui-même sous surveillance.

8

Par moments, Frank pouvait apercevoir Sheridan derrière ses fenêtres qui jouait avec ses enfants les plus jeunes ou embrassait sa femme.

Le quatrième soir, Franklin s'endormait à demi au beau milieu de la nuit, les bras en croix sur son volant, lorsque le roulement de la porte rideau du garage de Sheridan le réveilla.

Le flic sortait. Mais pas avec son Oldsmobile, avec le Ford 4 × 4 pick-up familial dont usait son épouse. Il roulait feux éteints. Franklin décida d'en faire autant et de le suivre à distance. Sheridan n'alluma ses phares qu'en arrivant sur Penacook Road. Le professeur le fila à distance, gardant un œil sur les deux feux rouges arrière du pick-up. Franklin retrouva, en sortant de la ville, le même sentiment de perdition qu'au soir de son arrivée à Durrisdeer.

Stuart Sheridan s'arrêta en pleine cambrousse, loin des habitations, en bord de forêt, sur Currier Road. Son 4 × 4 chevaucha le bord de chaussée et ses lumières s'éteignirent.

Franklin fit pareil, plus d'une centaine de mètres en aval. Une demi-lune déversait son jour blême, mais sa voiture profitait d'un bon morceau d'ombre.

Sheridan, muni d'une lampe torche, dénoua la bâche de son véhicule pour en tirer une pelle. Ensuite, il disparut sous les bois. Frank glissa un pistolet dans chaque poche de son blouson et se mit à suivre l'oscillation de la lampe du flic. Sheridan marchait vite. Sans doute suivait-il un sentier. Frank, lui, devait se faufiler, enjamber d'épaisses racines ou du bois mort, s'arracher à des ronces, sans produire de bruit.

Le grand flic s'immobilisa. La lumière se fixa. Frank crut pouvoir s'approcher. Son œil s'était accommodé à la nuit.

Au pied d'un arbre, Sheridan creusait. Il avait calé sa torche électrique sur une branche en hauteur. Son faisceau éblouissant piquait là où le flic jetait ses coups de pelle. L'homme s'épuisait à la tâche. Un claquement sourd, sans écho, le stoppa. Il s'épongea le front, fit un signe inintelligible de la tête, puis, méticuleusement, mit au jour un sac en PVC noir. Il reprit sa lampe et la passa sur l'objet.

Au moment où Sheridan hissa ce sac sur son épaule, il n'y avait plus de doute possible dans l'esprit du jeune homme : c'était un corps ! Pas très volumineux. Peut-être celui d'une femme ou d'un adolescent.

Franklin blêmit.

Sheridan retourna à sa voiture sans avoir rebouché le trou.

Le professeur s'inquiéta : s'il prenait au colonel de faire demi-tour pour retourner à Concord, il apercevrait nécessairement la voiture de Franklin au bord de la route, et, pourvu du numéro de plaque minéralogique, il tomberait sur lui grâce à la compagnie de location.

Une seule issue : le professeur fonça dans la forêt, bondit à son volant, mit le contact et roula droit devant lui, phares allumés.

Il croisa Sheridan à vive allure.

Celui-ci tressaillit, il venait juste de sortir des bois avec son nouveau passager. Il ne put ni distinguer Franklin dans l'habitacle ni relever la marque ou le modèle du véhicule.

Le professeur continua droit devant lui, puis il coupa une nouvelle fois ses lumières et s'arrêta après un long virage. Ensuite, très lentement, il revint sur ses pas, en marche arrière. Loin dans son rétroviseur, il vit Sheridan accomplir, comme prévu, son demi-tour.

Et il reprit sa filature.

Mais un signal sonna dans sa poche de blouson. Il sursauta. C'était l'écran portable de sa puce GPS.

Il dégagea l'engin.

L'Oldsmobile de Sheridan venait elle aussi de se mettre en mouvement !

9

Sheridan ne rentrait pas chez lui. Il se dirigeait vers l'autoroute 393. Pour Franklin, c'était couru : il retournait sur le chantier d'extension.

Le point de mort des vingt-quatre derniers cobayes de Boz.

***

Peu de raisons peuvent expliquer des résolutions où une vie est si vite mise en jeu ; l'imagination peut être un redoutable défaut. La fébrilité de savoir, l'impatience de se tenir là où les choses se déroulent. L'imagination alimente les soupçons. Ceux qui ne s'inventent jamais rien n'ont jamais le désir de voir confirmer leurs idées. Franklin n'était pas de ceux-là.

Alors que le pick-up s'engageait sur la bretelle qui menait aux travaux, il stoppa sa voiture bien avant l'intersection de Freedom Acres et de la 393 et s'engouffra à pied dans les bois de Farthview Woods.

Vers le chantier.

La traversée fut pénible. Il n'y avait aucun chemin et la forêt était plus dense. La demi-lune faisait office de plafonnier. C'était insuffisant, mais Franklin renonça à employer sa lampe torche. Les seuls points de lumière qu'il finit par identifier en arrivant près du chantier étaient les luminaires de perron des caravanes du village SR-12, au loin. C'était de là que Milton Rook avait sorti son chien et découvert les 24...

Franklin n'avait vu que des clichés des lieux du massacre du 3 février 2007 : le trou de pilier, le monceau de cadavres, les environs baignés d'ombre, les machines de terrassement, etc. Il n'y était jamais venu en personne.

À pas de loup, il approcha de la lisière de la forêt. Il comprit tout de suite que le chantier avait nettement progressé en plus de six mois. Cinq piliers gigantesques étaient désormais dressés, une portion de route rejoignait déjà la rampe d'accès à la 393. Le gros des travaux s'était déplacé d'un bon kilomètre et demi.

Au pied de ces masses bétonnées, Franklin se sentit la taille d'un insecte. Il attendit. Sans s'aventurer au-delà du couvert des arbres.

Ce furent des coups de pioche qui l'intriguèrent avant tout. Sur sa gauche. Tout près du premier pilier. Il se déplaça dans cette direction et retrouva Stu Sheridan.

Impossible de le confondre. Sa silhouette était suffisamment caractéristique. Le colosse tenait une pioche entre les mains, et il heurtait le sol, à quelque quinze mètres de la base du pilier. Le sac noir était posé près de lui.

Franklin consulta une nouvelle fois son écran portable : l'Oldsmobile arrivait elle aussi en direction de la 393 ! Elle approchait d'eux.

« Bon Dieu, qu'est-ce que cela signifie ?... »

Franklin libéra son Sig Sauer, le cœur battant. Il sortit aussi son téléphone portable et composa le numéro de Patricia Melanchthon. Il lui parla à voix très basse.

– Taisez-vous, écoutez-moi.

Il lui résuma l'action.

Elle répondit :

– Ne faites rien que vous pourriez regretter, Franklin. Tout cela peut vous échapper. Très vite.

– Mais nous tenons là le seul moyen de le coincer. Débrouillez-vous ! Faites rappliquer du monde !

Il raccrocha et éteignit son téléphone.

Il décida de s'approcher et d'utiliser l'angle du pilier pour ne pas être vu.

Sheridan, sans se douter de rien, finissait de délimiter son trou et alluma une lumière. L'éclat parut foudroyant dans la nuit. Franklin se raidit. Le flic vérifia la taille du corps dans le sac. Penché, la lampe bloquée entre les mâchoires, il traînait le cadavre de ses mains.

Sheridan était à genoux, plié en deux, les paumes au sol, la lampe dans la bouche, en position de faiblesse. Franklin, et il se demanderait toujours pourquoi, n'hésita pas : il surgit du pilier, son arme braquée vers le flic.

– Sheridan ! cria-t-il.

Qu'est-ce qui l'avait poussé à commettre cette folie ? La curiosité ? Un sentiment subit de supériorité sur le complice de Boz ? Beaucoup d'orgueil, sans doute. Il n'avait jamais tiré sur un être humain. Cela ne rimait à rien. Sheridan s'en doutait certainement.

D'ailleurs, le flic bondit sur ses pieds en abandonnant sa lampe. Le faisceau rasa le sol, les deux hommes retombèrent dans le seul éclat de la lune.

Ce temps bref où l'œil de Franklin hésita entre plusieurs champs de vision suffit à Sheridan pour dégainer son Glock .45.

– Décidément, vous ne reculez devant rien, Franklin, lança-t-il.

Et il tira. La balle manqua l'épaule gauche du professeur. Ce dernier pivota derrière le pilier. S'il y a des moments où l'on prend brutalement conscience de la connerie que l'on vient de commettre, pour Franklin, c'était tout de suite.

Il savait qu'il ne ferait pas le poids face à Sheridan. Le colonel allait ne faire de lui qu'une bouchée et l'enterrer là, pour toujours. Rideau, professeur.

Une solution : fuir vers la forêt et profiter de sa pénombre.

Ce qu'il fit.

Mais le bruit d'une deuxième balle claqua dans la nuit. Et, cette fois, c'était un tir latéral qui l'atteignit au-dessus de la hanche. Sous la puissance de l'impact, il fut propulsé dans sa course comme une chiffe derrière les premiers fourrés de la forêt.

Durant le vol, Frank avait tourné la tête et reconnu le lieutenant Amos Garcia. Arme au poing. Le deuxième tireur.

Franklin roula sous les arbres. Il saignait. Il gémissait. Il souffrait. Mais il n'avait pas lâché son flingue.

Il se redressa et entendit distinctement les deux hommes parler entre eux, et se rapprocher de lui. En dépit de la douleur, il clopina laborieusement vers plus d'obscurité, avant de s'écrouler de tout son long sur le dos. Sheridan et Garcia venaient d'entrer dans la forêt.

Franklin se retrouva sous un toit de hautes fougères. Pas de quoi se sentir à l'abri, mais ses poursuivants ne le retrouveraient qu'en tombant exactement sur lui. Jusque-là, la nuit était de son côté.

Tremblotant, frigorifié, persuadé de vivre ses derniers instants, Franklin revit tout, presque dans l'ordre : sa nomination exceptionnelle à Durrisdeer, son arrivée mouvementée, la rencontre avec Mary, le canular de la mort de Mycroft Doyle, le Scribe Club, Sheridan qui entrait dans son bureau pour lui parler d'un certain Boz, les photos chez le colonel pour le convaincre de se joindre à l'enquête, Dovington et leurs arrestations par le FBI, la grande leçon de Patricia Melanchthon sur l'écrivain, l'achat des armes à Manchester, la première rencontre avec Boz, les chiens, le grand feu dans le jardin, Durrisdeer, la conférence avec les élèves, le théâtre, le massacre, l'échec cuisant, puis les cendres au Canada, et puis le fax, le SMS, et l'e-mail, et le « Bonjour » d'outre-tombe.

– Quelle chierie ! se dit-il.

Sheridan et Garcia approchaient dangereusement. Ils s'étaient séparés, donnant des coups de pied dans les fougères, libérant des branches, traquant le professeur au ras du sol.

– Votre aventure s'arrête là ! cria enfin Sheridan. Vous n'avez plus qu'à vous rendre, Franklin !

– Nous savons que vous êtes tout proche, renchérit Garcia en consultant sa montre. Le jour va se faire dans moins de deux heures. On attendra le temps nécessaire. Mais vous ne nous échapperez pas !

« Donc le lieutenant aussi est dans le coup, songea Franklin. Bon Dieu, mais combien sont-ils à couvrir Boz ? »

Il se savait dans la pire des situations : ils allaient le tuer, le faire disparaître dans les bois, personne ne les soupçonnerait jamais. Le chapitre du professeur de littérature serait clos.

À présent, il saisissait chaque crissement de leurs pas. À sa gauche. À sa droite. Sheridan était le moins discret des deux, il fouettait les fougères avec ses bottes.

Lentement, Franklin tira de sa poche son second pistolet, le Kel-Tec P32.

Il vit leurs silhouettes se dessiner. À sa droite. À sa gauche.

Frank ne pouvait retenir les bruits de sa respiration. Son souffle le trahissait. Il ahanait presque. Il serra les poings.

Sheridan à gauche.

Garcia à droite.

« C'est votre karma... » lui avait dit le vendeur d'armes de Manchester.

« Et comment s'intitulera votre roman ? lui avait demandé son éditeur à New York. – *Le Romancier*, mais je ne vous dirai rien tant que je ne serai pas entré plus loin dans l'histoire... »

Plus loin dans l'histoire...

« Je vous demande seulement de m'aider à élucider le mystère des vingt-quatre morts, lui promettait Sheridan à Dovington. C'est juste une tentative de confirmation. Vous arrêterez aussitôt que vous le déciderez ! »

Oui, arrêter ! Arrêter. Tout de suite !

« Vous bilez pas, professeur, la paranoïa, c'est forcé : vous allez passer par tous les stades imaginables de l'angoisse et du doute. Une vraie excursion en eaux troubles. Va falloir se montrer solide, Franklin ! »

Solide... Solide... Solide...

Franklin ferma les yeux et tendit les bras. Il redressa un peu son buste et tira, presque à l'aveuglette, lançant un cri sauvage pour accompagner son geste.

Il visa dans les deux directions avec les pistolets.

Le bruit, les gueules de feu, les étincelles, les vibrations sous les doigts, l'odeur de poudre, son cri, sa blessure, tout se mélangeait en lui et autour de lui.

Sheridan et Garcia s'écroulèrent dans des râles.

Le jeune homme cessa le feu. Dans un moment de stupéfaction, il aurait pu s'arrêter là... mais, pris d'une colère qu'il ne maîtrisait plus, il se releva et se traîna jusqu'au corps étendu de Sheridan.

Il le trouva sur le ventre, inerte.

Pas le moins du monde affecté par cette mort, au contraire, enhardi, Franklin braqua son arme, rugit, et vida son chargeur dans le dos du flic.

Il s'acharnait. C'était son premier contact avec le feu et le sang d'un homme, mais c'était aussi la première fois qu'il avait à ce point senti que sa dernière heure était arrivée... Ce traumatisme se vidait par la colère et la force de réduire à néant ces deux mecs.

Il retrouva Amos Garcia et lui porta une balle supplémentaire en pleine tête.

Enfin, il lâcha ses pistolets, magasins vidés, et s'écroula au sol.

Tout en pensant confusément à Mary, à sa mère, à sa vie d'avant, il se sentait devenu une bête. Un prédateur qui voulait que cette histoire, cette aventure, ce cauchemar finisse !

Il entendit vaguement des personnes qui arrivaient dans la forêt. Sans doute des habitants du village attirés par les coups de feu.

Franklin respirait. Il était sauvé.

– Les mains sur la tête ! lui cria une voix de femme.

C'était Patricia Melanchthon. Elle était avec deux agents, tous les trois armés. Le professeur se releva péniblement. Il souriait.

– C'est fini, dit-il avec soulagement. C'est fini, Patricia...

Entre les arbres, près du pilier, d'un coup d'œil il aperçut la Oldsmobile de Sheridan. Les agents en étaient-ils sortis ? Melanchthon le pointait toujours avec son arme.

– Vous êtes en état d'arrestation !

– Comment ? Mais...

– Dois-je vous appeler Frank Franklin ou Ben O. Boz maintenant ? Vous avez poussé trop loin votre chance, cette fois. Le piège n'a pas pris. C'est terminé.

Et elle lui lut ses droits, avant que le reste des forces de police ne débarque pour l'arrêter.

10

Le professeur fut conduit dans l'antenne du FBI à Manchester. Il retrouva une pièce conforme à celle d'Albany après son enlèvement à Dovington avec Sheridan.

Pendant neuf heures, Melanchthon énuméra les différents motifs d'inculpation qui pesaient sur lui et les preuves qui les justifiaient. Franklin resta muet tout ce temps.

À la fin, il eut seulement cette phrase navrée :

– Moi qui pensais avoir tout vu !...

***

Incarcéré pendant des mois à la prison d'État du New Hampshire, Franklin attendait le coup de grâce du tueur. Non... Il devinait que ce coup de grâce allait être à la fin de toute cette histoire.

Le 3 février suivant, un an exactement après la découverte des corps sur le chantier, alors que Frank croupissait toujours en prison dans l'attente de son procès, le notaire de Ben O. Boz à Montpelier, son légataire universel, répondit au souhait de son client en libérant de son coffre un manuscrit que lui avait remis le romancier plusieurs semaines avant sa disparition dans le Merrimack.

SIX PIEDS SOUS TERRE
ou
L'ALIBI

par Ben O. Boz

***

Dans son dernier livre, Boz racontait tout. En commençant par sa jeunesse et l'épisode où il avouait avoir tué, *lui*, son père en sabotant sa voiture, et comment, enfant de 10 ans, il avait ensuite masqué cet assassinat avec le concours de sa mère.

Tout y passa.

Chaque essai, chaque tentative, chaque meurtre, chaque expérience odieuse. Au moins quarante-sept crimes irrésolus trouvaient leur explication dans ces pages ! Dès la révélation du texte, tous les journaux du pays s'en arrachèrent les bonnes feuilles. Boz ne masquait plus rien, il conservait les noms véritables, les lieux véritables, les circonstances véritables. Avec son goût sûr du détail, il analysait *in extenso* ce qu'avait été sa « méthode d'écriture ».

Il s'étendit sur ces années où il avait réussi à tromper le FBI à l'aide d'alibis, et à tuer des agents sous couvert d'accidents. Les paragraphes sur les préparatifs de l'assassinat de sa femme étaient un modèle du genre.

Grâce au cas d'Amy Austen, l'écrivain s'était intéressé aux expériences d'hypnose. La prostituée du Nevada entrait très facilement en transe, parlait des langues inconnues, retrouvait des souvenirs de vies antérieures, communiquait avec des esprits de chamanes indiens... Cette réussite se révéla capitale pour Boz : sous hypnose, son sujet était à sa merci la plus complète. Il se perfectionna et appliqua cette technique sur d'autres cobayes. Ceux qui ne répondaient pas suffisamment au procédé finissaient éliminés et remplacés. Les vingt-quatre derniers cobayes étaient ses sujets les plus réactifs.

L'avant-dernier chapitre traitait du massacre dans le New Hampshire. Ce devait être son coup de génie. Celui qui étranglerait ses adversaires du FBI.

Amenés en pleine nuit à un trou de pilier dans un chantier d'autoroute près d'une forêt, les 24 acceptèrent tous de s'allonger les uns sur les autres pour former un monticule de corps. Chacun reçut, avec le sourire, une balle de .45 dans le ventricule gauche.

Tous les cobayes avaient été conduits sous hypnose. Boz avait répété avec eux des dizaines et des dizaines de fois ce scénario, avant de l'appliquer pour de vrai, sans un accroc. Hormis Jessica March, la jeune femme qui s'était brusquement réveillée.

La camionnette qui servit à conduire les victimes n'avait judicieusement emprunté aucun axe surveillé par des caméras d'observation du trafic.

L'ultime chapitre du livre de Boz traitait de son suicide dans le Merrimack.

Un mois et demi avant la mort constatée de l'écrivain, le colonel Stuart Sheridan avait reçu des messages électroniques sur son portable et sur son ordinateur. Ils lui expliquaient, détails à l'appui, comment le jeune professeur de Durrisdeer Frank Franklin secondait à présent Ben O. Boz dans ses crimes.

Sheridan contacta aussitôt Melanchthon et tous deux résolurent d'attendre les preuves qui consolideraient cette accusation.

Celles-ci vinrent après la disparition du romancier, fin août. Abigaïl Burroughs fut retrouvée quatre jours plus tard dans le coffre d'une voiture. Près d'elle, les enquêteurs retrouvèrent non seulement un crayon de papier avec les empreintes digitales de Franklin, mais aussi des traces de son ADN sur les lèvres de la victime.

– C'est impossible ! s'était écrié Frank.

Dès lors, toute une unité du Bureau et la police de Sheridan se mirent sur le cas de Franklin. L'idée était de le surprendre au moment où on pourrait le lier sans erreur à des meurtres précédents.

Mais voilà que le suspect se mit à fomenter une histoire qui compromettait Stuart Sheridan avec Boz !

Tout le monde prit cela pour une ruse.

Ben O. Boz, continuant de communiquer avec Sheridan en même temps qu'avec Franklin, jouait une partition très connue au FBI : le tueur et son double, le disciple. Cela fonctionna à merveille. Melanchthon pensait avoir percé à jour le personnage de Franklin, persuadée que son scénario contre Sheridan était une diversion ou un piège ; elle décida de tout lui faciliter pour lui donner l'air de maîtriser la situation : lui laisser accès à la librairie de Quantico, faire mine de croire à ses découvertes et de suspecter Sheridan autant que lui.

Lorsque Franklin s'était mis à planquer devant le domicile du flic, la messe était dite : il voulait éliminer Sheridan et justifier son geste par la culpabilité croissante du colonel ou la légitime défense.

Clark Doornik utilisait les alibis, Frank Franklin, la légitime défense. Mais, à travers eux, c'était toujours Ben O. Boz qui agissait.

Melanchthon eut l'idée du sac en plastique. Il ne contenait que des draps et quelques morceaux de bois. Ce simulacre devait donner des ailes à Franklin et le pousser à agir !

Mais lorsqu'il avait surgi sur le chantier, derrière le pilier, tout s'était précipité sans que le lieutenant Amos Garcia et Melanchthon puissent intervenir dans les délais.

Tout ce temps, Franklin aurait mis sa tête sur le billot que Stuart Sheridan était le complice de Boz.

Et Sheridan, de son côté, en aurait fait autant pour accuser Frank Franklin.

C'était le vœu du romancier Ben O. Boz. Afin que tout s'achève au plus mal.

Le nombre prodigieux de balles retrouvées dans les corps de Sheridan et de Garcia ne plaidait aucunement en faveur de la légitime défense arguée par Frank Franklin. Il avait tué deux officiers, dont le chef de la police qui était père de cinq enfants.

Il avait aussi le meurtre d'Abigaïl sur le dos. Pour se l'expliquer, le professeur se rappela ses entrevues dans le manoir de Boz : il utilisait des crayons de papier et pouvait en avoir égaré un ; il buvait à même les canettes de soda, le romancier y aurait récolté sans peine ce dont il avait besoin pour trahir ses empreintes et son ADN.

À la louche, au New Hampshire, il risquait trois fois quatre-vingt-dix ans de prison.

Dans *Six pieds sous terre*, l'explication de la technique des messages différés de Boz était redoutable : en réalité, ni Sheridan ni Franklin n'étaient coupables de quoi que ce soit. Boz n'avait pas de complice. Sheridan n'avait jamais cherché à venger la mémoire de son père en façonnant un « tueur parfait » ; Franklin n'était pas un « disciple ». Tout n'avait été qu'une affaire de suggestion et de manœuvres. En tirant sur le colonel et le lieutenant, le professeur avait abattu deux innocents.

S'ils avaient tiré les premiers, ils auraient commis la même erreur.

Le chef-d'œuvre de Boz était accompli.

Même mort, il avait tué. Et, comme pour chacun des crimes qu'il avait planifiés depuis vingt ans, il avait, pour se couvrir, un alibi puissant. Le meilleur de tous.

« On peut toujours démonter un alibi devant un tribunal, avait-il dit aux étudiants de Franklin à Durrisdeer. Un témoignage, corrompu s'il le faut par l'accusation, et il est à l'eau. Pour une bonne défense, la seule excuse valable, le seul alibi véritablement parfait, c'est d'être mort le jour du meurtre ! »

Le texte, enfin, confirmait qu'Abigaïl Burroughs, née Turd, était bien un ancien cobaye, tombée amoureuse de lui. Lui-même n'était jamais resté indifférent à ses charmes et à sa dévotion.

L'improbable couple se voyait dans la maison de William Charlier, le voisin « virtuel » de Dovington.

Le frère d'Abigaïl, Patrick Turd, n'avait été qu'un pion mineur. Une erreur aussi. Abigaïl et lui avaient participé à la nuit du 3 février. Mais le jeune homme avait perdu pied au moment de quitter les lieux. Seulement, ce que Boz lui-même ignorait, c'était qu'Abigaïl avait traqué son frère dans les bois et l'avait tué de ses propres mains pour protéger son amant ! Elle ne lui avoua jamais rien à propos de ce cadavre abandonné sur les terres de Durrisdeer. Abigaïl aimait autant Boz qu'elle le craignait.

Lorsqu'il apprit l'existence du corps de Turd par le Scribe Club, Boz dut accélérer son processus pour ne pas risquer de se faire prendre avant son apothéose finale. Il corrigea l'erreur.

Et Abigaïl.

***

La publication du dernier livre eut très exactement l'effet escompté : du jour au lendemain, le pays ne parla plus que de Ben O. Boz. Ses romans furent réédités, le monde entier voulait les découvrir. Les détails qui rebutaient auparavant devinrent la marque de fabrique de Boz et la raison de son succès. Une fascination morbide naquit autour de cette œuvre unique en son genre.

Boz savait qu'il serait, pour toujours, étudié et mentionné comme un cas sans équivalent dans l'histoire de la littérature et du crime.

« Ils s'arracheront mes livres, vous verrez ! avait-il clamé devant Franklin. Lorsque l'on saura qui je suis, ce que j'ai sacrifié pour accomplir mon travail, mes livres se vendront !... »

Tout son plan, toute sa vie avaient été tournés vers ce but réfléchi, exclusif, patiemment mis en place, atrocement exécuté.

En dépit des révélations du livre de Boz, Frank Franklin fut condamné, en premier jugement, à quinze ans de prison pour les meurtres de Sheridan et Garcia.

Le romancier tenait sa revanche sur le jeune professeur de littérature qui avait voulu se jouer de lui en employant ses propres armes.

***

Jusqu'au bout, rien ni personne ne lui aura jamais échappé.

Impression réalisée sur Presse Offset par

44694 – La Flèche (Sarthe), le 17-12-2007
Dépôt légal : décembre 2007

POCKET – 12, avenue d'Italie - 75627 Paris cedex 13

Imprimé en France